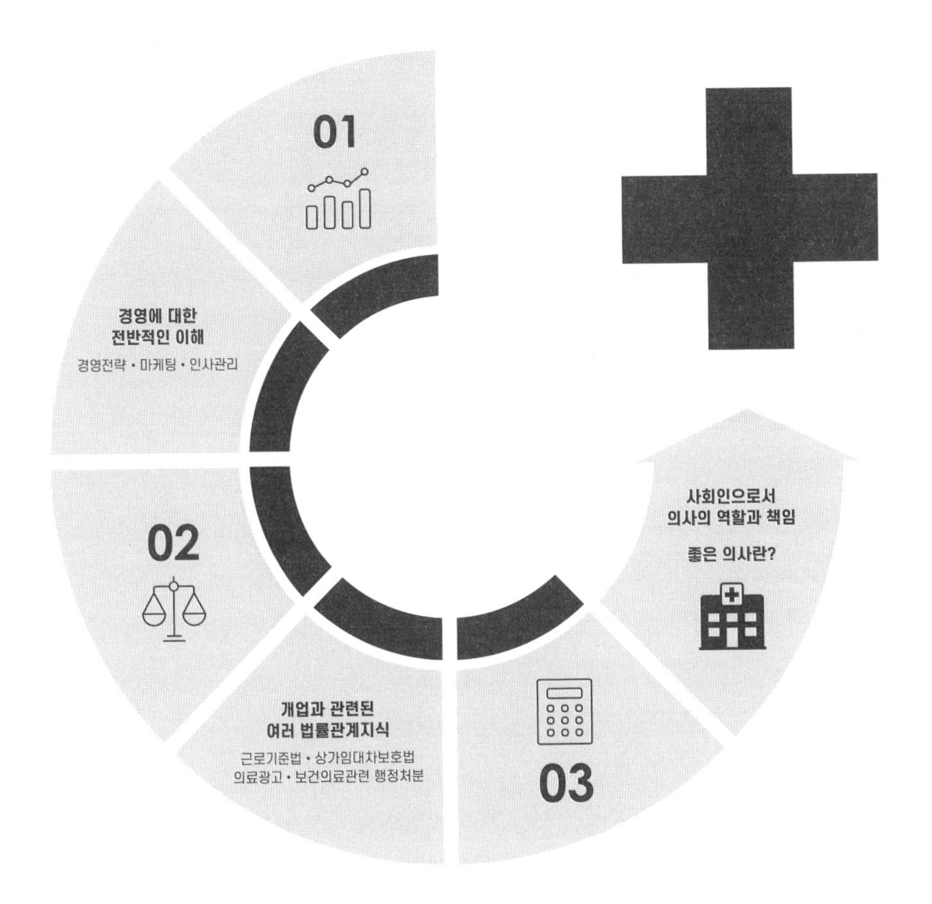

수련의부터 준비하는

SLOW 개원전략 가이드북

수련의부터 준비하는

SLOW 개원전략 가이드북

초판 발행 | 2017년 03월 15일
1판 2쇄 발행 | 2017년 09월 25일
2판 1쇄 인쇄 | 2022년 12월 27일
2판 1쇄 발행 | 2023년 01월 10일

지 은 이 박창범
발 행 인 장주연
출판기획 김도성
출판편집 이민지
편집디자인 양은정
표지디자인 김재욱
제작담당 이순호
발 행 처 군자출판사(주)
등록 제4-139호(1991. 6. 24)
본사 (10881) 파주출판단지 경기도 파주시 회동길 338(서패동 474-1)
전화 (031) 943-1888 팩스 (031) 955-9545
홈페이지 | www.koonja.co.kr

ISBN 979-11-5955-953-2
정가 20,000원

사랑하는 아버지, 어머니, 현준, 현성, 그리고 아내에게

이 책을 바칩니다

강동경희대병원 심장혈관내과 박창범 교수가 펴낸 책의 추천서를 쓰게 되어 영광입니다. 박 교수는 진료에 매진하는 성실한 의사일 뿐 아니라 의학과 더불어 법학과 경제학을 공부한 독특한 이력을 가진 분입니다. 이번에 박창범 교수가 쓴 개원전략가이드는 말 그대로 의료경제법학 지식대백과사전과 같다는 느낌을 받았습니다. 오랜 의학공부를 마치고 개원을 하게 되는 경우, 어떤 것부터 준비해야 할지 막막한 경우가 많지요. 경영과 마케팅, 인사관리는 전문가도 어려운 부분입니다. 이 책 내용에는 이에 더하여 진료를 보는 사람의 입장과 진료를 받게 되는 환자의 마음까지 헤아리는 심리학적 지식에 대한 내용과 개업 관련 법률관계지식까지 담겨있습니다.

그리고 큰 질문을 던집니다. 성공과 윤리, 부정부패와의 결별, 가치와 보람, 좋은 의사란 무엇인가? 박 교수는 책에서 성공의 잣대를 남이 아닌 나 자신에게 적용해서 '정말로 하늘을 우러러 부끄러움이 없는지요?'라는 질문을 던집니다. 이 질문에 대해 풀어가는 내용을 읽게 되면 법과 경영의 관점에 박창범 교수의 경험과 연륜, 자기 성찰이 담긴 훌륭한 책이라고 인정할 수밖에 없었습니다.

추천사 1

당장의 개원이라는 중요한 숙제를 받은 후배들에게 박창범 교수는 긴 호흡으로 세상을 보라는 조언을 합니다. '윤리적인 의사로서, 긴 호흡으로, 가치 있는 삶을 사는 좋은 의사'라는 박 교수의 전략가이드를 저를 비롯한 이 책을 읽는 분들이 금과옥조로 삼아 더 좋은 의료환경을 만들어 가기를 희망해 봅니다.

강동경희대학교병원 의대병원장

이 형 래

올바른 선택을 위하여

"동기부여", "불균형 바로잡기", "성과를 낼 수 있는 구조 설계하기"

경영의 본질은 과연 무엇인가? 짧게 한 문장으로 대답해 달라고 요청받았을 때, 많은 경영자들이 실제 말한 답들입니다.

제가 위 질문에 대한 답을 곰곰이 생각하게 된 것은, 지금부터 10여 년 전, 어느 언론인 분과의 만남 자리에서 동일한 질문을 받았던 때였습니다. 그나마 다른 질문들은 그럭저럭 대답을 한 것 같은데, 나름 개원의로서 경영을 하고 있는 사람으로서, 내가 하고 있는 주 업무 즉, 경영의 본질이 과연 무엇인가라는 근원적 질문에 명쾌한 답변을 하지 못한 것이 못내 아쉬움으로 남아, 시험을 망친 후 오답을 찾아보듯 만남이 끝난 후 많은 유명 CEO들의 대답을 검색해 보기도 하고, 실제 나의 경우에서 관찰되는 진짜 답을 찾기 위해 몇 날 며칠을 고민했던 기억이 있습니다. 그때 내린 저의 결론은, "경영이란 올바른 선택의 집합체이다."였습니다.

경영이란 결국 끊임없이 이어지는 의사 결정, 즉 선택의 연속입니다. 마음속의 천칭 위에 두 가지 화두를 올려 놓고 어느 쪽이 득과 실이 더 큰지를 결정하는 선택,

그 고통스럽고 불확실한 과정이 경영행위의 본질이라고 저는 생각합니다.

그런데 그 경영적 선택이라는 것은, 동질적 존재를 대상으로 하는 간단한 것이 아니라 지극히 판단하기 어려운 매우 이질적인 가치들 사이에서 내려야만 하는 곤혹스러운 선택이 대부분입니다.

예를 들자면 "사과와 배 둘 중에 선택은?"과 같이 단순한 선택이 아니라 "사과" vs. "15분간의 달콤한 낮잠"같이 속성 자체가 동일 기준으로 비교하기 불가능한 고난도 선택의 연속이라는 것이죠.

개원을 성공하려면 "좀 더 넓은 공간 vs. 고연봉의 인재 고용하기 vs. 고가의 버스 광고 집행하기" 셋 중 어느 곳에 제한된 자원을 투입해야 할지와 같은 까다로운 선택지를 끊임없이 맞닥뜨리게 됩니다. 이와 같은 어려운 고난도 선택을 꾸준히 성공적으로 해 나가고, 그 결과가 축적되어 나타나는 결과가 바로 비즈니스의 성공입니다. 하지만 너무 겁먹으실 필요는 없다고 말씀드리고 싶습니다.

지금 이 글을 읽고 계신 분들이 성공적인 개원을 목표로 하는 개원 준비 의사 선생님이거나 혹은 개원을 좀 더 성공으로 이끌고 싶어하시는 개원 초기의 선생님이시라면, 일단 여러분의 한 가지 선택은 매우 성공적이십니다. 바로 지금 읽고 계신 이 책을 "선택"했다는 점에서요.

박창범 교수님의 'slow 개원전략 가이드북'은 아래와 같은 점에서 모든 개원 성공을 원하는 분들께 훌륭한 선택입니다.

첫째, 매우 넓습니다. 실제 성공 개원을 위해 필요한 거의 모든 영역이 빠짐없이 아우러져 있습니다.

둘째, 다루고 있는 영역이 넓은 책은 필연적으로 구체성이 떨어지고 공허한 원론 수준에 머물기 쉽지만, 이 책은 넓으면서도 디테일합니다. 특히 의료법 등 관련 법률분야를 다루고 있는 장, 그리고 건강보험심사 및 청구실무를 다루고 있는 장은 개원 후에도 언제나 가까운 곳에 두고 항상 찾아봐야 할 정도로 실용적 내용을 풍부히 담고 있습니다.

셋째, 매우 객관적입니다. 흔히 실제 개원 경험자분들이 이야기하는 개원 성공론은 누구나 성공한 사람들이 빠지기 쉬운 일반화의 오류 혹은 자신만의(행운을 동반한) 성공 경험을 절대적 법칙으로 맹신하고 강요하는 잘못을 저지르기 쉬운데, 박창범 교수님의 성공 개원을 향한 객관적 통찰은 그와 같은 편향이 제거된 신뢰도 높은 지식으로 이루어져 있습니다.

어린 학생 시절 유명한 수학이나 영어 참고서를 처음 구입했을 때면 저자의 머리말부터 먼저 읽어 보곤 했습니다. 유명 참고서의 머리말에 흔히 단골로 등장하는 "모쪼록 모든 학생들이 이 책을 통해 수학 실력이 성장하고 원하는 대학에 모두 합격하는 행운을 누리기를 기원한다."와 같은 식상한 표현을 자주 본 기억이 납니다. 그때마다 의아했던 것은 그 자체로 터무니없는 모순이 아닐까 하는 생각을 했습니다. 모든 학생들이 원하는 대학 정원은 제한되어 있고 따라서 모든 학생이 모두 다 원하는 대학에 합격하는 것은 현실적으로 절대로 불가능한 일이니까요.

마찬가지로 모든 개원 준비 의사 선생님들이 모두 다 소위 대박 개원의가 될 수는 없을 겁니다. 환자분들의 숫자는 현실적으로 제한되어 있으니까요. 그래서 저는 '모든 개원 준비 의사 선생님들이 모두 대박 개원의가 되시길 기원합니다'와 같은 모순적이고 공허한 인사치레는 드리지 않으려 합니다.

하지만, 지금 이 순간 이 책을 읽기로 선택하신 모든 선생님들의 미래에는, 끝까지 이 책을 완독해낸 미래와 조금 읽다가 중도 포기하고 덮어버리는 미래, 둘 중 하나의 선택지가 존재하며, 전자를 선택하셨을 때 분명히 선생님의 개원 성공 확률은 유의미하게 높아질 것이라는 점, 이 점만큼은 확실하다고 말씀드리고 싶습니다.

365mc 비만클리닉 CEO & Founder

김 남 철

선생님은 한달 전에 6년의 의과대학, 1년의 인턴과정, 4년의 전공의과정을 마쳤습니다. 이를 기념하기 위하여 오늘 저녁에 친구들을 초대했습니다. 하지만 근처에 빵가게가 없어서 선생님은 케익을 처음으로 만들어야 합니다. 다행인지 집에 빵을 구울 수 있는 오븐과 밀가루, 기타 여러 재료들은 있습니다. 하지만 선생님은 이전에 빵을 구워 본 적이 없습니다. 밀가루 빵을 구울 때 밀가루와 물의 비율을 2:1로 할지 3:1로 할지도 모릅니다. 우유, 소금이나 오일, 설탕은 얼마나 넣어야 할지도 모릅니다. 달걀을 넣어야 할지도 고민입니다. 또한 빵을 오븐에서 얼마나, 어떤 조건에서 구울지 고민해야 합니다. 굽는데 얼마의 시간이 적절한지도 모릅니다. 오븐온도는 어느 정도로 잡아야 하는지도 모릅니다. 빵은 어떻게 만들었다고 하더라도 휘핑크림으로 어떻게 생크림을 만들지도 모릅니다. 다행히 생크림을 만들었다고 하더라도 빵 바깥에 생크림을 어떻게 해야 예쁘게 바를 수 있는지도 모릅니다. 다행히 우리 조상들은 빵을 굽는 법을 이미 익혔고, 케익을 만드는 법도 만들었습니다. 따라서 조상들의 기록들과 노하우를 읽어보면 처음의 실수를 하지 않아도 됩니다.

현재 의과대학을 졸업하고 대학병원이나 종합병원에서 수련을 받고 나오는 상당수가 중소병원에서 봉직의를 하거나 바로 개업을 선택하고 있습니다. 하지만 개업은 그렇게 만만하지 않습니다. 수련과정에서는 진료와 관련해 문제가 발생하더라도 해당 전문의가 책임을 져주지만 개원을 하거나 봉직의로 들어가면 진료에 대한 모든 책임은 오롯이 본인의 몫이 됩니다. 또한, 개업을 하면 간호사나 기사 등 의료직의 인사관리 및 건강보험 의료비 청구는 물론 의료장비의 선택, 입지선정, 점포계약 등 개업에 필요한 여러 선택들을 모두 본인이 결정하고 관리해야 합니다. 하지만 대다수의 의사들은 대학병원이나 종합병원에서 수련을 받을 때 환자치료에 관한 부분만을 중점적으로 교육받고 있습니다.

10년 전만 하더라도 경쟁이 심하지 않아 개업과 관련된 경영학적인 지식이나 법률적인 것을 잘 몰라도 크게 문제가 되지 않았습니다. 하지만 최근에 경쟁이 치열해지고 행정기관들과 법원이 이전에 비하여 법 집행과 판단을 엄격하게 하고 있기 때문에 경영학적 및 법률적인 지식이 매우 중요하게 되었습니다. 하지만 개원을 준비하는 많은 젊은 의사들이 개원에 관한 정보를 선배들에게 귀동냥으로 배우거나 또는 개원과 관련된 책을 읽거나, 개원세미나에 가서 비싼 돈을 주고 의료컨설팅업자에게 모든 것을 맡겨 버리는 경우가 많습니다.

하지만 안타깝게도 선배님에게 배우는 것은 주먹구구식인 경우가 많고, 개원과 관련된 많은 책들은 주로 의료컨설팅을 하는 사람들이 쓴 경우가 많아 병원급 의료기관 또는 비보험과에 어울리는 마케팅이나 전략을 소개하는 경우가 대다수입니다. 개원세미나는 이미 의료컨설팅업자 자신의 마케팅 수단으로 전락한지 오래되었고 혜택에 비하여 많은 비용을 요구하고 있는 것이 현실입니다.

이에 저자는 개인적으로 관심이 있던 경영, 법률지식을 바탕으로 보험과로 개업을 고민하거나 준비 중인 의사들에게 정말로 개업하면서 필요한 내용이 무엇인지 고민하면서 이 책을 준비하게 되었습니다.

이 책은 크게 세 부분으로 나누어져 있습니다. 전반부는 개업과 관련된 경영 및 심리학적 지식에 대하여 이야기하고 있습니다. 후반부는 개업과 관련된 여러 법률적 지식, 건강보험 의료비 청구 및 개원을 준비하는 의사의 자세에 대하여 이야기하고 있습니다. 이 책은 기존에 나왔던 지식을 바탕으로 필자가 생각하기에 개원하면서 꼭 필요하리라고 생각되는 내용을 담은 책입니다. 하지만 현실과 다른 부분이 있거나 너무 추상적이라고 생각되는 부분이 있을 수 있으니 부디 용서하기 바랍니다.

개인적으로 개업이라는 것은 전공의나 봉직의로서 월급을 받으면서 근무할 때와는 완전히 다른 것이라고 생각합니다. 월급을 받는 마음과 주는 마음은 전혀 다르기 때문입니다. 필자는 이미 개업한 친구들이 우스갯소리로 봉직의로 근무할 때는 설날과 추석이 기다려졌는데 개업하니 근무일수는 적은데 보너스까지 줘야 하는 설날과 추석이 제일 싫다고 말하는 것을 들은 바 있습니다. 이는 병의원을 운영하는 오너의 생각은 전공의나 봉직의와 전혀 다르다는 것을 보여주는 것을 보여주고 있습니다. 부디 이 책이 개업을 고민하거나 준비하고 있는 후배 의사님들에게 도움을 줄 수 있기를 바랍니다.

이 책에서는 여러 경영지식과 법률상식 중에서 의사가 개업하는 데 가장 도움이 될 수 있는 경영지식과 법률상식만을 담으려고 노력하였습니다. 하지만 기본적인 내용만을 담았기 때문에 좀 더 자세한 경영지식이나 법률지식이 필요하시면 관련된 책을 읽거나 인터넷으로 찾아보는 것이 필요하다고 생각됩니다. 주의할 것은 경영이나 법률은 의학과 마찬가지로 정체된 것이 아니라 계속 바뀌기 때문에 이 책에서 쓰인 내용은 시간이 지나면 바뀔 수 있다는 것을 알고 계셨으면 좋겠습니다. 하지만 어느 정도 큰 흐름만 이해하시면 내용이 바뀌더라도 쉽게 인지할 수 있을 것으로 생각됩니다.

각 장의 마지막에는 각 내용에 대한 문제를 삽입하였습니다. 각 문제는 케이스들로 실제 있었던 사례를 문제로 만들거나 아니면 이전에 공부하였던 것을 예제로 만들었습니다. 의사들은 환자 케이스를 통해 질병을 이해하면 쉽게 이해되듯이 마찬가지로 위의 내용에 대한 간단한 예제를 풀다 보면 이해하기 좀더 쉬워지게 될 것으로 생각합니다.

이 책을 쓰는데 많은 도움을 준 이건 원장님, 이승준 원장님과 사랑하는 나의 아내에게도 고맙다는 말을 드립니다. 그리고 언제나 묵묵히 도움과 조언을 주시는 강동경희대학교병원 심장혈관내과 교수님들께도 감사의 말씀을 올립니다. 앞으로 개원을 생각하고 있는 모든 전공의와 전임의에게 행운이 깃들기 바랍니다.

상일동에서

박 창 범

목차

PART 01

개업의 순서

개업의 **순서**

개원하려고 할 때 일반적인 절차는 개원시기, 개원방법, 진료컨셉, 지역선정, 자금을 준비해야 합니다. 즉, 어느 시기에 개원할지, 혼자서 할지 동업을 할지 아니면 네트워크에 가입할지, 전문과목이나 건강검진을 내세울지 아니면 지역의사로서 역할을 할지, 아파트 단지로 갈지 아니면 시장 근처로 갈지를 정해야 합니다. 입지를 정하고 개원계획이 완료되면 인테리어를 시작하고 병원에 소모품, 장비, 전산 등을 결정하게 됩니다.[1] 이후 최종적으로 함께 할 직원을 선발하고 시뮬레이션을 돌려 개원하는 날을 맞이하게 됩니다. 이러한 시뮬레이션은 개업 시까지 완료하여 개업하였을 때 문제가 없도록 하여야 합니다.

개업을 하려면 해당지역 지역의사회에 접수[2]하는 동시에 관할 보건소(예방의학계 접수)에 일정한 서식을 통해 개설신고[3]를 하여야 합니다. 또한 관할세무소에 사업자등록 신청[4] 및 건강보험공단에도 신고[5]를 하여야 합니다. 이외에도 심평원에서 기호부여[6]를 받아야 합니다. 일반적으로 세무서 사업자등록신청 및 건강보험공단신청은 적당한 세무사무소를 정하여 일임하면 해결해 준다고 합니다. 선정한 세무사무소는 매월 기장료(보통 월 11만 원 정도)를 내고 5월 종합소득세신고 때 조정료를 내는 것으로 계약을 하는 것이 일반적입니다.

주의할 것은 개원에 들어가는 많은 비용 부담으로 인하여 개원을 하려는 원장이 개원하기 며칠 전까지 다른 병원에서 봉직의로 근무를 하는 경우가 있습니다. 이런 경우에는 개업 준비 전부 혹은 일부를 지인이나 개업컨설팅 회사에게 맡기거나 가족 중 한 명에게 일임하는 경우가 많습니다. 이렇게 하는 것은 아직 개원 준비가 얼마나 중요한지에 대한 인식이 부족하기 때문이라고 생각합니다. 많은 투자비용이 들어가는 개원임에도 불구하고 자신이 직접 꼼꼼하게 하지 않고 남의 손을 빌리는 것은 나중에 월급으로 받은 이익보다 잘못된 개업 준비로 인한 추가적인 비용으로 인하여 오히려 손해를 볼 수 있습니다. 따라서 만약 개업을 결심하였다면 적어도 6개월 전부터 차근차근 개원 준비를 해야 하고, 급여를 받는 사람에서 주는 사람으로 되기 위한 마음의 준비와 함께 진료 외에 개업과 관련된 노무, 장비관리, 자금마련 등에 충분한 시간을 확보하고 준비하여야 합니다. 특히 지역사회의원 컨셉으로 개업을 하려는 경우 초기에 고객들에게 주는 이미지가 매우 큰 영향을 미치기 때문에 적어도 시작 일주일 전에는 완벽하게 셋팅이 되어야 문제가 없습니다. 또한 이전과 달리 개원하여 수익분기점을 넘기는데 과거와 같이 몇 개월 만에 도달하기가 어렵기 때문에 개원에 대한 준비와 함께 이 기간을 버틸 수 있는 자금을 충분히 마련해야 합니다.

그렇다면 의원급 의료기관의 중요한 성공요인은 무엇일까요? 첫째, 많은 컨설팅 업체에서는 의사의 임상실력이 성공의 가장 주요 요인으로 보고 있습니다. 즉, 아무리 마케팅이 뛰어나더라도 결국 의사실력이 부족하거나 최근 의학발전에 뒤떨어져 있다면 마케팅은 아무런 도움이 되지 못한다는 것입니다. 두 번째로는 입지입니다. 최근에 경쟁이 치열해지고 인터넷과 교통수단의 발달로 중요성이 많이 줄었다고 하더라도 입지가 너무 좋지 않으면 환자들이 올 수 없다는 사실은 변함이 없습니다. 셋째, 내부경영, 즉 내부직원 관리입니다. 아무리 의사가 친절하고 똑똑하더라도 진료실 밖에서 환자들을 접하고, 전화를 받는 직원들이 친절하지 못하면 이는 결국 환자들을 내모는 결과에 이를 것이기 때문입니다. 또한 의원자체가 내부직원을 만족시키지 못한다면 이는 어느 다른 사람들도 만족시키지 못한다는 것임을 명심할 필요가 있습니다. 즉, 내부직원이 의료진을 신뢰하지 않는다면 다른 환자들도 올 이유가 없어진다는 사실을 알아야 하겠습니다. 병의원에 근무하는 의료진이나 직원이 그 병의원을 신뢰하는지 아닌지는 근무하는 직원들이나 이들의 보호자들이 그 병의원에서 진찰을 받는지 여부를 확인하면 쉽게 알 수 있습니다. 이러한 이유로 많은 병원들은 직원이나 직원 가족에게 진료비 본인부담금을 감면해주거나 할인을 해주는 경우도 있습니다. 참고로 직원이나 그 가족들에게 진료비 본인부담금을 감면하거나 할인하는 행위는 법에서 금지하는 환자 유인행위가 아니라는 판결[7]이 있기 때문에 위법적인 행위가 아닌지 고민할 필요는 없습니다. 마지막으로 의원운영과 관련된 여러 관련된 법률지식 및 직원 노무관리, 그리고 개원초기 적자가 나더라도 버틸 수 있는 충분한 자금을 확보하는 것 등이 있습니다.

PART

02

경영에 대한 전반적인 이해

경영에 대한 전반적인 이해

경영이란 주먹구구식으로 하는 것이 아니라 체계적으로 하여야 합니다. 그렇기 때문에 MBA과정이라는 전문과정에서 경영지식을 2년간 집중적으로 배우는 것입니다.

경영은 여러 분야로 나눌 수 있지만 일반적으로 기업의 기능에 초점을 맞추어 생산관리, 마케팅관리, 재무관리, 인사관리, 정보관리 등으로 나누게 됩니다. 의료는 서비스 산업으로 생산관리가 필요없고 재무관리는 너무 전문적이라 제가 언급할 수준을 벗어나기 때문에 다루지 않겠습니다. 여기서는 전략, 마케팅, 인사관리에 대하여 간단히 이야기하도록 하겠습니다.

경영전략

원래 전략이라는 용어는 병법 혹은 군사학에서 근원을 두고 있는데 사전적인 의미로 전쟁에서 승리하기 위해 여러 전투를 계획, 조직, 수행하는 방법을 말합니다. 이렇게 전략이라는 아이디어를 경영에 도입한 것이 경영전략이라고 할 수 있습니다.

전쟁에서 전략이 필요한 이유는 어떤 나라도 충분한 인력과 군수장비를 가지지 않기 때문입니다. 마찬가지로 경영에서 전략이 필요한 이유는 삼성전자와 같이 큰 대기업이라도 충분한 자금과 자원을 가지고 있지 않기 때문에 조직의 목표를 달성하기 위하여 부족하거나 희소한 자금과 자원을 어떻게 배분할지를 결정하는 것이 매우 중요하기 때문입니다. 이러한 경영전략을 통해 위험을 감수한 현명한 선택과 포기를 통해 다른 회사와의 경쟁에서 성장하고 유지할 수 있게 됩니다.

이러한 경영전략 크게 어떤 산업에 참여할 것인가(기업의 신사업 확장, M&A, 구조조정), 어떠한 고객에게 어떠한 제품과 서비스를 제공할 것인가? 어떠한 산업에 투자를 할 것인지, 자신이 보유한 한정된 자원을 어떻게 할당할 것인지 등으로 나눌 수 있습니다.

현명한 선택과 포기를 하기 위해서 가장 중요한 것은 자신이 어떤 사람이고 어떠한 처지에 있는지를 알아야 하는데 이를 내부환경분석이라고 합니다. 또한 자신이 어떤 처지에 있는지를 확인하기 위하여 자신을 둘러싸고 있는 환경을 분석하는 것은 외부환경 분석이라고 합니다. 예를 들어 국회에서 원격의료가 허용되거나 의료법이 개정되는 것은 새로운 기회나 위협이 됩니다. 또한 은행의 이자율이 오르면 당연히 이자비용이 증가하기 때문에 새로운 장비를 사거나 병원을 확장하는 데 위협이 됩니다. 또한 내가 개원한 옆 건물에 새로운 의원이 생기면 경쟁이 증가하기 때문에 나에게는 위협이 됩니다. 이에 반하여 내부환경분석이란 나의 약점과 강점이 무엇인지 분석하는 것입니다. 이러한 분석을 통해 나의 강점을 두드러지게 하고 약점을 보호하는 경영전략을 사용할 수 있기 때문입니다.

① 외부환경분석

외부환경을 분석하는 이유는 자신이 진출하고자 하거나 투자하려는 분야가 매력적인지 아닌지 여부를 분석하여 진출하거나 투자여부를 결정하기 위함입니다. 의료산업에서 예를 든다면 몇 년 전만 하더라도 비만 및 성형분야가 크게 유행을 하였는데 이때 당시에는 이 분야에 진출한 의사들이 의사의 능력과 학벌에 상관없이 상대적으로 돈을 쉽게 벌 수 있었습니다.

그렇다면 외부환경을 어떻게 분석하면 좋을까요? 미국 하버드대학 교수인 마이클 포터는 외부환경을 5개의 힘으로 나누었습니다. 첫째, 기존 경쟁자들 간의 경쟁 강도입니다. 즉, 경쟁기업의 수가 많은지, 경쟁기업의 크기가 큰지, 제공하는 제품이나 전략이 유사한지, 시장의 성장률이 높은지, 고정비용이 얼마나 드는지, 철수가 용이한지 여부에 의해 해당분야의 매력도가 결정됩니다. 두 번째로 신규경쟁자가 진입하는데 그 위험이 얼마나 되는지입니다. 일반적으로 경쟁자가 많아질수록 수익성이 떨어지는 반면 신규경쟁자가 진입하기 어려운 즉, 진입장벽이 높은 분야는 매력이 높습니다. 셋째, 수요자(고객)가 교섭할 능력이 있는지 여부입니다. 일반적으로 수요자(고객)의 교섭력이 클수록 시장의 매력도가 낮아지게 됩니다. 넷째, 자신에게 물품이나 용역을 제공하는 공급자의 교섭력이 클수록 나의 수익성은 떨어지고 시장의 매력도는 낮아지게 됩니다. 예를 들어 내가 사고자

하는 의료기기 공급업체가 한 곳 밖에 없다면 가격흥정을 할 수 없어 의료기기를 비싼 값에 살 수밖에 없습니다.

 내부환경분석

내부분석이란 기업이 보유하는 내부자원과 능력을 분석하여 경쟁우위의 원천이 되는 강점과 약점을 파악하는 것입니다. 예를 들어 현재 기업이 가지고 있는 유형자산이나 특허권과 같은 무형자산, 인적자원과 같은 보유자원을 분석하여 그 강점과 약점을 분리해내는 것입니다. 또한 기업이 제공하는 제품이나 서비스가 나올 때까지 그 과정을 분석하여 우리기업이 살아남은 이유 즉 우리기업의 핵심역량과 기업이 성장하지 못한 이유인 약점을 확인할 수도 있습니다. 이러한 과정을 통해 강점과 약점이 분리되면 강점을 강화하거나 약점을 보완하는 경영전략을 사용할 수 있게 됩니다.

 SWOT분석

이렇게 분석한 외부환경요인과 내부환경요인을 종합적으로 검토하여 내 자신에게 필요한 전략을 수립하기 위한 틀이 바로 SWOT분석입니다(표 2-1). 여기서 SWOT이란 strength, weakness, opportunity, threat의 앞머리만을 딴 것으로 2 × 2의 표로 구성되어 내가 속한 기업의 내부 및 외부 상황을 이해하기 쉽게 잘 보여줍니다. 이러한 SWOT분석을 통해 현재상황을 인식하고, 현재상황을 바탕으로 자신의 강점을 강화하면서 약점을 보완하는 경영전략을 수립할 수 있습니다. 예를 들어 현재 맞닿아 있는 상황에 기초하여 투자나 진입하기 좋은 상황이라 판단되면 공격적 전략으로, 그렇지 않다고 판단되는 경우 방어적인 전략을, 환경이 좋지 않다고 하더라도 자신의 내부능력이 좋다고 판단되는 경우 공격적 전략에 이르기까지 폭넓게 고려할 수 있으며 이런 다양한 전략적인 대안들로부터 최적이라고 판단되는 경영전략을 선택하게 됩니다(표 2-2).

표 2-1. SWOT 매트릭스 예시

우리의 강점은?	우리의 약점은?	우리의 기회는?	우리의 위협은?
제조 능률	노후 시설	새로운 시장진입 가능성	새로운 경쟁자
숙련된 인력	부적합한 연구개발	호경기와 완화된 정책	경영지원의 부족
시장 점유	진부한 기술	시장경쟁자의 악화	시장기호의 변화
양호한 자금력	부실한 경영관리	신기술의 출현	새로운 규제
높은 브랜드인지도	과거 계획의 실패	현재 시장의 성장	대체 상품의 출현

표 2-2. SWOT 매트릭스 전략

	강점(strength)	약점(weakness)
기회(opportunity)	SO전략 기회의 이점을 얻으면서 강점을 활용하는 상황	SW전략 약점을 보완하면서 기회의 이점을 살리는 전략
위협(threat)	ST전략 위협을 피하기 위해 강점을 활용하는 전략	WT전략 약점을 최소화하고 위협을 피하는 전략

이러한 SWOT분석은 대기업뿐만 아니라 개인에게도 적용할 수 있는 유용한 방법입니다. 실제로 자신의 강점과 약점을 SWOT매트릭스로 작성해 보면 자신의 약점과 강점, 현재 자신이 마주치고 있는 외부환경을 파악할 수 있게 됩니다. 또한 자신이 몰랐던 능력을 발견할 수도 있으며 내가 나가야 할 방향성을 알 수도 있는 경우가 많습니다. 또한 이러한 방식으로 내가 근무하고 있는 특정조직이나

기업이 제시하고 있는 방향과 내가 나가려고 하는 방향이 일치하는지도 확인할 수 있습니다.

이렇게 SWOT분석을 통해 외부 경쟁요인과 기업내부요인을 기초로 도출된 다양한 경영전략 속에서 한 전략을 선택하면 이 전략을 성공적으로 이끌기 위해서 우리는 어떤 경영전략 혹은 경영기법을 통해 경쟁기업과 경쟁할 것인지를 고민하여야 합니다. 마이클 포터는 이러한 경영전략을 크게 원가중심전략(cost leadership), 차별화(differentiation), 집중화(focus)로 나누어 제시하였고 마일스와 스노우는 방어형(defender), 분석형(analysis), 반응형(reactor)의 세 전략으로 나누었습니다.

 차별화, 집중화, 비용우위전략

비용우위전략이란 동일하거나 유사한 제품을 경쟁자보다 저렴한 가격으로 판매하거나 제공하는 전략을 말합니다. 예를 들어 경쟁병원에서 100원을 받는 A시술이나 수술을 50원으로 제공하는 것이 대표적인 비용우위전략이 될 수 있습니다. 이러한 비용우위전략은 쉬워 보이나 절대로 그렇지 않습니다. 경쟁기업에서 그 정도의 가격을 받는 것은 이유가 있는 것으로 가격을 낮추기가 실제로 쉽지 않고, 만약 가격을 낮추면 비슷한 경쟁기업에서 같거나 비슷한 가격으로 따라오기 때문입니다. 따라서 비용우위전략을 통해 성공하려면 비용구조를 획기적으로 줄일 수 있는 혁신적인 방법을 찾아 지속적으로 유지해야 하는 상당히 쉽지 않은 전략입니다. 비용우위전략을 가장 잘 사용하고 있는 대표적인 회사가 바로 다이소입니다. 다이소의 경우 낮은 가격을 유지하기 위하여 거의 모든 제품이 중국이나 개발도상국에 직접 발주를 주어 위탁생산을 하고 유통기한이 짧은 제품은 취급하지 않고 있습니다. 주의할 것은 건강보험환자 진료를 주로 하는 소위 보험과의 경우 건강보험 급여 의료행위에서 본인부담금을 면제하거나 할인하는 행위는 환자유인행위로 간주되어 금지되고 있기 때문에 비용우위전략을 시행할 수 있는 범위가 비급여 의료행위로 매우 제한됩니다.

차별화 전략이란 소비자에게 경쟁기업이 모방하기 힘들거나 독특한 가치를 제공하여 소요된 비용 이상의 높은 가격이나 충성을 얻는 전략을 말합니다. 만약 우리 병원이 쌍꺼풀 수술을 남들보다 더 예쁘고 티가 나지 않게 할 수 있다면 남들에 비하여 높은 가격을 받을 수 있습니다. 위내시경을 남들보다 더 잘 할 수 있다면 타 경쟁병원에 비하여 환자들의 높은 충성도를 얻을 수 있습니다. 이 외에도 병원에서 차별화할 수 있는 것은 매우 다양합니다. 브랜드나 고객을 가지고 차별화를 할 수도 있습니다. 사회기여활동이나 다른 병원과 다른 서비스를 통해 차별화할 수도 있습니다. 예를 들어 서울아산병원이나 서울삼성병원은 고급화된 시설과 장비, 고품질 서비스 전략을 통해 기존의 대학병원과 차별화전략을 사용하였고 멋지게 성공하였습니다. 서울 강동구에 있는 고은빛 산부인과의 경우 거의 모든 산모들이 자가용으로 내원한다는 특성을 파악하고 모든 환자들에게 발레파킹을 제공하여 주차하기 어렵고 동선이 복잡하기로 악명이 높은 대학병원들과 차별화하였습니다. 주의할 것은 제품이나 서비스 차별화가 물리적인 면에 한정되어 있는 경우 경쟁기업에서 모방하기 쉽다는 것입니다. 하지만 차별화가 제품의 질이나 신뢰성 등의 무형적인 요소에 있을 때는 모방이 어렵기 때문에 차별화의 효과가 상당기간 지속될 수 있습니다. 예를 들어 많은 휴대폰 제조회사들이 카메라의 성능, CPU 속도, 그리고 최근은 굽힐 수 있다(폴더블폰)와 같이 제품의 물리적인 면으로 다른 제품과 차별화하고 있지만 중국제품의 저가 미투전략으로 시장을 잠식당하였고 LG는 결국 휴대폰사업을 접었습니다. 하지만 아이폰은 제품의 물리적인 면을 강조하기보다 브랜드와 같은 감성적인 면을 강조하고 차별화된 운영체제로 자신의 생태계를 유지함으로써 아직도 세계최고제품으로 인정받고 있습니다. 주의할 것은 이러한 차별화전략을 사용할 때 고객이 이해할 수 있어야 한다는 것입니다. 자신은 다른 상품이나 서비스와 차별화하였지만 고객들은 이를 알지 못하거나 느끼지 못하는 것은 차별화전략이라고 할 수 없습니다. 예를 들어 이전 휴대폰들이 5백만 화소 1천만 화소 카메라를 강조하였던 적이 있습니다. 하시만 사용자의 입장에서 보면 5백만 화소나 1천만 화소의 차이를 거의 느끼지 못합니다. 이러한 방식의 차별화는 진정한 차별화로 볼 수 없습니다. 또한 비용우위전략과 차별화 전략은 서로 배타적인 성격이 있어 이 전략을 동시에 추구하는 경우 어중간한 상태가 되어 낮은 가격을 요구하는 대규모의 고객을 잃어버리거나 비용우위전략만을 추구하는 기업에게 뒤쳐질 수 있습니다.

집중화전략이란 자원 제한이 많은 기업이 큰 시장에서 낮은 점유율을 추구하기보다는 한 개 혹은 세분시장에서 높은 점유율을 추구하는 전략입니다. 집중화전략을 사용하기 위해서는 자신의 장점이 무엇인지를 확실하게 파악하고 외부환경을 분석하여 특정시장에만 집중해야 합니다. 예를 들어 치과의 경우 모든 분야를 보지 않고 미백만을 전문으로 하거나 남성전용 성형외과, 모발이식을 전문으로 하는 피부과 등이 있겠습니다. 집중화전략을 추구할 때 주의할 것은 해당기업이 추구하는 세분화된 시장의 크기가 충분히 크지 않거나, 고객들의 니즈가 변하거나 혹은 대기업이 동일한 시장에 진출하게 되면 이러한 집중화전략을 사용하고 있는 기업은 매우 위험해질 수 있습니다.

진취형, 방어형, 분석형, 반응형 전략

진취형 전략은 새로운 제품이나 시장기회를 파악하여 경쟁기업보다 먼저 신제품이나 신기술을 도입하는 전략입니다. 진취적 전략은 위험을 감수하고 혁신과 모험을 추구하기 때문에 시장에 막 진입하는 기업들이 많이 사용하는 전략입니다.

방어형 전략이란 진취형 전략의 상반된 개념으로 새롭거나 전문적인 제품으로 기회를 찾기보다 기존 제품을 고품질이지만 저가로 제공하거나 우수한 서비스를 통해 고객욕구를 충족시키는 전략을 말합니다. 이러한 방어형 전략은 해당산업에서 기술이나 신제품개발에서 선두주자가 아닌 기업에서 많이 추구하는 유형입니다.

분석형 전략이란 새로운 사업영역이나 기술에 먼저 진입하지 않고 공격형을 관찰하다가 성공가능성이 보이면 신속하게 진입하여 공정이나 마케팅상 이점을 살려 빠르게 미투제품을 만들어 선도기업과 경쟁하는 전략으로서 2-3등을 추구하는 기업이 많이 사용하는 전략입니다. 이러한 분석형 전략은 공격형에 비하여 제품시장영역이 좁고 시장변화의 대한 대응속도가 느리지만 방어형에 비하여 안정성과 효율성은 높습니다.

반응형 전략이란 시장이나 외부의 환경변화에 따라 대응하는 전략으로 사전에 준비된 계획에 따라 움직이는 것이 아니라 상황에 맞게 전략을 구축하는 것으로 기업이 방향성을 가지고 일관적인 행동을 하기보다 즉흥적으로 시장상황에 맞추어 나아가는 방식이기 때문에 일관성이 결여되어 요즘은 실패한 유형으로 평가되고 있습니다.

전략의 실제적 적용

위의 여러 경영전략 중에서 원장은 자신의 외부환경과 내부상황을 고려해 한 가지 전략을 선택하여 일관성 있게 자본과 노력을 투자해야 합니다. 여기서 위에서 제시한 한 가지 방법이 다른 방법에 비하여 우월하다는 것은 없습니다. 가장 중요한 것은 본인의 능력과 자원을 정확히 분석하여 상황에 맞는 전략을 선택하는 것입니다.

또한 경영전략을 세웠다면 어떤 고객에 집중할지를 결정하여야 합니다. 예를 들어 평균적이고 일반적인 고객에 집중할 수도 있고, 고객을 선호도나 욕구가 같은 집단으로 나누고 각각의 집단에 각기 다른 제품이나 서비스를 제공할 수도 있고, 선호도나 욕구가 같은 고객집단 중에서 하나 또는 소수의 고객집단에만 집중할 수도 있습니다. 이와 같은 선택과 판단은 자신의 외부환경과 내부상황에 맞추어 판단을 해야 합니다.

너무 어려우신가요? 그렇다면 예를 들어 설명해 보겠습니다. 만약 당신이 내과 전문의로서 외부환경과 내부상황을 분석한 결과 내시경전문의로서 개업컨셉을 정하였다면 어떻게 하면 내시경분야에 집중하여 성공할 수 있을지를 고민해야 한다는 것입니다. 즉, 내시경에는 위내시경, 대장내시경, 그리고 담도내시경도 있는데 이 모든 내시경을 하는 종합적인 내시경전문의로 나아가야 할지, 아니면 위내시경 혹은 대장내시경과 같이 한 분야만을 전문으로 하는 집중화전략을 사용할지 고민을 해야 합니다. 또한 어떠한 방식으로 경쟁의원과 나를 차별화하여 광고홍보할지 고민을 해야 합니다. 예를 들어 서울의대 졸업생이라면 졸업장을 가지고 다른 경쟁의원과 차별화를 할 수도 있을 것입니다. 자신이 수련받은 병원이 빅5병원이라면 수련병원을 가지고 차별화할 수도 있습니다. 혹은 내시경을 잘 씻지 않고 사용한다는 여러 보도가 있었음을 고려한다면 최신식 내시경과 소독실을 전면에 내세우는 차별화를 할 수도 있습니다. 또한 고객군을 가지고 차별화할 수도 있습니다. 최고의 의료진, 최고의 시설을 통해 고소득층에게 최고급서비스를 제공할 수도 있습니다. 이와 달리 시장주변이나 오래된 주택가에서 어르신을 주된 고객으로 다른 경쟁병원보다 합리적인 가격의 의료서비스를 차별화전략으로 사용할 수도 있습니다. 아니면 네트워크병원에 가입하여 유명세를 내세울 수도 있습니다.

7 유의점

개원 시 나아갈 길에 대하여 구체적인 비전을 만들었고 구체적으로 이를 실행하였다고 해서 모든 일이 끝나는 것은 아닙니다. 원장이라면 큰 전략과 함께 사소한 것도 모두 신경을 써야 합니다. 예를 들어 원내 대기실에 죽거나 시든 화분이 없는지, 안내데스크에서 환자들을 맞이하는 직원들이 근무중에 라디오를 듣거나 인터넷 쇼핑을 하거나 음식물을 먹는 것은 아닌지, 직원들의 복장을 유니폼으로 단일화하여야 할지 아니면 사복을 허용할 것인지, 직원과 의료진의 복장이 깔끔한지 아니면 피나 얼룩으로 지저분한지, 병원 내나 같은 건물의 화장실이 깨끗하고 청결한지, 대기실이나 진료실 조명이 너무 어둡지는 않은지, 대기실에 음악을 사용할지 사용한다면 어떤 음악을 사용할 지, 대기실에 TV를 설치할지 아닐지, 설치할 때 TV 소리가 너무 크지 않은지, 진료실 책상이 너무 지저분하거나 정리되지 않은 지, 병원의 출입구의 분위기가 어떤지, 의원 내 냄새가 어떠한 지, 병원대기실에 오래된 잡지나 게시물이 있지 않은지, 실내온도가 어떤지, 진료 시 환자의 착석위치 등을 항상 평가하고 전략적으로 고려하여 배치해야 합니다. 이런 것들이 중요한 이유는 환자들은 의사의 실력을 평가하기 매우 어려워 이러한 사소한 것들로 의사들의 실력을 평가하기 때문입니다. 따라서 비록 사소한 것들이라도 깨끗하고 청결하면서 전략적으로 배치하는 것이 병원평가에 있어서 매우 중요하다는 것을 인식할 필요가 있습니다.

⑧ 정리

비즈니스 전략에는 왕도가 없습니다. 다이소의 경우 품질이 아닌 가격으로 경쟁하여 성공하였습니다. 이에 비해 아이폰의 경우 최고의 사용자 경험을 통해 고가전략을 유지하고 있습니다. 그렇다면 우리는 미니 다이소가 되어야 할까 아니면 미니 아이폰이 되어야 할까요? 정답은 기업과 시장이 처한 상황에 따라 그때그때 다르다입니다. 중요한 것은 특정 전략이 특정 기업에 효과가 있다고 해서 무작정 따라서는 안 된다는 사실입니다. 어떤 전략이 효과가 있다는 사실보다는 왜 효과가 있었는지 그 기업이 처한 상황을 이해하고 자신에게 맞는 전략을 선택해야 합니다.

또한 구체적 상황이 달라지면 이에 맞게 전략을 조정하는 것은 매우 중요합니다. 특히 사업전략에 만능해법은 없습니다. 시장, 직원, 조직을 이해하고 구체적 상황에 맞게 전략을 조정해야 합니다. 새로운 경쟁자가 끼어들고, 새로운 규제가 도입되고 새로운 의료기술이 나오게 되면 오늘의 완벽한 전략이 내일도 유지되지 않을 것이기 때문에 이러한 환경변화를 예측하고 이에 맞게 전략을 수정해야 합니다.

참고1) 전략적 혁신

어떠한 기업이라도 끊임없이 변화하지 않으면 생존하기 어렵습니다. 특히 새로운 기술이나 환경의 새로운 변화를 알지 못하면 주도권을 빼앗기기 때문입니다. 예를 들어 노키아의 경우 이전 플립형 휴대폰의 대표적인 기업이었습니다만 스마트폰이 나오면서 도태되어 시장에서 사라졌습니다. 테슬라는 전기차라는 새로운 혁신의 물결의 사회적인 분위기를 타고 어마어마한 기업으로 성장하고 있습니다. 일반적으로 기업의 운명은 주로 이러한 혁신적인 기술로 인하여 바뀌게 됩니다. 하지만 혁신적인 전략을 통해서도 이러한 효과를 기대할 수 있는데 이와 같은 혁신적인 전략을 전략적 혁신이라고 합니다.

많은 기업들은 현재 존재하고 있는 산업규범을 따르면서 운영효율성을 극대화하는 전략을 사용하고 있습니다. 여기서 산업규범이란 한 산업에서 당연히 받아들이는 지배적인 관행을 말합니다. 이러한 산업규범은 이미 검증된 특정 관행이라고 할 수 있습니다. 이러한 특정 관행은 이미 그 분야에서 효과가 있다고 검증이 되었기 때문에 지배적인 관행으로 자리잡게 된 것으로 이러한 관행이 만들어질 당시에는 가장 효율적이고 효과적인 방법이었습니다. 하지만 시간이 지나면서 외부환경이나 경쟁국면이 바뀌기 때문에 현재의 산업규범이 더 이상 잘 맞지 않을 수 있습니다. 하지만 많은 기업들은 이미 정착된 산업규범의 유효성을 의심하지 않고 단순히 원가절감이나 품질혁신, 사업구조조정, 프로세스 리엔지니어링 등과 같이 현재의 전략을 약간 수정하는 방식에 몰두하는 경우가 많습니다.

하지만 전략적 혁신은 한 산업에서 지배적인 전략 또는 게임법칙과 다르지만 동시에 많은 가치를 창출하는 새로운 전략으로 승부하는 것입니다. 즉, 기존의 게임법칙을 경쟁사보다 잘 수행하여 성공한 것이 아니라 다른 게임을 하는 것입니다. 최근에 이와 같이 기술적 혁신이 아닌 전략적 혁신을 통해 성공한 기업들이 속속 등장하고 있습니다.

가장 대표적인 예가 바로 이케아(IKEA)입니다. 이케아 이전의 전통적인 유럽가구업체들의 판매전략을 간단히 요약한다면 장중하면서 고전적인 디자인과 함께 내구성이 높은 고가가구를 가지고, 부유층을 대상으로 운영하였습니다. 따라서 이들의 매장은 부유층이 많이 모이는 번화가에 자리잡고 높은 매장임대료로 인하여 소형매장으로 운영할 수밖에 없습니다. 따라서 전통적인 유럽가구업체가 운영하는 매장은 번화가에 위치한 소형매장을 운영하는데 매장에는 대표적인 상품 몇 개만 진열하고 진열된 제품 외에 다른 제품에 대하여는 영업사원이 카탈로그를 보여주며 설명해주면서 가구를 추천해주었습니다. 주문이 이루어지면 가구제조업체는 이때에 제품을 제작하여 한 두 달 후 고객의 집으로 배달해주었습니다. 이러한 전통적인 유럽 가구업체들은 경쟁에서 이기기 위하여 보다 번화한 지역에 매장을 설치하거나, 영업사원들이 더 친절하게 고객을 응대할 수 있도록 교육이나 보상시스템을 가지는 등 현재 주어진 게임 즉 산업규범을 더 잘 수행하는지에 대한 경쟁을 하고 있었습니다.

하지만 이케아는 기존의 유럽가구업체와 다른 경쟁전략 즉 전략적 혁신을 취하였습니다. 즉 대상고객을 부유층이 아니라 합리적인 젊은 신혼부부를 대상으로 삼았습니다. 이들에게 합리적인 가격으로 제품을 제공하기 위하여 임대료가 비싼 번화한 지역보다는 임대료가 싼 교외에 매장을 만들었고 카탈로그로 설명하는 영업사원을 없애는 대신 매장에 전 제품을 실물로 배치하여 고객이 직접보고 확인할 수 있도록 하였습니다. 또한 가격이 비싼 주문생산대신 조립식으로 디자인된 제품을 대량생산하였습니다. 또한 제품을 공급자가 배달하는 것이 아니라 고객이 직접 제품을 가지고 갈 수 있도록 하여 제품단가를 획기적으로 낮추었습니다. 이와 같이 이케아는 다른 유럽가구와 완전히 다른 전략으로 고객에게 보다 높은 가치를 제공함으로써 결국 큰 성공을 이루었습니다. 이와 같이 전략적 혁신이란 기존의 지배적인 전략과 다른 새로운 전략으로 많은 가치를 창출하는 방법을 말하는 것입니다.

이런 전략적 혁신은 의료시장에서도 볼 수 있습니다. 일반적으로 대학병원은 모든 일반인을 대상으로 난이도가 높은 의료행위를 하며, 막대한 시설투자 및 많은 의료진을 보유하며 비교적 좋은 입지조건을 가진 지역에 위치하게 됩니다. 하지만, 송도병원의 경우 난이도가 높지 않고 의료수가가 낮아 대학병원들로부터 천대를 받던 항문수술이라는 영역에 집중하는 대신 30분 이내의 짧은 평균수술시간과 짧은 입원기간을 활용하여 병실 회전율을 높였습니다. 또한 전문적이고 반복적인 항문수술로 의사 및 의료팀의 수술실력을 향상시켜 양질의 의료서비스를 제공할 수 있게 되었습니다. 또한 환자가 재발예방관리를 잘 하였음에도 불구하고 재발하면 재수술을 해주어 사후 관리가 빈약한 대학병원과 차별화를 하였습니다. 이와 같은 노력으로 대장항문 전문병원으로 성공적으로 자리를 잡을 수 있게 되었습니다. 이에 비하여 힘찬병원은 고급스러운 인테리어와 1, 2인실 위주의 고급화를 지향한 다른 병원과 달리 다인실 위주로 병실을 설계하고, 환자수술과 진료에 필요한 공간만을 제공하여 부동산이 차지하는 투자비비중을 크게 줄였습니다. 그 대신 병원장은 수술받고 퇴원한 환자들에게 직접 손편지를 써서 안부를 묻고 수술을 받은 환자들이 퇴원하고 집에서 불편한 점이 생기면 병원간호사가 직접 방문하도록 하여 퇴원 후 사후관리를 실시하는 등 환자만족에 더 관심을 두었습니다. 이런 차별화전략으로 인하여 전국에 여러 병원을 거느릴 수 있을 정도로 성공할 수 있었습니다.

정리하면 전략적 혁신이란 산업 내에서 당연히 받아들이고 있지만 환경변화로 인하여 더 이상 효과적이거나 효율적이지 않은 고정관념을 거부하여 혁신적 가치를 창출하는 방법입니다. 이러한 전략적 혁신은 어떻게 이룰 수 있을까요? 이런 전략적 혁신기회를 포착하는 특별한 왕도는 없습니다. 하지만 전략을 구성하는 요소에 대하여 꼼꼼히 생각함으로써 전략적 혁신을 이룰 수 있는 기회를 얻을 수 있습니다. 예를 들어 '우리의 고객은 누구인가?', '우리의 제품은 무엇인가?', '고객에게 전달하는 우리의 제품이나 서비스를 전달하는 방식이 과연 효과적이고 효율적인가?'에 대하여 다시 한번 생각해 보고 고민을 하는 자세가 필요합니다. 그리고 현재 지배적인 산업규범을 정의하고 이에 도전할 수 있는 가능한 모든 전략을 나열하면서 이 중에서 가장 큰 경쟁우위를 줄 수 있는 전략을 선택하는 것입니다. '우리의 고객이 누구인가'도 마찬가지입니다. 이 물음은 전략적 혁신의 관점에서 새로운 고객의 세그멘트를 찾아내는 것입니다. 예를 들어 새로운 거대한 고객의 니즈가 등장하거나, 고객의 우선순위가 변화하거나, 경쟁자 규모가 작거나 수익성이 없다고 판단되어 외면되고 있는 고객 세그먼트를 발견할 수 있습니다. '우리의 제품은 무엇인가'는 결국 우리가 제공하는 제품이나 서비스가 무엇이고 어떻게 하여야 하는지를 고민해야 한다는 것입니다. 예를 들어 현재 당연하다고 받아들이는 어떤 요소가 제거되어야 하는지, 어떤 요소가 현격히 낮춰지고 어떤 요소가 높아져야 하는지, 그리고 현재 다른 기업에서 전혀 제공하고 있지 않은 요소가 새로이 창출되어야 하는지 등을 고려하는 것입니다. '고객에게 전달하는 우리의 제품이나 서비스를 전달하는 방식이 과연 효과적이고 효율적인가?'란 조직이 가지고 있는 자원과 능력을 잘 활용하여 경쟁자와 다른 새로운 제품이나 서비스를 어떻게 어떤 방식으로 소비자들에게 제공하는 것이 효과적인지를 고민하는 것입니다.

하지만 반드시 염두해야 할 것은 전략적 혁신은 새로운 전략이 요구되는 자원과 능력을 끊임없이 개발하고 강화하는 일련의 과정이기 때문에 일관성이 매우 중요하다는 사실을 잊지 말아야 합니다. 또한 사업, 제품, 고객, 운영에 있어서 한 요소가 바뀌면 나머지도 다 바뀌게 된다는 사실을 잊어서는 안 됩니다.

너무 어렵나요? 우선 대표적인 기업을 선정하여 본인이 직접 각각의 요소로 분석해 보세요. 각종 개념과 이론을 단순 암기하고 이해하는 것은 쉽게 할 수 있지만 특정 이슈에 대하여 어떤 방식으로 접근할 것인가를 스스로 고민하고 나름대로의 해답을 얻기까지는 많은 연습과 경험이 필요하기 때문입니다. 이와 같이 남의 기업을 각각의 요소에 따라 분석하는 연습을 하게 되면 점차적으로 자신의 분석능력이 좋아진다는 것을 느낄 수 있습니다. 이러한 시기가 지나면 이후에는 본인과 경쟁하는 경쟁기업을 분석하여 자신의 경영전략을 직접 짜 보시기 바랍니다.

주의할 것은 전략적 혁신이 매우 성공적인 방식임에는 분명하지만 그렇다고 반드시 성공을 담보하지 않는다는 것입니다. 또한 전략적 혁신을 단행하여 초기에 성공하였다고 하더라도 지속적인 경쟁우위를 차지하기 위해서는 전략적 혁신 외에도 자원에 끊임없이 투자하고 능력을 개발하고 강화하여야 타 경쟁업체의 모방전략을 극복할 수 있습니다. 이것에 실패하면 초기에 반짝 성공한 후 몇 년을 버티지 못하고 결국 사업을 접는 경우를 많이 볼 수 있기 때문입니다. 또한 큰 보상이 따르는 위험성이 높은 전략을 도입하다가 사소한 어려움에 짓눌려 중도에 하차하는 경우도 어렵지 않게 볼 수 있습니다. 전략적 혁신을 통한 경영전략을 수립하는 것은 일상적이지 않기 때문에 산업규범을 따를 때 발생하는 위험보다 더 높은 위험을 감수해야 하는 경우가 많습니다. 또한 병원의 막대한 자본과 인적자원을 집중적으로 투자해야 하므로 실패하는 경우 병원이 도산할 수도 있습니다. 이러한 위험을 고려한다면 위험을 즐기며 좀 더 사업적인 성공을 원하는 사람은 전략적 혁신을 추구하는 것이 맞지만 위험회피적인 사람들의 경우 일반적인 병원의 흐름을 쫓는 것이 나을 수 있습니다.

참고2) 직원 동기부여

우리들은 고객만족이라고 하면 고객의 기분을 맞추기 위하여 필요이상으로 굽실거리고 자신의 마음에 들지 않더라도 고객에게 친절한 서비스를 제공하는 것이라고 알고 있습니다. 하지만 마음에 내키지 않아도 이런 서비스를 제공하는 것은 어렵고 때로는 역겹고 고통스러울 수도 있습니다. 하지만 고객을 만족시키는 과정을 통하여 자신의 가치를 실현하고 스스로 삶의 보람을 만들 수 있다면 진정한 서비스 정신이 발휘하게 되고 고객을 생각하는 차원이 달라지게 됩니다. 이와 같은 변화를 위해서는 직원들이 '나는 누구인가?', '나는 무엇을 하는 사람인가'라는 질문에 대하여 한번 생각해 보도록 하시기 바랍니다. 근로자가 자신이 '누구'이고 '무슨 일을 하는 사람'인지를 명확하게 자각하고 있지 않다면 일은 노동일 뿐이고 고객은 귀찮은 존재일 뿐입니다. 하지만 자신이 누구이고 무슨 일을 하는지 명확하게 자각하고 있다면 일은 자신의 가치를 실현하는 일이 될 수 있고 고객은 자신의 가치를 실현하기 위한 중요한 존재가 될 수 있습니다. 또한 일시적인 이득을 위하여 고객을 속이는 일은 자신의 가치를 떨어뜨릴 것이기 때문에 있을 수 없게 됩니다.

회사도 마찬가지입니다. 회사는 스스로 '회사가 왜 존재하여야 하는가?', '왜 이 일을 하는가?'를 스스로 자문해보아야 합니다. 멋진 글씨로 액자 속에 넣어둔 사훈이나 고객만족헌장은 보기에는 좋지만 실제로 전혀 중요하지 않습니다. 이러한 사훈이 직원들의 행동으로 나타날 수 있도록 회사의 시스템을 바꾸어 운영되도록 하는 것이 더욱 중요합니다. 이러한 회사의 진심이 담긴 행동만이 근로자들의 일과 고객에 대한 태도와 자세를 바꿀 수 있기 때문입니다. 만약 회사의 사훈과 일에 대한 보상이 따로 이루어진다면 회사의 사훈은 글자로써만 존재할 뿐입니다. 만약 회사가 사훈과 상관없이 광고와 제품으로 고객을 속이고 그저 돈만 많이 버는 직원에게 많은 보상을 하는 회사라면 그 회사에서 일하고 있는 근로자의 일과 고객에 대한 의식과 자세는 불을 보듯이 뻔할 것입니다.

직원과 기업은 자신들이 왜 존재해야 하는지, 우리가 이 세상을 위해 무엇을 하고 있는지를 끊임없이 되새겨야 합니다. 그리고 이를 실제로 행동으로 옮겨야 강한 동기부여와 고객만족을 이룰 수 있습니다.

마케팅

마케팅을 한마디로 정의하기는 쉽지 않습니다. 마케팅은 기업이 고객을 대하는 여러 의미를 담고 있어 정형화된 이론도 없고 특별한 원리나 원칙이 있는 것도 아니기 때문입니다. 또한 어제 맞았던 이론이 오늘은 틀리고, 오늘은 말도 안되는 행동이 내일은 탁월한 이론이 되는 경우도 있습니다. 그래도 마케팅을 한마디로 정의한다면 마케팅이란 고객욕구를 감지하고 충족하는 일련의 활동 즉, 고객과 관련된 모든 활동으로 판매촉진은 물론 기업광고나 브랜드 이미지 구축도 마케팅이라고 할 수 있습니다. 참고로 판매촉진(세일즈 프로모션, 판촉이라고도 합니다)이란 제품이나 서비스 판매를 촉진하기 위한 여러 활동을 말합니다.

그렇다면 의료분야에서 성공적인 마케팅을 하기 위해서는 어떻게 하는 것이 좋을까요? 병원이 이루려는 목표에 충분히 도움이 될 때 마케팅을 잘 한다고 할 수 있습니다. 그렇다면 목표는 어떻게 세우는 것이 좋을까요? 이에 대하여 정답은 없습니다. 하지만 성공적인 마케팅을 하려면 병원의 구체적인 목표와 비전이 있어야 합니다. 이러한 구체적인 목표와 비전을 통해 마케팅으로 무엇을 해야 하고 무엇을 하지 말아야 하는지 결정할 수 있기 때문입니다. 예를 들어 '어떻게 하면 돈을 벌 수 있을까?'라는 목표보다는 '기존 병원이 채워주지 못하는 환자의 욕구는 무엇인가?' 혹은 '환자들이 좀 더 나은 방법으로 치료를 받을 수 있는 방법은 없을까?'라는 질문부터 시작을 하여 자신에게 맞는 구체적인 목표를 정한다면 이를 통해 적절한 마케팅 전략과 방법을 세울 수 있기 때문입니다.

구체적인 사례를 들어 보도록 하겠습니다. A의원이 수도권의 한 지역으로 이전을 하면서 (가)안: 1년 후에 매출을 두 배 성장시키겠다. (나)안: 내시경을 전문으로 하는 전문의원을 목표로 1년 동안 병원 전체 매출의 50%를 내시경환자로부터 얻는다라는 목표를 세웠다면 어떤 목표가 더 잘된 목표일까요? 정답을 말씀드리면 (나)안입니다. (나)안과 같이 구체적인 목표를 가진다면 목표에 도달여부를 쉽게 확인이 가능하고 마케팅이 보다 용이합니다. 이러한 구체적인 목표를 가지면 홈페이지도 내시경과 관련된 내용을 부각하여 제작을 하고, 다른 병의원에서 시행하는 내시경과 무엇이 다르고 특별한 것인지를 잡아 홍보를 하고, 네이버 지식인에서 내시경과 관련된 질문 답변의로 등록할 수 있습니다. 또한 내시경과 관련된 좀 더 전문적인 장비를 도입하고 간호사와 간호조무사에 대한 교육도 내시경에 집중하는 등 통합적으로 마케팅을 관리할 수 있기 때문입니다. 하지만 (가)안과 같이 구체적인 목표가 아닌 매출증가만을 목적으로 하는 추상적인 계획만 세운다면 통합적인 마케팅이 불가능할 것입니다

마케팅전략

마케팅활동은 경영전략과 거의 유사하며 경영전략(목표)을 따라 움직이게 됩니다. 특히 경영전략에서 언급하였던 차별화전략의 경우 마케팅전략과 매우 유사합니다. 즉, 차별화전략은 독특한 제품이나 서비스를 생산하여 판매하게 되는 반면 마케팅 전략이란 제품이나 서비스의 독특한 면이나 차별점을 부각을 시키는 것으로 만약 제품이나 서비스의 차별화에 실패하면 마케팅도 실패할 확률이 매우 높습니다. 이와 같이 마케팅이란 제품이나 서비스의 독특한 점을 가지고 차별화를 기획하고 구현하는 일련의 과정이라고 해도 과언이 아닙니다. 마케팅 전략에 사용되는 특질로는 제품이나 서비스의 품질, 디자인, 기술, 브랜드, 기업이미지 등이 있습니다. 제품차별화란 우리가 판매하고자 하는 제품이 타사제품과 이런 면에서 다르다는 것을 추구하고 강조함으로써 소비자선호에 의한 수요를 끌어내는 것으로 주로 제품의 품질, 디자인, 포장, 판매조건, 배달과 같은 수단을 통

해 이루어지게 됩니다. 이에 비하여 서비스차별화는 제품차별화보다 상대적으로 더 어렵다고 알려져 있습니다. 서비스산업은 특징적으로 무형적이고 생산과 소비가 동시에 발생하기 때문에 미리 세어보거나 측정하거나 조사하거나 검증을 할 수 없기 때문입니다. 이와 같은 이유로 서비스차별화에는 감각적이고 심리적인 요소를 강조하는 경우가 많습니다.

우리나라의 의료서비스의 경우 마케팅에 매우 제한적입니다. 그 이유로 타 의료기관과의 비교광고가 엄격히 금지되어 있고 건강보험에서 정한 의료비만 받을 수 있기 때문에 가격경쟁도 본질적으로 불가능합니다. 또한 의료서비스가 경험재[8]인 특성상 환자가 의료기관에서 제공하는 의료서비스의 차이를 구분하기 매우 어렵기 때문입니다. 이와 같은 이유로 많은 의료기관에서는 부가서비스와 이미지제고를 통해 마케팅이나 차별화전략을 실행하는 경우가 많습니다. 이러한 부가서비스는 환자들이 그 차이를 쉽게 파악할 수 있기 때문입니다. 예를 들어 진료대기시간을 줄이거나, 주차장을 넓히거나 발레파킹을 통해 주차이용에 편의를 제공하거나, 외래 및 입원 간호사들이 친절하게 환자들을 대하거나, 병원의 전반적인 이미지와 규모로 마케팅을 하거나, 화장실을 청결하게 유지하는 것 등이 있습니다.

이런 관점에서 보면 원장도 의사가 제공하는 의료서비스와 함께 차별화된 부가서비스를 고민하여야 합니다. 예를 들어 중고등학생이 많이 찾는 병의원의 경우 중고등학생들이 좋아하는 최신의 잡지나 만화를 비치하면 도움이 될 것입니다. 자가용을 이용하는 환자가 많은 경우 주차장시설을 획기적으로 개선하거나 발레파킹을 제공하는 것도 좋은 방법입니다. 또한 병원을 이용하는 환자 중에서 직장인이 많다면 토요일 진료 외에도 오후 9시까지 연장진료 혹은 아침 7시부터 아침진료를 제공하는 등 이들이 좀더 쉽게 방문할 수 있는 방법을 고민해야 할 것입니다. 마지막으로 이미지를 차별화하는 방법도 있습니다. 이미지 차별화란 기업이나 상표이미지를 경쟁사와 구별하여 소비자의 선호를 획득하려는 전략으로 가장 대표적으로 의료진이 졸업한 학교나 병원의 이름을 차용하여 마케팅에 이용하거나 잘 알려진 네트워크에 가입하는 방법도 있겠습니다.

이렇게 제품을 차별화하는 방법과 함께 고객을 차별 즉 세분화하는 방법이 바로 표적마케팅, 이에 반대되는 개념이 매스마케팅입니다. 매스마케팅이란 제품을 대량생산하고 대중적인 매체광고를 통해 불특정다수에게 상품을 선전하거나 판매를 하는 방식으로 대기업들이 많이 사용하고 있습니다. 신라면을 예를 들어 보겠습니다. 신라면은 농심이 제조하는 인스턴트라면입니다. 우리나라에는 수십가지 이상의 라면이 경쟁하고 있지만 최근 거의 항상 1위를 차지하고 있습니다. 이러한 신라면은 1등을 지속적으로 유지하기 위하여 박지성, 손흥민과 같은 유명축구선수를 모델로 TV와 같은 대중매체를 통해 불특정 다수에게 광고를 하고 있습니다. 이에 비하여 표적마케팅이란 고객을 여러 분류방법을 통해 나누고 자신에 가장 경쟁우위가 있다고 판단되는 세분시장을 발굴하고, 발굴한 세분시장에 적합한 제품이나 서비스를 개발하여 마케팅 자원을 집중적으로 투자하는 방식입니다. 이러한 표적마케팅을 하기 위해서는 우선 고객을 여러 분류방법을 통해 나누어야 하고(시장세분화), 나누어진 고객 중에서 우리 제품이나 서비스와 가장 맞는 고객들을 선별하고(타겟팅), 이 선별된 고객들에게 어떻게 해야 잘 선택될 수 있을까를 고민하는 것(포지셔닝)이 필요합니다.

② 시장세분화

시장세분화란 표적시장 구매자를 구매행위의 유사성에 따라 세분집단으로 나누는 것을 말합니다. 그렇다면 어떻게 고객을 나누는 것이 좋을까요? 전체 고객들을 동일하거나 유사한 구매행위를 가진 고객에 따라 나누는 것이 가장 이상적이라고 할 수 있습니다. 하지만 고객들의 구매행위를 직접 측정하는 것이 불가능하기 때문에 살고 있는 지역, 인구통계학적 요소, 라이프스타일 등 여러 대리요소를 이용하여 나누게 됩니다. 이러한 대리요소들을 선택할 때 주의할 것은 이러한 대리요소들은 측정이 가능하여야 하고, 대리요소들로 나누어진 각각의 세분집단은 표적으로 선택할 정도의 크기와 수익성을 가지고 있어야 하고, 각 세분집단은 해당기업의 마케팅 행동에 다르게 반응해야 합니다.

고객을 나누는 가장 대표적이고 가장 오랫동안 사용된 대리요소가 사는 지역에 따라 고객을 나누는 것입니다. 고객이 주거하는 지역별로 소득 등 인구통계학적 특성이 다르고 특정제품에 대한 선호도도 차이가 많기 때문입니다. 이 외에 고객의 나이, 성별, 가구구성원 수, 라이프사이클 단계, 소득, 직업, 교육, 종교, 인종, 국적 등과 같은 인구통계학적인 요소들을 이용하여 구매자들을 나누게 됩니다. 이러한 인구통계학적 요소들이 대리요소로 많이 사용되는 이유는 각각 대리요소에 따라 제품에 대한 니즈 및 사용량과 밀접한 관련이 있고, 상대적으로 측정이 용이하기 때문입니다. 이 외에 고객의 라이프스타일에 따라 고객을 구분하기도 하는데 같은 인구통계학적 집단에 속하는 사람들이라도 아주 다른 라이프스타일을 가지는 경우가 많기 때문입니다.

주의할 것은 위와 같이 시장을 세분화하는데 여러 대리요소들을 사용하고 있지만 이런 여러 가지 요소들 중에서 가장 좋은 대리요소란 존재하지 않습니다. 따라서 자기의 능력과 상황에 따라 가장 적합한 것을 선택하는 것이 중요하다는 사실을 잊어서는 안 됩니다.

너무 추상적이지요. 예를 들어 보겠습니다. 의료계에서 시장을 세분화하는 가장 대표적인 방법이 거주지역에 따라 나누는 것으로 서울의 경우 크게 강남권과 강북권으로 나눌 수 있습니다. 더 작게는 아파트단지 주변과 단독주택지역으로 나눌 수도 있습니다. 이렇게 하면 각 지역마다 다른 인구분포를 보이기 때문입니다.

 타겟팅

타겟팅이란 시장세분화를 통해 나뉜 동질적인 세분집단 중에서 어떤 세분시장을 표적으로 삼을지를 결정하는 것을 말합니다. 이렇게 타겟팅을 하기 전에 자신이 목표로 하는 세분시장의 크기와 성장가능성을 확인하고, 세분시장이 장기적으로 매력이 있는지 및 기업의 장기적 목표와 부합되는지 여부를 확인하여야 합니다.

타겟팅 전략으로 크게 앞서 말씀드린 비차별적 마케팅(세분시장의 차이를 무시하고 한가지 제품과 마케팅전략으로 전체시장을 공략하는 매스마케팅방법), 차별화마케팅(여러 세분집단을 표적으로 선정하고 각각의 세분집단에 모두 적절한 제품과 마케팅전략을 수립하는 것), 집중적마케팅(한두 개의 세분시장만을 집중적으로 공략하여 특정 세부시장에서 높은 시장점유율을 유지하는 전략)으로 나눌 수 있는데 이 중에서 자신의 인적 혹은 물적자원과 제품의 라이프사이클에 따라 한 가지 또는 여러 가지 방법을 혼합해 사용할 수 있습니다.

제품의 라이프사이클에 따라 혼합해 사용하는 방법도 있습니다. 예를 들면 제품 도입기에는 비차별적 마케팅이나 집중적 마케팅을 사용하다가 성숙기에 도달하면 차별화 마케팅을 사용하는 것입니다. 일반적으로 소비자의 기호가 유사하고 마케팅에 대한 반응도 유사하다면 비차별적 마케팅이 효율적입니다. 하지만 인적 혹은 물적자원이 부족한 중소기업의 경우 비차별적 마케팅보다는 특정집단에만 집중하는 집중적 마케팅이 효율적입니다.

예를 들어 보면 이해하기 쉽습니다. 자신이 설립하는 의료기관이 누구를 타겟팅을 해야 할지 여부입니다. 예를 들어 본인의 의료기관을 고급의 진료를 원하는 사람을 타겟팅을 할지 아니면 보통 혹은 낮은 진료를 원하는 사람들을 타겟팅할지를 판단해야 합니다. 이런 것이 아니면 모든 환자들을 대상으로 할 수도 있습니다.

 포지셔닝

포지션이란 소비자의 마음 속에서 경쟁사 제품과 비교하여 자사제품이나 서비스가 차지하고 있는 위치를 말합니다. 포지셔닝이란 진입할 세분시장이 결정되면 각 세분시장에서 자신이 제공하는 제품이나 서비스가 어떤 포지션을 차지할 것인가를 결정하는 것입니다. 자신이 제공하는 제품이나 서비스가 산업이나 기업의 특성에 따라 다양한 포지셔닝을 택할 수 있기 때문입니다. 이러한 포지셔닝의 핵심은 차별화이므로 포지셔닝을 위한 첫 단계는 자신의 제품이나 서비스가 다른 회사의 제품이나 서비스에 비교하여 경쟁우위인 차별포인트를 발굴하여야 합니다. 차별포인트를 찾기 위해 흔히 사용하는 방법이 바로 자사제품 및 서비스를 사용한 경험이 있는 소비자에게 설문조사를 하고 분석하는 것입니다. 예를 들어 병원을 이용한 소비자에게 제공된 의료서비스는 물론 전화/인터넷 예약, 내원, 진료, 검사, 설명(간호사설명), 약물주사 및 투약, 재진예약, 주차 등 병원에서 제공한 의료서비스와 부가서비스에 대한 만족도를 설문조사를 하고 이 결과를 분석하여 타 병원과 차별화되는 포인트를 발견하였다면 그 중에서 가장 중요하다고 판단되는 하나 혹은 두 개정도의 차별적인 요소를 선정하고 이를 집중적으로 마케팅에 이용하는 것입니다.

타 기업의 제품이나 서비스와 차별화하는데 흔히 사용되는 방법은 크게 기술과 같은 객관적 차별화와 브랜드 이미지와 같은 주관적 차별화, 그리고 서비스 확장으로 나눌 수 있습니다. 객관적 차별화란 기술개발을 통해 차별하는 것입니다. 예를 들어 옛날 브라운관 TV에서 PDP TV, LCD TV로, 다시 LED TV로 상품을 개발하여 이러한 기술을 통해 타사 제품과 차별화하는 것을 말합니다. 주관적 차별화란 브랜드 이미지를 통해 차별화를 만들어가는 것을 말하는 것으로 대표적으로 광고나 제품경험을 통해 차별화하는 것입니다. 예를 들어 코카콜라나 아이폰은 가장 대표적인 주관적 차별화에 성공한 제품이라고 할 수 있습니다. 주관적 제품차별화를 시행하려면 보통 엄청난 광고비를 투자해야 한다고 알려져 있습니다. 마지막으로 서비스확장을 통한 차별화입니다. 이는 기업이 제공하는 제품이나 서비스에 새로운 편익을 추가하여 제품이나 서비스의 개념을 넓히는 방법입니다. 예를 들어 주유소에 편의점이나 세차서비스를 추가하거나, 자동차를 살 때 현금이 없어도 살 수 있도록 신용을 제공하거나 제품을 사면 하루 배송을 보장하거나 에어컨을 사면 장착까지 해 주는 것 등이 있습니다. 최근에는 기술이 평준화되면서 객관적 차별화는 점차 어려워지고 주관적 차별화하기 위해서 지출되는 많은 광고비와 그 효과가 불투명하다는 문제점이 있는 반면 서비스확장을 통한 차별화의 경우 창의적인 마케팅 아이디어만 있으면 무한적으로 가능성이 있기 때문에 최근에는 서비스확장을 통한 차별화가 많이 진행되고 있습니다. 이러한 제품개념의 확장은 의료영역에서도 흔히 볼 수 있습니다. 예를 들어 산부인과에서 신생아 돌봄교실 혹은 산모요가교실, 산후조리원을 운영하는 등 서비스확장을 통하여 대학병원과 차별화하고 이를 마케팅으로 이용하는 경우를 많이 볼 수 있습니다.

5 마케팅할 때 주의할 점

자신의 기업에 마케팅을 적용하는 데 있어서 원장은 마케팅의 목적을 항상 고민해야 합니다. 단순히 마케팅을 의료기관에 방문한 환자 수가 얼마나 늘었는지 혹은 매출이 얼마나 늘었는지와 같은 판매촉진수단으로 여겨서는 안 된다는 것입니다. 어떤 마케팅을 하더라도 바로 방문환자수가 급격히 늘지는 않기 때문입니다. 특히 1-2개월 정도 마케팅의 효과를 평가하기는 매우 적은 시간이기 때문에 이를 가지고 마케팅의 효과를 판단하기 매우 어렵습니다. 따라서 마케팅을 하기로 결정하였다면 최소 6개월 이상 시행하고 이후에 결과와 문제점을 분석하여 수정하는 방식으로 자신의 병원의 장기적인 비전에 맞추어 단기적으로 매출증대효과는 적더라도 꾸준히 지속적으로 해야 하며 마케팅을 통해 지역주민의 신뢰를 얻고 자신만의 브랜드를 형성하는 것이 매우 중요하다고 생각합니다.

이와 함께 누가 마케팅을 할지도 매우 중요합니다. 의사가 한 명 혹은 두 명으로 이루어진 개원가의 경우 마케팅을 전담으로 하는 직원을 고용하는 것은 경영에 부담이 될 수밖에 없습니다. 그렇다고 간호사나 일부직원에게 마케팅을 해보라고 하면 고개를 설레설레 흔들 것입니다. 결국 원장이 직접 마케팅을 하는 수밖에 없습니다. 이러한 마케팅은 반드시 돈을 많이 들여야 한다고 생각하시면 오산입니다. 의원 인터넷 홈페이지나 블로그를 운영하면서 환자들의 질문에 댓글을 달거나, 병원의 행사사진을 업로드하는 것도 좋은 마케팅입니다. 진료를 보러 온 환자가 만족하고 갈 수 있도록 하는 것도 마케팅입니다. 가장 중요한 것은 직원들에게 마케팅이 무엇이고, 왜 중요하고, 우리 병원은 왜 마케팅을 해야 하는지를 설득하여 직원들이 함께 동참할 수 있도록 하는 것입니다.

⑥ 병원 마케팅과 일반 기업과 다른 점

의료기관의 마케팅은 일반기업의 마케팅과 다른 몇 가지 특징이 있습니다. 첫째, 의료광고는 의료법에 의하여 강력한 규제를 받고 있습니다. 예를 들어 신의료기술로 인정을 받지 않은 수술이나 시술의 광고는 금지됩니다. 환자의 치료경험 등 소비자들이 치료효과를 오인하게 할 우려가 있는 광고도 금지됩니다. 또한 다른 의료인과의 비교광고도 금지됩니다. 최근에는 할인광고도 금지되었습니다. 또한 사전심의제를 통해 광고내용에 대하여 광고심의를 받아야 합니다(아래 의료광고에서 다시 상세히 다루겠습니다). 따라서 마케팅의 일환으로 광고를 고려할 때 규정을 꼼꼼히 체크한 후에 문제가 없도록 하는 것이 중요합니다. 흥미로운 것은 의사나 직원이 직접 경쟁병원에 비하여 자신의 병원이 무엇이 다르고 어떤 장점이 있는지를 환자들에게 말로 설명하는 것은 전혀 문제가 되지 않습니다. 따라서 필요할 경우 환자들에게 조심스럽게 다른 경쟁병원에 비하여 자신의 병원의 장점이 무엇인지를 차분히 설명하시는 것이 좋겠습니다.

기타 사소한 점

개업을 하시는 선생님들에게 마케팅이라고 하면 인터넷에 광고를 하거나 신문의 홍보성기사로 생각하시고 마케팅을 하려면 많은 비용이 든다고 생각하시는 분들이 많습니다. 하지만 거의 비용이 들지 않고도 충분한 광고나 홍보효과를 낼 수 있는 공간이 있습니다. 바로 본인들이 운영하고 있는 병의원의 실내공간, 특히 대기실입니다. 하지만 상당수의 대기실이 그냥 정부나 의사협회에서 제공한 안내문이나 포스터만 덕지덕지 혼란스럽게 붙어있는 경우가 많습니다. 이러한 홍보물은 실제로 병원을 방문한 환자들에게 전혀 도움이 되지 못하고 있는 것이 사실입니다. 따라서 마케팅을 시작하려면 우선 대기실에 붙어있는 의사협회나 보건복지부의 포스터나 안내문들을 모두 떼어 내고 자신의 병원에 대한 정체성을 알리는데 도움이 되는 홍보물과 안내문들을 중요성에 따라 부착해 보시는 것을 추천드립니다. 자신의 진료분야에 대한 새로운 의학상식이나 의약품정보를 제공하는 방식도 좋은 방법이라고 생각합니다. 예를 들어 내시경을 전문적으로 하는 의원이라면 내시경과 관련된 내용의 안내문으로 병원내부를 장식하는 것이 좋습니다. 이 외에도 의원이 언제 휴진하는지, 기존장비에 대한 설명과 함께 새로 도입된 장비가 있는지 있으면 어떤 장비인지, 의료진 사진과 프로필 소개와 함께 비전 등을 밝힌다면 환자들의 흥미를 조금 더 끌 수 있을 것으로 생각됩니다. 진료실도 마찬가지입니다. 의사가 진료하는 공간인 진료실이 깨끗이 정돈되어 있지 않고 책이나 장비로 정신없이 어질러져 있는 경우를 흔히 볼 수 있습니다. 또한 진료실 책상에 제약회사에서 제공한 홍보물이나 포스트잇 혹은 볼펜을 사용하는 경우를 흔히 볼 수 있습니다. 만약 환자가 이런 홍보물에 있는 약이나 제품을 기억하다가 자신의 처방전에 같은 약이 들어가 있다면 '이 의사는 이 회사에서 뒷돈을 받아 이 약을 처방하는 것이 아닌가?'라는 의심을 할 수도 있습니다. 마찬가지로 진료실 책장에 경영관련서적이 꽂혀 있다면 '이 의사는 환자를 돈으로 생각하지는 않는가?'라는 의심이 들 수도 있습니다. 따라서 이런 오해가 생기지 않도록 제약회사 홍보물이나 사은품, 그리고 진료와 관련이 없는 책들은 진료실에서 모두 없애는 것이 좋습니다.

이와 함께 고민하여야 할 것은 병원에 방문하기까지의 외부입니다. 환자들이 처음으로 방문할 때 그 의원에 대한 충분한 정보를 가지고 있지 않기 때문에 문 앞에서 들어가야 할지 말지를 주저하는 경우가 흔합니다. 이런 환자들이 의원에 대한 첫인상을 가지게 되는 것이 바로 의원의 출입구와 복도입니다. 여기서 출입구와 복도란 단순히 의원의 문뿐만 아니라 병의원이 위치하는 건물의 출입구부터 계단, 그리고 복도를 포함합니다. 만약 의원이 위치한 건물의 출입문과 계단, 복도가 청결하지 않으면 청결에 민감한 사람들은 바로 등을 돌리게 됩니다. 따라서 개업을 하는 경우에 자신이 임대한 점포뿐 아니라 병원건물의 출입구, 엘리베이터, 그리고 복도까지 신경을 써야 합니다. 그리고 필요하다면 건물주와 상의하여 건물입구부터 복도까지 적절한 인테리어와 표지판을 하시는 것이 영업에 도움이 될 것으로 생각합니다.

대기실에 TV를 설치할 것인지도 고려해야 합니다. 아무래도 TV가 있으면 대기실에서 대기하는 사람들의 시선을 끌기 때문에 병원의 안팎에 설치한 많은 정보나 홍보게시판들의 효과가 반감이 되기 때문입니다. 만약 TV를 설치하기로 결정하였다면 TV에서 보이는 내용도 중요합니다. 단순히 공중파 방송을 보여주는 것은 도움이 되지 않습니다. 오히려 TV에서 원장이 직접 촬영한 비디오를 녹화하여 반복적으로 보여주는 것이 가장 도움이 되지만 그렇지 않다면 진료과목과 관련이 있는 프로그램을 녹화하여 반복적으로 보여주는 것도 도움이 될 수 있습니다. 또한 의원에서 시행하고 있는 각종검사나 진료상품을 파워포인트로 만들어 반복적으로 보여주는 방법도 좋은 방법입니다. 하지만 진료를 위한 대기시간이 길다면 병원 홍보 파워포인트를 반복적으로 보여주는 것은 오히려 독이 될 수도 있습니다.

마지막으로 자신의 전문분야 질병과 치료에 대한 구체적인 정보를 자신의 블로그나 홈페이지를 통해 제공하는 것은 좋은 마케팅 방법이라고 생각합니다. 하지만 병원 블로그나 홈페이지를 만들었지만 업데이트가 되지 않는 것은 전혀 도움이 되지 않습니다. 따라서 이러한 블로그나 홈페이지를 만들기로 결정하였다면 전문분야의 질병과 치료에 대한 구체적인 정보를 제공하거나 환자의 질문에 대답하는 칸을 마련하여 지역주민과 많은 소통을 하는 등 지속적으로 업데이트를 하여야 원하는 결과를 얻을 수 있습니다.

참고1) 성공하는 병원의 8가지 특징

의료산업에서 마케팅 전략의 수립은 일반적인 산업과 많이 다를 수 있습니다. 이에 '병원이 경영을 만나다'의 저자 최명기씨는 성공하는 병원의 특징을 8가지로 정리하였습니다.

첫째, 큰 성공을 위해서는 다른 경쟁 병원들과 비슷한 방식으로 경쟁하지 않고 다른 전략적 포지셔닝을 선택하여야 합니다. 즉 전략적 포지셔닝은 근본적으로 실패의 위험성을 내포하고 있지만 큰 성공을 원한다면 남과 다른 포지셔닝을 취해야 큰 성공을 거둘 수 있습니다. 예를 들어 건강보험수가가 낮아 이익이 남지 않는다고 남들이 외면하는 영역이 시간이 지나 재평가를 받는 경우가 흔합니다. 개원당시 이익이 남지 않는다고 이 영역을 포기하고 있으면 나중에 이러한 기회가 오더라도 잡기 어렵습니다.

둘째, 종합병원에서 상대적으로 경시하는 영역에 진출하여 틈새시장을 장악하는 방식도 좋은 전략입니다. 대학병원은 남이 하지 못하는 어려운 수술이나 시술이 대접받고 상대적으로 쉬운 수술이나 시술은 관심을 가지지 않는 경우가 많습니다. 하지만 이렇게 상대적으로 경시되는 영역을 선정하여 잘 공략한다면 짧은 시간에 많은 명성을 얻을 수 있습니다.

셋째, 수술시간, 입원시간, 대기시간을 줄여 최대의 효율과 고객만족을 추구하여야 합니다. 병의원은 부동산이 차지하는 투자비용이 커서 병원공간이 클수록 임대료가 많이 들게 됩니다. 또한 고가의 의료장비들은 넓은 공간을 차지하고 리스와 같은 금융비용도 상당합니다. 따라서 입원병동이 있는 경우 가능한 병실회전율을 높이고 외래위주인 경우 짧은 시술이나 검사를 활용해 공간과 시간을 효율적으로 운영하는 것이 매우 중요합니다. 특히 대기시간이 늘어나게 되면 환자만족도는 이에 비례하여 떨어지기 때문에 수술과 외래 모두 회전율을 올리면서 병의원을 효율적으로 운영하는 것이 경영 및 고객의 만족도란 관점에서 모두 중요합니다.

넷째, 제한된 영역에 집중하는 것도 좋은 방법입니다. 많은 의사들이 수술이나 시술에 있어서 많이 해본 경험이 매우 중요하다는 사실을 잘 알고 있습니다. 같은 시술이나 수술을 많이 한 의사가 상대적으로 의료사고율도 적기 때문입니다. 또한 수술이나 시술에 참여하는 팀의 경험도 매우 중요합니다. 비교적 쉬운 수술이나 시술이라고 하더라도 반복하여 경험하지 않으면 실패율이나 합병증 비율이 높습니다. 따라서 반복적인 수술과 시술을 통하여 경험치를 높이면 성공률이 높아지고 환자의 만족도도 올라가게 되어 어려운 수술을 드물게 한번 하는 것보다 경영적인 입장에서는 더 도움이 될 수 있습니다.

다섯째, 양질의 의료를 나타낼 수 있는 혹은 그렇게 보이는 분야에 집중하는 것이 필요할 수 있습니다. 남들보다 좋은 기구를 가지고 있거나 남들이 못하는 기술을 가지고 있으면 이는 고객인 환자들에게 차별화된 어필할 수 있습니다. 이러한 기술은 의료분야에 국한되지 않습니다. 예를 들어 많은 의원들이 환자가 적은 평일 한 세션을 쉬는 경우가 많습니다. 이렇게 한 세션을 쉬는데 많은 의사들은 그냥 문을 닫고 쉽니다. 하지만 필자동료 중 한 명은 그렇지 않았습니다. 이 동료는 자신의 박사학위를 이용하여 지방대학에서 일주일에 한 번 시간강사로 일을 하면서 자신의 의원 문에 시간강사(겸임교수)를 핑계로 주중 한 세션을 쉰다고 고지하고 있습니다. 이렇게 휴진하더라도 환자들에게 이 원장은 개업의임에도 불구하고 학생에게 강의를 하는 교수라는 고급스러운 메시지를 주기 때문에 매우 효과적인 방법으로 생각합니다. 물론 많은 의사들이 박사학위를 가지고 있지 않거나 박사학위가 있더라도 시간강사로 뛸 수 있는 기회가 없는 것도 사실입니다. 그렇다고 포기할 이유는 없습니다. 많은 병의원 원장들이 대학병원 혹은 대학과 연계하여 외래교수로 등록하고 있습니다. 이러한 외래교수 타이틀을 단지 상장형식으로 진료실 혹은 대기실만 장식하지 마시고 어떻게 사용할 지에 대하여 조금 더 고민하시면 도움이 될 것으로 생각합니다.

여섯째, 마케팅을 어떻게 사용할지에 대하여 고민하셔야 합니다. 많은 병의원들이 개원초기에는 적극적으로 마케팅을 하지만 막상 환자들에게 알려지고 나서는 등한시하는 경우가 많습니다. 하지만 마케팅이 가장 효과적인 시점은 환자들 사이에 입소문이 나면서 환자가 늘어나는 시점이라고 합니다. 성공한 병원들은 현재의 성과에 만족하지 않고 잘 나갈 때 더욱 공격적인 마케팅을 하여 최대의 고객을 확보한다는 사실을 잊어서는 안 됩니다.

일곱째, 고객이 가장 중요하게 여기는 것으로 차별화해야 합니다. 많은 의료기관들이 마치 고급화만이 살길이라고 생각하여 최근 고급화에 많은 돈을 투자합니다. 특히 비급여 의료기관에서는 고급화만이 다른 병원과 차별할 수 있는 포인트로 생각하고 집중적으로 투자하고 있습니다. 하지만 고급화는 차별화의 한 부분일 뿐입니다. 지나친 고급화보다는 나의 병원을 찾는 환자들이 정말로 무엇을 원하는지 고민하고 더불어 환자를 직접 대하는 일선 직원들 의견을 경청하여 이에 따른 차별화를 시행하는 것이 중요하다고 생각합니다.

여덟째, 실행에 강해야 합니다. 최근에는 어떤 시술로 재미를 보았다고 하면 그 분야에 똑같은 방식으로 달려들지만 대다수는 실패하는데 그 이유는 각각의 실행력이 다르기 때문입니다. 성공하는 병원은 계획을 밀어붙이는 실행력이 경쟁자에 비하여 탁월한 경우가 많습니다.

참고2) 공동개원에서 주의할 점

최근에 공동개원을 고민하는 의사들을 많이 볼 수 있습니다. 공동개원은 자본을 좀더 확보할 수 있기 때문에 나홀로 개원하는 것보다 좋은 입지를 확보하고, 병원 규모를 키울 수 있고 다양한 마케팅도 할 수 있기 때문입니다. 직원도 효율적으로 사용할 수 있습니다. 하지만 병원의 규모가 커진 만큼 해결해야 할 문제점도 역시 많습니다. 예를 들어 늘어난 직원을 어떻게 관리할지는 상당히 머리가 아픈 문제중의 하나입니다. 가장 문제되는 것은 동업자간 관계입니다. 동업자간 사이가 좋을 때는 전혀 문제가 되지 않지만 만약 여러 이유로 사이가 좋지 않게 되면 악순환에 빠지기 쉽습니다. 예를 들어 내과의사 두 명이 공동개원하였고 이익이 나면 서로 똑같이 나누기로 구두로 약속한 경우 두 의사의 매출실적이 서로 비슷하면 문제가 되지 않습니다. 하지만 둘 중 누구 하나라도 매출실적이 높은 경우에 문제가 발생합니다. 매출실적이 높은 의사는 더 많은 수익배분을 원하지만 매출실적이 낮은 의사는 수익배분을 똑같이 나누기를 원하기 때문입니다. 이와 같이 수익배분문제가 누적되다 보면 서로 감정이 상하고 직원들도 양측으로 패가 갈리게 되어 결국은 소송으로 이어져 헤어지게 되는 경우가 흔하다고 합니다.

따라서 공동개원을 고려한다면 반드시 사전에 계약서를 작성하는 것이 좋습니다. 이러한 계약서는 반드시 건물을 임대하기 전에 작성되어야 합니다. 그래야 건물임대 후 갑작스러운 공동개원을 포기하는 사태를 예방할 수 있기 때문입니다. 또한 계약서는 대충하는 것이 아니라 공동개원에 관련된 내용을 자세하게 기술하여야 합니다. 특히 돈과 관련된 문제에 대하여는 대단히 상세하게 기술하여야 하며 변호사의 조언을 얻는 것도 도움이 됩니다. 일반적으로 공동개원에서 가장 흔히 발생하는 문제는 위의 경우와 같이 수익을 어떻게 배분할지와 함께 공동개원자 중에서 한 사람 또는 일부가 중도에 공동개원을 포기하는 경우 투자지분을 어떻게 나눌까 여부입니다. 예를 들어 세 사람이 1억 원씩 투자해서 땅을 사서 병원을 짓고 공동개원을 하였는데 이후 개원한 의원의 땅값이 올라 약 10억 원 정도로 가치가 상승하였습니다. 하지만 공동개원자 중에서 한 사람이 개인적 사정을 이유로 공동개원을 포기하고 지분을 요구한다면 이 사람의 투자지분은 1억 원일까요? 아니면 3.3억 원일까요? 이와 같은 문제가 발생하지 않도록 중요한 내용을 계약서에 상세하게 기재하여야 나중에 서로 감정이 상하고 소송에 이르는 것을 막을 수 있습니다. 또한 마지막으로 서로 서명한 계약서는 공증을 받아 두는 것이 앞으로 생길 싸움을 예방할 수 있습니다. 일반적인 공동개원 계약서에 들어갈 내용은 다음과 같습니다.

공동개원 계약서 내용

총칙	운영방식	동업자 복무규정	운영비 부담 및 이익배당	권리양도	사망 또는 장해 등의 위험관리
동업자 자격	자본금출자 및 지분	의무	결산	권리양수양도	초기 자본금 처리
동업자 권리 양도 및 상속	직무분담 및 권한	근태관리	이익배당	탈퇴자 의무	영업권리금
의사결정방식	유보금 적립	복리후생	손실비용처리	탈퇴자 지분처리	위로금
	동업 계약기간			공동개원해지 및 청산	기타세부사항
	병원 상호			영업권평가	
				중재자선임	

참고3) 포탈광고의 허와 실

최근에 포탈광고를 통한 온라인 광고를 할지 고민하고 있는 병의원이 많습니다. 어떤 포탈의 경우 키워드에 따라 검색페이지 상단에 노출시킬 때 한 번 클릭에 1만원이 넘는 비용을 내기도 합니다. 하지만 이러한 마케팅이 실제 고객으로 이어진다는 보장은 없습니다. 성형, 비만과 같은 비보험과들은 상당부분 포탈에 광고하는 것이 경영에 도움을 받을 수 있다고 하지만 보험과들은 이와 같은 마케팅으로 인한 혜택이 상대적으로 적습니다. 그렇다면 보험과의 경우 어떻게 온라인에서 마케팅을 하는 것이 좋을까요?

개인적으로 보험과의 경우 온라인 마케팅 목적을 '신환창출'이 아닌 '단골을 만들기 위해서 한다고' 생각을 바꾸는 것이 어떨까 합니다. 즉 신환창출을 위하여 포탈광고에 돈을 지출하는 비보험과와 달리 보험과는 자신의 웹사이트를 구축해서 유용한 정보를 꾸준히 제공한다면 환자들과 라포트를 형성하고 이를 통해 단골고객을 만드는 것이 가능하다고 마케팅 전문가들이 말하고 있습니다. 비보험과와 달리 보험과에서 단골고객을 만드는 것이 중요한 이유는 방문하는 고객이 주로 만성질환환자이기 때문입니다. 따라서 보험과 병의원이라고 하더라도 블로그나 홈페이지를 만들어 그저 병의원을 홍보하는 공간이 아닌 건강관리를 위해 평소에 방문하는 공간이라고 여겨지게 구성하고 업데이트를 지속한다면 좋은 마케팅 수단이 될 수 있습니다.

병의원 블로그나 홈페이지에서 제공하는 정보는 해당 병의원과 관련된 내용이 좋습니다. 예를 들어 새로운 직원이 들어오거나 이벤트가 발생하였을 때 이 사진을 개제하는 등의 해당 병의원을 소개하는 내용도 좋습니다. 의학정보를 제공하는 것도 좋은 방법입니다. 하지만 제공하는 의학정보는 해당 병의원과 관련이 있는 내용을 제공해야 하고, 내용을 제공하는 사람도 가능한 해당 병의원의 의료진이 해야 전문성이 있어 보입니다. 환자스토리를 공유하는 것도 좋은 방법입니다. 환자스토리를 쓰기 원하신다면 실제로 그 병의원에서 진료를 보았던 환자의 사례를 드는 것이 좋습니다. 마지막으로 Q&A 항목을 만들어 환자들로부터 질문을 받고 답변하시는 것도 도움이 될 수 있습니다.

인사관리

기업이라고 하면 어떤 것이 생각나시나요? 아마도 대기업의 건물이나 공장이 생각나실 것입니다. 경영학에서 기업은 물품이나 서비스를 생산하고 유통하는 경제단위라고 정의하지만 실제로 기업이란 실체가 있는 것이 아니라 사람이 움직이고 행동하면서 만드는 허상이라고 할 수 있습니다. 이런 상황을 고려한다면 기업을 운영하는데 있어서 사람이 얼마나 중요한 지 알 수 있습니다. 따라서 기업에서 일할 사람을 뽑고 유지하는 인사관리는 기업활동에서 매우 중요한 행위입니다.

실제로 개원한 많은 의사들이 직원을 관리하는데 애를 먹습니다. 이렇게 힘든 이유는 직원을 관리하여야 하는 원장이 하루의 대부분을 진료실에 박혀 있기 때문입니다. 진료실에 박혀 있는 원장이 진료실 밖의 직원이 어떻게 행동하는지 파악하기 쉽지 않습니다. 이러한 상황을 고려한다면 원장은 관리를 하지 않아도 스스로 잘 하는 직원을 선발해야 합니다. 하지만 제가 본 많은 개원의들이 자신의 마음에 들지 않더라도 사람이 없다는 이유로 아무나 선발하고는 나중에 후회를 하는 경우를 많이 볼 수 있었습니다. 환자수가 늘었다고 직원을 더 뽑는 것도 부담입니다. 최근 환자수가 늘었다고 직원수가 늘리면 이후 환자수가 줄게 되더라도 고용한 직원수를 갑자기 줄이기는 어렵기 때문입니다. 한 가지 고민을 더 해야 할 것이 있습니다. 직원들의 급여는 어느 수준으로 해야 할까요? 만약 급여의 정도가 다른 병원과 크게 다르지 않거나 낮다면 이들에게 현재 일하고 있는 병의원에 충성을 다하라고 요구할 수 없습니다. 직원들의 관점에서 보면 진급이나 미래가 없는 상황에서 조금이라도 더 주는 곳이 있으면 그 곳으로 옮기는 것이 이들에게 더 이득이기 때문입니다. 그렇다고 남들보다 급여를 더 많이 주게 되면 경영에 부담이 되는 것도 사실입니다.

여기서는 급여과 소규모 개원의들이 알아 두면 도움이 되는 직원 인력관리에 대하여 알아보도록 하겠습니다.

① 인력수요예측

병의원을 개원할 때 가장 중요한 것은 자신이 의원을 운용할 때 얼마나 많은 인력이 필요한지 예측하는 것입니다. 사람이 많으면 많을수록 좋지만 많으면 그만큼 비용이 늘어나고 이미 있던 인력을 줄이기는 더 어렵기 때문입니다. 따라서 자신의 병의원에서 필요한 인력이 몇 명인지 꼼꼼히 따져보아야 하고 뽑은 사람들의 업무도 구분해야 합니다. 하지만 소규모 의원급 의료기관의 경우 직원들의 업무 범위를 고정시키기 보다는 탄력적이고 유기적으로 만들어야 합니다. 소규모 의원의 경우 직원이 갑자기 그만두거나 환자가 몰리면서 일시적으로 바빠지는 경우가 흔한데 이런 경우에 서로 도와줄 수 있는 구조를 만들어야 하기 때문입니다. 이런 구조를 만들기 위해서는 결국 이런 일을 할 수 있는 직원을 선택해야 합니다. 따라서 대형병원뿐 아니라 소규모 병의원의 경우 직원선발은 매우 중요하다고 할 수 있습니다.

② 모집

외부모집은 병원이 필요로 하는 자격을 갖춘 사람들을 외부에서 유인하는 과정이라고 할 수 있습니다. 가장 대표적인 것이 외부에 구직광고를 내고 지원자들을 모집하고 이 중에서 선발하는 방법입니다. 이 외에 내부직원들의 추천을 받아 선발을 하는 사원추천방식도 있습니다.

개인적으로는 내부직원의 추천으로 선발하는 사원추천방식이 매우 좋은 방법이라고 생각합니다. 현재 병원에서 일하고 있는 직원의 경우 해당 병원에서 일할 만한 적합한 사람을 누구보다 더 많이 알 가능성이 높습니다. 또한 추천하는 사람의 인격이나 성격 등을 잘 알기 때문에 새로운 사람을 선발할 때 발생하는 위험도가 상대적으로 낮습니다. 또한 추천하는 사람은 현재 자신이 다니고 있는 직장에 대하여 잘 설명할 가능성이 높아 지원자도 직장선택의 위험성을 줄일 수 있게 됩니다.

하지만 모집광고와 사원추천 중에서 어떤 방식이 더 우월하다고 할 수는 없습니다. 필요하다면 두 방법을 모두 사용할 수도 있습니다. 중요한 것은 병의원이 선발하고자 하는 인력을 가장 효율적으로 선발할 수 있는 방법을 선택하는 것입니다.

모집광고에서 잠재적 응모자에게 제공할 메시지

실제 많은 병원들의 모집광고를 보면 '간호사모집, 주 6일 근무, 서울 ○○구 위치, 연봉은 협상가능' 등과 같이 그 형식적인 경우가 대부분이고 내용을 살펴보면 구체적이지 않고 추상적인 경우가 많습니다. 하지만 모집공고는 병의원에 대한 정확하고, 구체적이고, 신뢰할 만한 정보와 함께 입사하면 맡을 직무를 제공해야 합니다. 특히 연봉 및 담당할 업무 등 지원자가 중요하다고 생각하는 정보를 충분히 제공하여야 이러한 정보에 근거하여 이에 합당한 지원자들이 지원하게 됩니다. 따라서 연봉의 경우 '협의후 조정'이라는 애매하고 형식적인 표현보다는 구체적인 연봉을 제시하는 것이 지원자들의 눈에 띄기 쉽습니다. 만약 채용공고에서 급여나 담당업무에 대하여 최소한의 정보만을 주거나 과장된 정보를 주는 경우 채용이 되더라도 지원자는 자신이 원하는 일이나 급여를 받는 다른 직장을 찾을 가능성이 높습니다. 이러한 상황은 해당 병의원이나 지원자 모두에게 불필요한 많은 비용과 노력이 소모되기 때문에 그렇게 하지 않는 편이 좋습니다. 이전 연구에 의하면 모집광고에 지원자의 자격요건과 함께 급여나 근무조건 등을 상세히 명시하는 것이 좋았다고 합니다.

주의할 것은 자격요건을 공고할 때 성, 지역, 학력, 인종 등 업무성과에 영향을 미치지 않는 요소를 근거로 지원자를 배제하는 경우 유능한 인재를 놓칠 수 있고, 이런 사실이 알려질 경우 병의원의 이미지에 타격을 입힐 수 있으므로 해서는 안 됩니다.

추가적으로 모집공고에는 지원자의 이기심을 자극하는 단어나 문장을 넣으면 더 많은 지원자를 모집하는데 도움이 된다고 합니다. 예를 들어 '멋지고 성실한 간호사 선생님을 모시고 싶습니다. 저희 병원은 서울 ○○구에서 5명이 근무하고 있는 작은 의원이지만 활력이 넘치고 직원과 가족같은 분위기를 자랑하고 있습니다.'와 같은 이야기를 할 수도 있습니다. 벤처회사의 경우 지원자의 꿈을 자극하기 위하여 '당장의 보상과 만족은 적더라도 미래의 원대한 꿈을 실현할 수 있다'는 문장을 삽입하거나 NGO는 '자신보다 사회 전체를 위해 공헌하는 착한 마음을 가진 사람을 원한다'는 문장을 삽입하여 지원자들의 마음에 어필한다고 합니다.

유인제도의 선택

능력이 있고 성격이 좋은 인력을 뽑기 위해서는 원장은 무엇을 무기로 해야 하는지를 결정해야 합니다. 예를 들어 경쟁병원보다 높은 금전적 보상이나 높은 직급을 보장하는 것도 한 방법이 될 수 있습니다. 또한 급여는 비슷하거나 약간 낮더라도 자신이 하고 싶은 일을 할 수 있는 기회를 제공하는 것도 좋은 방법입니다. 이 외에도 주간이나 야간에 대학원에 다니는 것을 허락하거나 대학원에 입학하면 장학금을 제공하는 것도 한 방법입니다. 그렇지 않으면 대학교수에 대한 안식년제도와 같이 직장에 몇 년 이상 근무하면 안식년을 주는 것도 방법이 될 수 있습니다. 아이를 임신하거나 양육하는 여성의 경우 육아에 따른 자유로운 출퇴근시간이나 유연한 근무시간 등을 제시하는 것이 좋을 방법일 수 있습니다. 무엇을 선택할 수 있을지는 당시 기업의 재무적 환경적 상황에 맞추어 선택을 하면 됩니다.

지원서 제출과 인터뷰의 중요성

이렇게 광고를 통해 지원자가 발생하면 지원자가 지원서를 어떻게 제출하게 하는 것이 좋을까요? 지원서를 병의원에 직접 제출하게 하는 방법도 있고, 온라인이나 이메일로 지원하게 하는 방법도 있습니다. 아니면 전화로 지원의사를 밝히는 방법도 있습니다. 만약 지원자가 충분할 것이라고 생각하시면 병의원을 직접 방문하여 지원서를 제출하게 하시는 방법이 가장 좋습니다. 이렇게 지원자들을 약간은 귀찮게 하는 방법을 통해 생각없이 그냥 지원서를 제출하는 지원자를 거를 수 있고, 지원자들의 병의원에 대한 충성도도 확인할 수 있기 때문입니다. 지원자의 충성도가 중요한 이유는 충성도가 높은 사람일수록 더 열심히 일을 하고 오랫동안 일을 할 가능성이 높기 때문입니다. 하지만 지원자가 부족한 상황에서는 쉽게 지원서를 내도록 하는 것이 모집에 유리할 것으로 생각됩니다.

가장 중요한 것은 지원서만 가지고 직원을 선택하시면 안 된다는 것입니다. 원장은 아무리 바쁘더라도 시간을 내서 지원자와의 인터뷰에 가능한 많은 시간을 할애하시기 바랍니다. 지원자의 이력서는 객관적인 사실만을 보여주고 있기 때문에 한계가 명확하기 때문입니다. 인터뷰를 통해 지원자와 대화를 주고받으며 지원자의 가치관이나 인성, 조직에 잘 적응할 수 있는지를 확인할 수 있습니다. 문제는 지원자들은 면접시간동안 자신의 가장 좋은 모습만을 보이려고 노력하기 때문에 원장은 짧은 면접시간동안 지원자의 실제모습을 파악하기가 매우 어렵습니다. 따라서 면접관인 원장은 면접에 맞는 분위기를 연출하면서 적절한 질문을 할 줄 알아야 하겠습니다.

좋은 면접기술이란

그렇다면 좋은 면접기술이란 무엇일까요? 좋은 면접기술이란 면접분위기를 면접에 맞게 유지하고 적절한 질문을 통해 지원자의 생각과 태도를 알 수 있게 하는 기술을 말합니다. 일반적으로 면접분위기가 딱딱하면 지원자의 일상적인 모습을 제대로 보기 어렵습니다. 따라서 원장은 웃으면서 인사와 함께 차를 권하는 등 면접분위기를 편안하게 하여 지원자가 긴장을 풀 수 있도록 하여야 합니다. 면접할 때 어떻게 질문하는지도 매우 중요합니다. 지원자가 '예', '아니오'로 대답하게 하는 질문은 적절한 질문이 아닙니다. 원장의 질문은 짧되 대답을 하는 지원자의 생각과 성격이 나타날 수 있는 질문을 하여야 합니다. 예를 들어 '이전에 근무하시던 병원은 어떤 병원이라고 생각하시나요?', '우리 병원에 지원하게 된 동기는 무엇인가요?', '본인이 우리 병원에 잘 맞는 인재라고 생각하는 이유는 무엇인가요?', '본인은 우리 병원을 위해 어떤 일을 할 수 있나요?', '만약 입사하게 되면 하고 싶은 새로운 아이디어가 있나요?', '만약 여기에서 떨어진다면 다른 대안이 있나요?' 등이 있겠습니다. 또한 질문은 치우치지 않고 구조적으로 구성되어 있어야 합니다. 이렇게 구조적인 질문을 하기 위해서는 미리 면접 체크리스트를 만드는 것이 좋습니다. 이러한 면접 체크리스트에는 지원자의 직무에 필요한 업무능력과 지원자의 인성평가가 가능해야 합니다. 마지막으로 면접을 할 때 원장만 참석할 수도 있지만 지원자와 함께 일할 상급자를 배석시켜 면접을 보는 것도 좋은 방법입니다. 이를 통해 지원자를 좀 더 객관적으로 평가하고 관찰할 수 있기 때문입니다. 특히 미래의 상급자는 자신과 함께 일할 직원을 뽑는데 참여하기 때문에 이후에 관계가 더 좋을 가능성이 높습니다.

이러한 모집과정에 있어서 가장 중요한 것은 최고경영자인 원장의 적극적인 참여가 필요합니다. 아무리 청소부와 같은 말단 직원이라고 하더라도 원장이 적극적으로 참여해야 담당관리자도 모집의 중요성을 인식하여 회사가 요구하는 능력과 품성을 갖춘 사람들이 더 많이 응모하도록 노력할 것이기 때문입니다. 작은 규모의 개원의의 경우도 마찬가지입니다.

➡ 사람선택의 중요성

앞서 말한대로 기업은 사람들에 의해 돌아가기 때문에 어떤 사람들이 기업에 들어와서 일을 하는지가 매우 중요합니다. 따라서 직원을 고용할 때 능력과 인성이 좋은 사람을 뽑는 것이 매우 중요합니다. 어떤 원장은 일에 적합하지 않은 사람이라도 들어와서 고쳐 쓰겠다고 생각하시는 분도 있을 수 있습니다. 하지만 사람은 쉽게 변하지 않기 때문에 이런 방식이 쉽지는 않다고 합니다. 사람이 없거나 시간이 없다고 해서 적합하지 않은 사람을 채용하는 경우 기존의 일을 잘 하고 있던 직원과 갈등이 생겨 일이 익숙하지 않은 상황에서 신규직원이 그만두거나 잘 다니고 있던 기존직원이 그만두는 불상사가 생길 수도 있습니다. 또한 우리나라의 경우 한번 고용을 하면 해고하기도 쉽지 않습니다. 따라서 사람을 채용할 때 충분한 시간을 가지고 심사숙고해서 적절한 사람을 뽑는 것이 중요합니다. 구체적으로는 아주 마음에 드는 완벽한 인재가 아니라면 아무리 급해도 두 명이상 면접을 보고 최소한 2-3일 정도 곰곰이 생각해보고 채용여부를 결정하는 것이 좋습니다. 선택이 어려운 경우 같이 신규직원과 같이 일을 할 상급자나 동료의 의견을 물어보는 것도 좋겠습니다. 그리고 채용을 결정한 경우 이 직원이 스스로 일을 익히고 경험을 가지도록 가능한 많은 시간과 기회를 주는 것이 좋습니다.

모집활동에 대한 평가

구인광고를 통해 모집활동을 실시한 다음에는 현재 모집활동에 대하여 평가하고 모집활동을 더 잘하기 위해서 무엇을 하여야 하는 지를 고민해봐야 합니다. 즉, 모집광고를 통해 원하는 능력과 인성을 갖춘 사람들이 얼마나 지원하였는지를 확인하고 모집활동의 비용과 효과를 고려한 효율성 등을 평가하는 것입니다. 이러한 고찰을 통해 다음 모집활동에서 비용과 시간을 줄일 수 있습니다.

참고로 이러한 모집활동을 할 때 탈락한 지원자의 지원서를 버리는 경우가 흔한데 이러한 이력서를 정리해서 보관하시는 것이 좋습니다. 이렇게 하는 이유는 미래를 대비하기 위함입니다. 만약 직원 중에 다시 결원이 생기거나 추가적으로 사람을 선발하는 경우가 발생하였을 때 아깝게 탈락한 사람들에게 먼저 연락을 하여 취업제안을 할 수도 있기 때문입니다.

③ 인재관리 및 운용

이제 직원을 고용하였으면 일을 잘 할 수 있도록 해야 합니다. 이들이 열심히 일을 할 수 있게 하려면 어떻게 해야 할까요? 또한 일을 잘하는 핵심인재들이 계속적으로 현재 다니는 회사들을 그만두지 않고 다니게 하려면 어떻게 해야 할까요? 아마도 첫째로 이들에게 성과에 맞는 경제적인 보상을 하는 것이고 둘째로는 이들이 회사를 잘 다닐 수 있도록 일하는 환경을 만드는 것입니다. 그렇다면 여기서는 보상시스템을 어떻게 만들 수 있을 것인가를 생각해보도록 하겠습니다.

▪▪➡ 경제적 보상시스템

경제적 보상시스템이란 구성원의 적절한 행동에 적절하게 경제적인 보상을 하는 것을 말합니다. 적절한 경제적 보상은 크게 임금과 인센티브로 나눌 수 있습니다. 만약 직원이 능력과 지식을 갖추며 성공적인 성과목표를 달성한 것에 대하여 긍정적인 보상을 한다면 합리적인 보상시스템이 설계되었다고 생각할 수 있습니다.

▪▪➡ 임금이란

임금이란 사용자가 근로의 대가로 정기적이고 규칙적으로 근로자에게 지급하는 금품을 말합니다. 근로자들에게 임금이란 노동의 대가로 받은 교환물로 기본적으로 생계를 유지하는 수단이며 동시에 자녀교육이나 문화생활 등을 하는 등 사회에 대한 욕구를 충족하기 위한 수단입니다. 또한 임금은 근로자들에게 사회적인 지위를 규정하면서 동시에 근로자들이 일을 하고자 하는 동기를 부여하게 됩니다. 회사에게 근로자 임금은 제품이나 서비스의 원가를 이루는 주요 요소 중의 하나로서 노동시장에서 우수한 인력을 확보하거나 유지하는 결정적인 역할을 하지만 근로자에게 임금을 많이 주면 생산비용이 올라가 가격상승의 요인이 됩니다. 따라서 회사는 제품의 가격경쟁력을 유지하기 위해서는 근로자들의 임금을 낮게 유지하여야 하지만 우수한 인력을 확보하기 위해서는 경쟁회사들보다 높은 임금을 보장해야 하는 딜레마에 빠지게 됩니다.

▪▪➡ 임금수준의 결정

그렇다면 직원들의 임금은 어느정도 주어야 할까요? 임금의 기준은 절대적 기준과 상대적 기준이 있습니다. 상대적인 기준으로 가장 흔히 사용하는 임금기준은 경쟁기업의 급여수준입니다. 적어도 유사한 규모의 병의원이 주는 급여정도는 맞추어 주어야 지원자가 올 것이기 때문입니다. 절대적 기준이란 경쟁병의원의 임금수준과 상관없이 병의원이 위치한 지역의 생활비와 안전정도, 자녀양육환경 등에 의해 임금수준을 정하는 것입니다. 예를 들어 생활비가 적게 들고, 자녀양육을 위한 환경이 양호하며, 안전한 지역에서는 상대적으로 낮은 임금을 지불하더라도 지원자를 모집할 수 있습니다. 하지만 생활비가 비싼 지역의 경우 임금수준도 올라가게 됩니다. 조직 내부요인도 영향을 미칠 수 있습니다. 승진가능성이 높고 직무의 재량정도가 많고 조직의 성장가능성이 높다면 임금수준을 약간 낮추어도 많은 사람들이 지원할 것이기 때문입니다.

하지만 다른 조건이 동일하다면 아무래도 상대적 기준을 기준으로 즉, 경쟁하는 병의원보다 높은 수준의 임금을 지급할 때 조직이 원하는 능력과 품성을 갖춘 사람을 뽑을 가능성이 높습니다. 만약 비슷한 규모의 병의원보다 임금수준이 낮으면 원하는 사람이 지원하지 않거나 혹은 능력이 있는 구성원들은 더 높은 임금을 지급하는 다른 조직으로 이동할 것이기 때문입니다. 하지만 임금이 올라간다면 아무래도 경영에 영향을 미칠 수밖에 없기 때문에 결국 직원에 대한 임금수준은 회사의 상황에 맞추어 전략적으로 결정을 해야 합니다.

임금체계와 인센티브

상대적 임금수준과 함께 임금체계도 매우 중요합니다. 사용할 수 있는 임금체계는 매우 다양합니다. 가장 대표적인 임금체계는 연공서열형 임금체제로서 근로자의 성과에 상관없이 근무한 연수에 따라 임금이 오르는 구조입니다. 이러한 임금구조는 안정적인 직장생활을 보장하여 장기적으로 충성심을 유도하기 때문에 공무원을 비롯한 많은 기업들이 사용하고 있습니다. 하지만 개인의 직무능력이나 업적, 기업의 성과와 상관없이 근속연수에 따라 자동으로 임금이 인상되기 때문에 같은 일을 하는 직원이라고 하더라도 근속연수에 따라 임금이 다르고 근로자가 오랫동안 근무하면 할수록 기업의 인건비부담을 가중되어 경쟁력을 떨어뜨리는 요인이 되기도 합니다. 이러한 이유로 구조조정을 하는 경우 장기근속자들을 우선적으로 고려하는 이유가 되기도 하고 신기술을 습득하거나 기술개발 등 기업의 핵심업무에 종사함에도 불구하고 연차가 낮다는 이유로 상대적으로 낮은 임금을 받는 젊은 근로자들이 불만을 가지게 되는 원인이 되기도 합니다. 직무급 임금체계란 직무의 난이도·업무강도·책임정도·요구되는 기술 등 직무특성에 따라 임금이 결정되는 구조입니다. 직무급 임금체계에서 임금은 직무에 따라 결정되기 때문에 원칙적으로 같은 직무를 수행하는 근로자는 근속연수와 상관없이 동일한 임금을 받고 상위직무로 이동해야만 임금이 인상이 되는 구조로 미국이나 서구에서의 대표적인 임금체계로서 임금차별의 소지가 적고 미숙련, 여성 등 취약계층에 대한 공정한 대우가 가능하다는 장점이 있지만 오랫동안 근무하여 숙련된 기술이나 우수한 능력이 있어도 그렇지 않은 근로자와 일괄적으로 같은 임금을 받는다는 문제점이 있습니다. 직능급 임금체계란 근로자의 직무능력 또는 숙련정도에 따라 임금이 결정되는 체계로서 임금도 직무능력이나 숙련의 향상에 따라 변하기 때문에 어느 정도 연공성을 가지지만 직무능력이나 숙련 향상이라는 객관적인 지표가 있어야만 임금인상이 이루어지기 때문에 근속년수에 따라 자동으로 임금이 오르는 연공서열형 임금체계와는 다릅니다. 역할급 임금체계란 우선적으로 역할등급을 정하고 등급별 임금구간을 설정한 후에 역할에 대한 이행 정도 및 성과에 따라 임금이 결정되는 체계로서 주로 일본에서 시행되는 제도입니다. 이 제도에서 임금은 성과에 의해 결정되기 때문에 자동적인 임금인상은 없고 성과가 저조할 경우 감급이 가능합니다.

위의 임금체계와 함께 최근에 각광을 받고 있는 것이 바로 인센티브(성과급임금) 제도입니다. 인센티브제도는 다양한 임금체제에서 나타나는 문제점을 보완하고자 개인이나 조직의 성과에 따라 임금차등을 두어 연봉을 조정하는 방식으로 근로자는 회사수익에 따라 자신도 보상을 더 받을 수 있기 때문에 일을 열심히 하려는 강한 동기를 가지게 됩니다. 이와 같은 이유로 현재 많은 기업들이 다양한 형태의 성과급제도를 운영하여 부서별 또는 개인별 기여도에 따라 차등적으로 인센티브를 주고 있습니다. 이 외에도 업무를 개선하거나 연구를 성공적으로 마치거나 전략적인 과제 달성 등 재정적 성과가 아닌 질적인 성과에 대하여 인센티브를 주기도 합니다.

성과급제도(인센티브제도)의 분류와 장단점

앞서 말씀드린 바와 같이 성과급제도란 업무성과에 따라 임금을 보상하는 방식으로 근로자들의 경쟁을 유도하는 방법입니다. 성과급제도에서의 임금은 크게 기본연봉과 성과연봉으로 나눌 수 있습니다. 기본연봉이란 성과와 직접 연계되지 않은 고정된 부분을 말하고 성과연봉이란 성과에 따라 변화되는 가변적인 부분을 말합니다. 성과연봉제 적용방법에 따라 개인방식과 집단방식으로 나눌 수 있습니다.

개인성과급제도와 장단점

개인성과급제도란 개인수준의 성과에 따라 보상하는 방식으로 기본급도 성과에 따라 차등적으로 인상하여 지급하는 방식과 성과에 따라 성과급만 차등적으로 보상하는 보너스차등지급방식으로 나눌 수 있습니다.

개인성과급은 개개인들의 업무성과를 객관적으로 측정할 수 있고 개개인의 노력과 능력에 의하여 성과가 좌우되는 경우에 효과적입니다. 하지만 구성원 간의 협동이 절대적으로 필요한 경우에, 특히 절대적 기준이 아닌 상대적 기준으로 성과를 평가하는 경우, 개인성과급은 바람직하지 않으며 개인의 업무의욕을 높이려고 하다가 오히려 구성원 간의 협동을 떨어뜨리는 결과가 발생할 수 있습니다. 예를 들어 명확한 업무구분이 불가능하여 팀으로 작업하는 상황에서 팀 내 구성원 사이의 상대평가에 근거한 보상제도는 오히려 팀 성과를 떨어뜨릴 수 있게 되기도 합니다. 이와 같은 이유로 업무성과를 객관적으로 평가하기 어렵고 상호 의존성이 높은 의료직의 경우 상대평가에 따른 성과급을 적용하지 않는 것이 좋습니다.[9)]

의사의 경우 개인성과급을 너무 강조하면 단기적 성과는 증가할 수 있으나 과잉 진료 등으로 해당 의료기관의 평판과 장기적 성과는 오히려 나빠질 수 있습니다.

집단성과급제도와 장단점

집단성과급제도란 기업이나 집단수준에서 목표한 경영성과를 달성하면 개인의 기여여부와 상관없이 집단에 보상하는 방식으로 크게 성과배분제와 이익배분제로 나눌 수 있습니다. 성과배분제란 작업현장의 생산성이 올라가거나 원가절감을 통해 이익이 발생한 경우 이 이익을 회사와 근로자가 함께 나누어 갖는 제도입니다. 이에 비하여 이익배분제란 기업이 일정수준 이상의 이익을 올릴 때 그 이익의 일부를 근로자들에게 나누어 주는 제도를 말합니다.

이러한 집단성과급제도가 많이 사용되는 이유는 진단성과급제도는 해당 집단의 성과를 증진시키고 협동을 촉진할 수 있기 때문입니다. 특히 조직성과에 대한 보상이 크면 클수록 서로를 운명공동체로 생각하여 내부 구성원 간의 일체감을 키워줄 수 있습니다. 또 하나의 장점은 개인성과급에 비하여 성과로 삼는 지표가 개인성과에 비하여 측정이 용이하다는 것입니다. 집단성과급제도를 도입하기로 결정한 경우 어떤 지표를 조직성과로 할 것인지가 매우 중요합니다. 성장을 최우선으로 하는 조직이라면 매출액을 기준으로 성과급을 선정하는 것이 좋습니다. 하지만 매출액만을 기준으로 하는 경우 매출액을 높이기 위하여 많은 마케팅이나 판매촉진수단을 사용할 가능성이 높고 이로 인하여 오히려 순이익이 줄거나 순손실이 증가할 수 있다는 문제가 있습니다. 이러한 이유로 기업성과급을 도입한 많은 기업들이 성과기준으로 영업이익을 가장 많이 사용하고 있는데 영업이익은 측정하기 쉽고 조직구성원의 능력과 노력에 많은 영향을 받기 때문입니다.

또한 집단성과급제도에 적용되는 집단이 여러 개가 있다면 이 집단성과를 평가할 때 절대평가를할지 아니면 상대평가를 할지를 고민하여야 합니다. 일반적으로 상대평가를 도입하는 경우 경쟁하는 집단끼리 서로 적대적이 되고, 집단간 조정과 통합이 원활히 일어나지 않을 가능성이 있으므로 상대평가보다는 절대평가가 좀 더 바람직하다고 알려져 있습니다.

물론 집단성과급제도도 문제점이 있습니다. 가장 대표적으로 무임승차가 발생할 수 있다는 것입니다. 조직 구성원의 일부는 열심히 일을 하지 않지만 동일한 조직에 속해 있다는 이유로 성과급을 받을 수 있기 때문입니다. 하지만 집단성과급을 시행하는 경우 대체로 집단내의 응집성이 높아지고 열심히 일하지 않는 사람들은 집단의 다른 구성원들로부터 강한 사회적 제재를 받기 때문에 너무 걱정할 필요는 없다고 생각합니다.

인센티브제도 운용에 있어서 주의할 점

성과급제도를 시행하려고 할 때 주의할 점은 다음과 같습니다.

첫째, 성과지표가 객관적이고 신뢰성과 타당성이 높아야 합니다. 성과지표가 구성원들이 통제할 수 없는 외부여건에 의해 좌우되거나 구성원들의 능력과 노력에 의해 좌우되는 정도가 적으면 적을수록 성과급을 통한 업무의욕을 높이고 부서간 협동을 유발하는 등 성과급제도로 도입한 목표를 달성하기 어렵게 됩니다. 더 나아가 성과급 지급기준이 공정하지 않다는 이유로 열심히 일한 직원의 일부는 억울하다고 생각하고 그만두는 경우도 있을 수 있습니다. 개인적인 경험을 말씀드리면 이전 근무하던 병원에서 심장초음파의 난이도와 상관없이 시행한 건수당으로 성과급을 지급한 적이 있습니다. 이러한 성과급제도를 운영하니까 경력이 많은 심초음파 기사들은 쉽고 시간이 적게 걸리는 케이스만 하려고 하고 어렵고 시간이 오래 걸리는 케이스들은 경력이 낮은 심초음파 기사들이 시행하는 문제점이 발생하였고 결국 해당 병원은 이러한 성과급제도를 포기하였습니다.

둘째, 협력과 경쟁의 중요성에 따라 성과급을 주는 방식을 다르게 해야 합니다. 부문간 협동이 경쟁력에 핵심적인 역할을 하는지 아니면 다른 사람과의 협동보다는 개개인의 성과를 내기 위한 노력이 기업의 경쟁력에 도움이 될지를 평가하여 성과급을 주는 방식을 개인방식으로 할지 집단방식으로 할지 결정해야 합니다.

셋째, 직원의 연봉 또는 월급과 비교해서 유의미한 정도의 성과급을 주어야 성과급제도를 하는 실질적인 의미가 있습니다. 예를 들어 연봉이 5천만 원을 받는 직원에게 1년 성과급으로 100만 원 정도를 제공하는 경우 이정도의 성과급을 위해 직원이 더 열심히 일할 것을 기대할 수 없기 때문입니다.

넷째, 성과급제도를 도입한다는 이유로 이미 존재하는 기본급을 줄이고 성과급을 늘리는 것은 추천되지 않습니다. 기본급을 변동급여로 바꾸는 것이 경영자의 입장에서는 유리하지만 그렇다고 이러한 방식으로 성과급제도를 도입하면 직원들의 불만이 속출할 수 있습니다. 만약 기본급을 줄이는 성과급제도를 도입한 경우에도 최악의 경영상황에서도 직원들의 임금이 현재의 임금보다 줄지 않도록 시스템을 구축해야 합니다.

다섯째, 금전적인 성과급 외에 비금전적인 인센티브제도도 생각해볼 수 있습니다. 대표적으로 표창이나 회사의 복지제도가 있습니다. 표창은 돈이 아니더라도 직원들에게 자신의 능력을 인정받았다는 것을 알게 하여 자부심을 줄 수 있습니다. 물론 표창을 잘못 사용하면 오히려 직원들 사이에 분란을 일으킬 수도 있습니다. 예를 들어 표창의 기준이 객관적이지 않거나 표창만 받는 사람들만 계속 받고 그렇지 않은 직원들은 계속 못 받으면 표창을 받지 못한 직원마음에 상처를 줄 수 있습니다. 회사의 복지제도도 좋은 대안입니다. 아이를 키우는 여성들은 아이들을 돌볼 시간이 필요합니다. 이런 직원들에게 육아를 위한 시간상의 배려를 하는 복지제도를 가지고 있다면 매우 좋은 인센티브로 작용할 수 있습니다. 대학교수의 안식년제도와 같이 장기간 일한 직원들에게 수개월에서 1년 동안 무급 안식년제도를 주는 것도 좋은 방법이라고 생각합니다. 성과급제도를 할 충분한 재원이 없다면 비금전적인 인센티브를 통해 직원들의 일할 의욕을 높이는 것도 고려할 수 있습니다.

여섯째, 직원들의 선호도도 매우 중요합니다. 현재 성과급을 통한 높은 임금보다 오랫동안 일할 수 있는 직장의 안정성이나 위험회피성향 직원이 많다면 성과급제도를 도입하지 않는 것이 좋습니다.

일곱째, 한번 성과급제도를 만들고 직원들과 관련된 부작용이 아니라면 재정적으로 힘들더라도 직원들과 한 약속이기 때문에 지켜야 합니다. 만약 직원들의 행동과 관련이 없는 예기치 못한 의료사고로 인하여 손실을 보았다고 당장 성과급을 줄인다면 앞으로 직원들은 성과급을 위하여 더 일을 열심히 할 가능성은 없습니다. 하지만 성과급제도로 인하여 직원 간에 지나친 경쟁이나 반목과 같은 부작용이 발생한다면 바로 중단하여도 크게 문제되지 않습니다.

여덟째, 성과급의 크기와 정도는 현재의 상황이 반영되어야 합니다. 전체 임금에서 성과급 비중이 높은 경우 직원들의 실질임금은 병원영업에 따라 크게 좌우되는데 만약 병원영업이 잘 안되면 직원들의 실질적인 월급이 줄게 됩니다. 따라서 현재 병원의 경영이 어렵더라도 나중에 병원경영이 나아질 때 성과급 조금 덜 받겠다고 약속을 하고 계획된 생활을 할 정도의 임금을 제공하여 같이 일하는 직원들을 배려하는 것이 매우 중요합니다.

아홉째, 때로는 성과급제도를 아예 도입하지 않는 것도 고려할 수 있습니다. 성과급제도가 직원의 근로의욕을 저하시킬 수도 있기 때문입니다. 병원문화가 서로 신뢰하면서 열심히 일하는 직장이라면 성과급제도도입이 오히려 해가 될 수 있기 때문입니다.

해고

회사를 운영하며 함께 일을 하다 보면 환자와 자주 다투고 근무태도도 좋지 않고, 회사 분위기를 흩뜨리는 직원이 있을 수 있습니다. 이러한 직원을 보면 해고라는 말이 떠오릅니다.

하지만 그만둘 의사가 없는 직원을 해고시키는 것은 그리 간단하지 않습니다. 우선 우리나라 근로기준법상 해고를 하기 위해서는 매우 복잡하고 까다로운 절차를 거쳐야 하고 아무리 근무태도가 불성실한 직원이라도 해고하는 것은 조직에도 많은 영향을 미치기 때문입니다. 따라서 문제를 일으키거나 불성실한 직원을 바로 해고하기 보다는 지속적인 관심을 가지고 해당 직원과 면담을 통해 필요한 방향으로 유도하는 것이 좋습니다.

이러한 직원과 면담에서 원장이 해야 할 일은 다음과 같습니다. 우선 원장은 면담과정에서 해당 직원이 조직활동을 하면서 관찰된 문제점을 설명하고 이에 대한 평가와 함께 어떻게 고쳐야 하는지 알려주어야 합니다. 이와 함께 면담이후에도 지속적으로 기존의 잘못된 행동을 하는 경우 어떠한 결과가 발생할 것인지를 인식시키는 등 해당 직원에게 분명하게 경고해야 합니다. 이렇게 적절하고 준비된 절차를 거쳐야 그 과정을 지켜보는 다는 다른 직원들에게도 분명한 교훈과 공감대를 살 수 있습니다.

만약 위와 같은 절차를 거쳤음에도 불구하고 문제가 되는 행동이 고쳐지지 않는 경우 해고를 고려할 수 있습니다. 이러한 해고방식은 직접적으로 해고할 수도 있지만 해당직원이 사직서를 내는 의원면직의 형태로 마무리할 수도 있습니다. 원장의 입장에서는 해당 직원이 사직서를 내는 의원면직 방식이 나중에 문제가 될 가능성이 더 낮습니다. 만약 해고를 결정하였다면 원장 혹은 상급자를 통해 해당직원에게 해당사실을 알려야 하고 반드시 해고통보의 이유를 알려야 합니다.

함께 일하던 직원을 해고하는 것은 쉽지 않은 일입니다. 하지만 해고를 하고 나서는 자신도 뒤돌아보아야 합니다. 이러한 해고의 문제가 순전히 개인의 문제인지 아니면 회사나 원장의 책임도 없는지를 고민해보아야 합니다. 그리고 직원의 면접이나 채용과정에서 어떠한 점을 개선하여야 이러한 문제가 다시 재발하지 않을지를 고민해보아야 합니다.

참고1) 회사가 해직보다 사직을 권하는 이유

일반적으로 회사는 직원을 직접적으로 해고하는 대신 근로자에게 사직서를 요구하는 경우가 많습니다. 왜 이런 방식이 많이 발생하는지를 이해하려면 해고와 사직의 차이를 알아야 합니다. 사직이란 원칙적으로 근로자가 스스로 회사를 그만두는 것입니다. 이에 비하여 해고란 근로자는 원하지 않는데 회사가 그만 나오라고 통보하는 것입니다. 이 둘의 차이는 근로자의 동의여부 정도이지만 법적으로 이 둘의 차이는 매우 크다고 할 수 있습니다. 직원해고는 회사의 마음대로 할 수 없고 근로기준법에 따라 정당한 이유가 필요하고 그에 맞는 절차를 거쳐야 합니다. 만약 경영상 어려운 이유라면 회사는 근로자를 해고할 만큼 심각한 경영상 이유가 있음을 입증해야 하고 해고하지 않기 위해 어떤 노력을 했는지 밝혀야 합니다. 또한 회사가 근로자를 해고하려면 적어도 30일 전에 알려줘야 하고 알려주지 않았다면 한달치의 급여를 주어야 합니다. 만약 회사의 해고에 대하여 근로자가 부당하다고 생각되면 근로자는 해고가 있는 날부터 3개월 이내 사업장 관할 지방노동위원회에 부당해고구제신청을 하여 해고가 정당한지 아닌지를 다툴 수 있습니다. 만약 부당해고라고 인정받으면 해고된 근로자는 다시 회사에 돌아갈 수 있고, 부당해고를 당한 기간에 못 받은 월급도 받을 수 있을 뿐 아니라 해고를 당할 때 받은 해고예고수당도 돌려줄 필요가 없습니다. 또한 회사가 사직서에 서명하라고 강요를 하거나 서명을 하지 않았다고 각종 불이익을 주면 경우에 따라서는 형법상의 강요죄의 죄책을 물을 수 있고 직장내 괴롭힘에 해당할 수도 있습니다. 정당한 해고로 인정받은 경우라도 근로자에게 중대한 귀책사유가 없는 한 정부로부터 실업급여를 받을 수 있습니다.

이에 비하여 사직이란 근로자가 스스로 그만둔다는 것으로 사직에는 어떠한 조건도 필요하지 않고 회사도 사직을 막기 위해서 어떠한 일을 했다는 것을 입증할 필요가 없습니다. 사직서에 서명하는 순간 회사의 강요보다는 '근로자가 스스로 그만 둔다'가 됩니다. 회사의 사직권유나 다소간의 심리적 압박이 있었다고 하더라도 당시의 상황으로서는 최선이라고 판단하여 사직서를 제출한 것으로 결론이 나는 경우가 매우 흔합니다. 이러한 이유로 회사는 문제되는 직원이라고 해고를 하기보다는 사직서를 요구하는 경우가 많습니다.

만약 본인이 봉직의로서 소속된 병의원에서 사직을 강요당하고 있을 때 만약 그러한 상태가 억울하다면 절대로 사직서를 쓰지 마시기 바랍니다. 그리고 해고되면 이를 가지고 사업장이 소속된 관할 지방노동위원회에 구제신청을 하시기 바랍니다. 만약 자신이 원장이라면 해고보다는 가능한 직원이 사직서를 내도록 하시는 것이 사후에 문제가 발생할 가능성이 적다는 사실을 아시는 것이 좋겠습니다.

참고2) 일에서 역할과 의미를 찾는 잡크래프팅(job crafting)

청소부와 세탁부는 일은 고되지만 일에 대한 만족도가 떨어지고 급여도 높지 않아 일을 통해 자신의 꿈을 키우기 어려운 대표적인 분야입니다. 따라서 청소부나 세탁부에게 자신의 일을 열심히 하도록 북돋우기는 매우 어렵습니다. 하지만 그렇다고 못하는 것은 아닙니다.

미국의 연구자 그룹에서 병원에서 청소부와 세탁부로 일하고 있는 사람들을 만나 매일 어떤 일을 하고, 일을 하면서 어떤 느낌을 받는지 조사하였더니 크게 두 부류로 나눌 수 있었습니다. 한 부류는 자신이 하고 있는 일은 별다른 기술도 필요 없고 만족도도 높지 않지만 단지 돈을 벌기 위하여 일하고 있다고 대답하였습니다. 이에 비하여 다른 그룹은 다르게 대답하였습니다. 자신들은 단지 쓰레기를 치우고 더러운 빨래를 세탁하는 것이 아니라 환자들의 건강과 병원의 원활한 운영에 기여하기 위하여 일하고 있다고 말하였습니다. 이런 생각을 가지고 있는 근로자들은 행동도 달랐습니다. 이들은 어르신들이 병문안을 오시면 병원건물에서 헤매지 않도록 병실에서 주차장까지 모셔드리거나, 혼수상태인 환자들의 입원해 있는 병실을 청소할 때 주변환경의 작은 변화에 자극을 받아 환자들이 혼수상태에서 깨지 않을까 하여 정기적으로 병실에 걸린 액자를 바꿔주었습니다. 물론 이들의 행위는 자신이 해야 할 일을 벗어나 규칙위반일 수도 있지만 이들은 자신의 직무범위를 넓게 해석하고 창조적으로 일을 하고 있었습니다.

어떤 사람들은 회사에서 가장 핵심적인 일을 하거나 자기가 꿈꾸고 선호하는 일을 하고 있을 수 있습니다. 하지만 우리 사회에는 그렇지 않은 일자리를 가진 사람이 더 많습니다. 이러한 비핵심적인 분야에서 일을 하고 있는 많은 사람들이 자신의 일에 만족감을 느끼고 있지 않지만 살기 위해 혹은 가족을 지지하기 위해 일을 하고 있습니다. 이러한 상황의 근로자들은 출근마다 발걸음이 무겁고 저절로 한숨만 나오게 됩니다. 그렇다면 과연 이러한 사람들에게 원장은 어떻게 동기부여를 하고 주도적으로 업무를 수행하게 할 수 있을까요?

이러한 개념에서 나온 것이 잡 크래프팅(job crafting)입니다.[10] 잡 크래프팅은 단순히 월급을 받기 위해 일한다는 인식에서 벗어나 스스로 동기를 부여하는 능동적인 변화를 통해 개인의 자긍심과 만족감을 높이고 기업의 성과를 향상시킨다는 것입니다.

그렇다면 원장은 자신의 병의원에서 비핵심적인 일을 하고 있는 근로자의 잡 크래프팅을 효과적으로 하기 위해서는 어떻게 하여야 할까요?

첫째, 업무의 난이도나 권한을 조정하여 근로자에게 자율성을 주는 것입니다. 이렇게 자율성에 따라 업무 난이도와 자신의 역량이 조화를 이루면 도전의식과 성취감을 자극되어 업무 몰입도가 향상되는 효과와 함께 기존에 자신이 맡았던 업무 외에서 소질을 나타내거나 흥미가 생길 수 있어 인생에 새로운 기회를 만드는 계기가 될 수도 있기 때문입니다. 예를 들어 헤어 디자이너가 단순히 고객의 머리를 손질해주는 것을 넘어 서비스과정에서 고객과 자연스러운 대화를 통해 혹은 그 이상의 긍정적인 관계를 형성한다면 자신의 일에 대한 고정된 관념이 달라질 수 있습니다.

둘째, 주어진 역할을 넘어 고객이나 동료와의 관계를 재설정하는 방법도 있습니다. 예를 들어 보험 판매원이 일회성으로 보험상품을 파는 것을 넘어 인생재무설계 상담자로 오랫동안 고객과 관계를 유지하는 것입니다. 이런 관계 재설정을 통해 단순히 보험상품을 판매하는 것이 아니라 인생의 동반자가 되어 일의 의미와 즐거움을 찾을 수 있습니다. 또한 이직을 할 때에도 이러한 고객과의 관계가 자신의 자산이 될 수 있습니다.

셋째, 자신의 일에 긍정적인 의미를 부여하는 방법이 있습니다. 내가 맡은 일이 아무리 작고 사소한 일이라고 하더라도 이를 더 크고, 깊고, 넓게 재정의한다는 것입니다. 이러한 생각과 태도변화를 통해 자신의 일에 대한 부정적인 인식을 희석시키고 작더라도 중요한 의미를 부각시키는 태도를 가지게 하는 것이다. 가장 대표적으로 네이밍을 바꾸는 것입니다. 앞서 예를 들었던 청소부나 세탁부와 같은 말에는 이들을 약간 무시하는 뉘앙스가 있습니다. 이러한 상황에서 이러한 일에 종사하는 사람들이 자신의 일과 직업에 긍정적인 생각을 가지기 힘듭니다. 이러한 문제를 해결하기 위하여 미국의 여러 회사들은 하는 직무를 다르게 정의하고 이에 따라 직무에 대한 네이밍을 좀 더 긍정적인 단어로 바꾸고 있습니다. 미국항공우주국(NASA)에서 일하고 있는 경비원들은 자신의 업무를 달나라로 가는 꿈을 실현하는 사람들의 안전을 책임진다고 정의하고 있습니다. 디즈니랜드 청소직원들은 자신들을 '퍼레이드 연출을 위한 무대를 만드는 배우'로 정의하고 호칭도 배우를 일컫는 말인 '캐스트(cast)'로 바꾸었습니다. 특히 '커스토디얼(custodial)'이라는 청소부들은 청소를 하는 도중에도 고객들의 눈을 즐겁게 하기 위해서 쓰레받기에 물을 담아 빗자루로 미키마우스와 도널드 덕, 구피 등 디즈니랜드의 유명한 캐릭터들을 즉석에서 바닥에 그려준다고 합니다.[11)]

이러한 잡크래프팅은 잘 실행한다면 직원들이 혁신적이고 창의적인 업무수행방법을 찾게 되어 기업성과가 개선될 것입니다. 또한 직원들은 자신이 하는 일에 동기를 얻고 자아실현욕구를 충족시킬 수 있어 성취감과 행복감을 느낄 수 있습니다. 이전 연구에서도 이러한 잡 크래프팅은 직무열의와 직무수행도를 높이는데 도움이 되었다고 보고되었습니다.[12), 13)] 하지만 잡 크래프팅이 항상 좋은 것만 있는 것은 아닙니다. 우선 잡 크래프팅은 직원이 동기부여로 일에 몰입할 수 있게 하지만 조직의 목표와 직원의 목표가 일치하지 않으면 조직에 도움이 되지 않을 수도 있기 때문입니다. 예를 들어 의사 A가 자신의 소신진료를 통해 자신의 환자들에 만족을 느끼게 한다는 동기부여를 통한 잡 크래프팅을 한다면 결국 이 의사를 고용하고 있는 병원의 매출증대에는 크게 도움을 주지 못할 것입니다. 둘째, 모든 직무가 잡 크래프트를 할 수 있는 것은 아닙니다. 높은 직급의 직원은 잡 크래프팅에 필요한 시간이 부족하고, 낮은 직급의 직원은 잡 크래프팅에 필요한 자율성을 보장받지 못하는 경우가 많기 때문입니다. 마지막으로 잡 크래프팅을 하면 직원들은 주어진 업무보다 더 많은 일을 해야 하는데 이에 대한 적절한 보상이 주어지지는 않는 경우 직원들은 잡 크래프팅을 할 동기를 잃을 수 있습니다.

정리하면 잡 크래프팅이란 자신의 일에 대한 인식을 바꾸는 것으로 무슨 일을 하느냐가 아니라 어떻게 일을 하는지에 초점을 맞추는 것입니다. 이러한 방식의 전환을 통하여 자신이 하고 있는 일에 대한 불평이나 스트레스를 받는 대신 적극적으로 해결책을 고민하고 더 나은 내일을 위해 정진할 수 있도록 하는 것입니다. 자신의 일에 대한 의미를 찾게 되면 타인을 대하는 태도와 행동도 달라질 수 있습니다. 물론 잡 크래프팅을 잘 하기 위해서는 우선 임금수준과 복지혜택이 유사한 경쟁회사에 비하여 상위권에 속하도록 해야 합니다. 그렇지 않는다면 근로자들은 잡 크래프팅 대신 자신이 처한 부당한 상황과 불안한 환경에만 신경을 쓰게 될 것이기 때문입니다. 또한 원장은 잡 크래프팅을 위하여 근로자의 자율성과 창의성을 존중해야 합니다. 자율성과 창의성을 존중하는 근로환경에서 근로자들은 자신의 울타리를 벗어나 창의성을 발휘하고 자신의 일에 대한 자부심과 보람을 느낄 수 있기 때문입니다.[14)]

PART
03
입지선정

입지선정

과거에는 상가 중심지에서 가장 잘 보이는 위치에 있는 건물의 2층 혹은 3층을 최적의 입지로 뽑았습니다. 하지만 최근에는 병의원이 급증하여 어디를 가도 이제 경쟁을 해야 합니다. 막 개발된 신도시에 그나마 일찍 들어가면 경쟁병원이 없지만 그것도 잠깐입니다. 조금 잘된다 싶으면 그 옆에 새로운 의원이 들어오는 것은 부지기수이기 때문입니다. 그렇다고 입지가 전혀 중요하지 않은 것은 아닙니다. 적절한 입지를 선점하여 환자군을 미리 충분히 확보한다면 이후 경쟁 병의원이 온다고 해도 비교적 안정적으로 운영할 수 있기 때문입니다.

일반적으로 유동인구가 많고 역세권에 위치한 병의원의 경우 다수의 대중에 노출될 가능성이 크기 때문에 영업이 잘 될 확률이 높습니다. 그러나 유동인구가 많고 역세권이라고 해서 무조건 좋은 것은 아니어서 자신과 관련된 진료연령대 인구가 해당지역에 많이 살고 있는지를 분석하는 것도 매우 중요합니다. 또한 개원입지를 선택하기 전에 진료계획부터 생각해야 합니다. 예를 들어 내과나 소아과, 가정의학과에서 급여과 진료를 할 것인지, 아니면 비만, 성형, 피부 등 비급여과 진료를 할 것인지를 결정해야 합니다. 진료대상을 누구로 할지 어떤 영역의 진료를 할 지에 따라서 입지선정에 많은 차이를 만들기 때문입니다.

① 개원후보지 선정

진료계획을 세웠다면 다음으로 개원후보지를 선정하게 됩니다. 좋은 개원후보지를 고르기 위해서는 이미 개업한 병의원, 선·후배, 중개업자 등의 조언을 들어보는 것도 좋은 방법입니다. 개원후보지를 선정하는 일반적인 방법은 조언이나 조사를 해서 자신의 조건에 맞는 지역과 입지를 몇 군데 선정하고 이 중에서 2-3곳의 개원후보지를 압축한 후 최종적으로 한 곳을 선택하는 것입니다. 개원후보지를 선택할 때에는 그 지역의 유동인구, 상주인구 및 소득수준과 같은 인구통계분석, 토지이용현황, 교통 및 도로현황, 주변지역 개발계획 및 개발현황, 상권분석 등 종합적인 분석이 필요합니다. 또한 주변에 경쟁병의원이 있는지 있으면 얼마나 있는지 살펴보아야 합니다. 개원후보지를 골라 최종 개원지를 선정하는 모든 과정에 최소 2-3개월 이상 신중히 선택하는 것이 좋습니다. 만약 개원준비가 귀찮거나 개원후보지 선정과정을 처음부터 시작하는 것이 싫다면 기존에 영업을 하던 병의원을 인수하는 것도 좋은 방법입니다. 하지만 좋은 매물은 내가 원할 때 나오지 않거나 그 가격이 매우 비쌀 가능성이 높습니다. 이런 경우에는 이미 나온 매물 중에서 고르지 말고 부동산사무소에 좋은 매물이 나오면 먼저 알려 달라고 하여 기다리다가 좋은 매물이 나올 때 계약하시는 것이 좋겠습니다.

② 나에게 맞는 입지선정

일반적으로 좋은 입지는 임대료가 비싸고 그렇지 않은 경우는 임대료가 쌉니다. 또한 건물에서 임대면적이 클수록 임대료가 비싸게 됩니다. 따라서 입지를 선정할 때 무작정 좋은 입지를 가진 점포를 선택하기보다는 나에게 맞는 입지와 면적을 전략적으로 선택하여야 합니다. 이를 위해서는 우선적으로 공동개원을 할지 아니면 단독개원을 할지 결정하여야 합니다. 이외에도 나의 성향이 내향적이고 투자에 소극적인지, 아니면 외향적이면서 투자에 적극적인지를 판단하고 이에 따라 입지를 선정하여야 합니다. 일반적인 입지선정방법은 다음과 같습니다.

첫째, 입지후보지의 배후 세대수, 소득수준, 주변 주요 업종 분포, 유동인구 흐름, 주 연령층, 극장 관공서 유흥가 등의 주변인구 유입시설 등을 파악합니다. 예를 들어 소규모로 단독으로 개원하는 내과의 경우 감기나 당뇨, 고혈압과 같은 만성질환에 초점을 맞춘 지역기반의 밀착형 의료서비스를 제공하기 때문에 주변세대의 경제적인 여건을 고려할 필요는 없는 대신 거주하는 인구가 많고 도로변에 위치하여 병원을 찾기 용이한 위치에 입지를 선택하는 것이 좋습니다. 대표적으로 아파트 밀집지역, 주택가 진입로, 버스정류장 앞, 재래시장입구 등이 추천됩니다. 만약 직장인이나 일반인을 대상으로 하는 건강검진센터가 주력인 경우에는 중산층 이상이 많이 사는 아파트단지나 지역에 교통접근성이나 주차환경이 좋은 입지를 선택하는 것이 좋습니다. 하지만 소아과나 이비인후과의 경우 20대 후반에서 30대 중반 젊은 부부가 밀집해 있는 20평대 아파트나 연립주택지를 배후에 둔 곳이 좋습니다. 만약 알레르기 질환과 같은 특수한 혹은 특정질환을 전문으로 하려면 진료권이 넓은 중심상권이 적합합니다. 산부인과의 경우 산모는 대중교통보다 자가용을 이용하여 병의원을 방문하는 경우가 많기 때문에 번잡한 상가 밀집지역이나 주차장이 없는 도로보다는 위치가 외지더라도 충분한 주차장

공간을 확보한 입지가 좋습니다. 피부과와 비뇨기과는 유흥가 주변이나 시장입구 등 유동인구가 많은 곳이 적합하며 특히 피부과의 경우 직장여성이나 여대생이 많이 찾는 시내 중심가나 대학가 등이 적합하다고 알려져 있습니다.

둘째, 경쟁하는 병의원에 대한 조사를 하여 경쟁병의원의 특성을 파악하여야 합니다. 경쟁하는 병의원의 수가 얼마나 되는지, 내원환자 수는 어느 정도인지, 진료과목의 중복이 얼마나 되는지 파악하여야 합니다. 가능하다면 지역 내 개원한 선배 등의 의견을 종합하여 내가 개업하려는 병의원의 개원에 따른 위험도를 파악하는 것이 좋습니다. 일반적으로 경쟁병의원을 생각하면 내과는 내과, 소아과는 소아과, 이비인후과는 이비인후과만 생각하는 경향이 있습니다. 하지만 개원가의 경우 중요한 것은 진료과목이 아니라 질병이 경쟁병의원의 기준이 됩니다. 예를 들어 감기환자를 보는 내과, 소아과, 이비인후과, 가정의학과는 서로 경쟁적인 관계에 놓이게 됩니다. 이와 같은 이유로 입지선정을 할 때 주변 지역 600 m에서 1 km 이내의 같은 진료과목 외에도 경쟁병의원이 될 진료과의 분포도를 조사하는 것이 좋습니다.

셋째, 입주건물의 법률적 적격성 여부와 근저당설정, 가압류 유무, 진료계획에 따른 적정면적 확보여부, 임대기간에 대한 검토 및 개원 준비자금을 고려하여 보증금 및 월세, 관리비, 권리금 유무 등을 파악해야 합니다. 더불어 입주건물의 외관과 청결도, 주차장 이용편의성, 냉난방시설, 건물 내 입주업종도 고려해야 합니다.

넷째, 입지를 고려하는 건물의 접근성과 가시성도 고려하여야 합니다. 여기서 접근성이란 환자들이 얼마나 접근하기 용이한가를 말합니다. 지하철이나 버스와 같은 대중교통을 타고 병의원에 와야 하는 환자의 입장에서 지하철역에서 2분

거리인 곳은 10분 거리인 곳보다 접근성이 뛰어나다고 할 수 있습니다. 하지만 자가용을 이용하는 고객이 많은 경우는 주차장시설이 좋은 곳이 접근성이 더 뛰어나다고 할 수 있습니다. 가시성이란 환자가 얼마나 쉽게 병원을 식별할 수 있는지를 말합니다. 대로변에 위치한 병의원은 이면도로에 위치한 병원보다 가시성이 좋다고 할 수 있습니다. 또한 똑같은 80평이라도 40평이 도로에 접해 있는 병원은 20평이 도로에 접한 병원보다 가시성이 뛰어나다고 할 수 있습니다. 흔히 접근성과 가시성이 모두 뛰어나면 A급지, 접근성과 가시성 중 하나는 양호한 경우 B급지, 접근성과 가시성 모두가 문제 있으면 C급지라고 합니다. 일반적으로 내과, 소아과, 정형외과의 경우 A급지나 우수한 B급지가 좋다고 합니다. 반면 비급여 진료과목의 경우 상권만 잘 선택한다면 보통 B급지에서도 충분히 성공할 가능성이 있다고 합니다. 비급여진료과목의 경우 주차편의성이 중요한 요소의 하나입니다.

 기타 고려해야 할 점

서울시내에 개업을 하려고 한다면 경쟁이 없는 곳은 없다고 해도 과언이 아닙니다. 잘되는 곳은 이미 한 곳에서 오랫동안 단골고객을 확보하며 자리를 잡은 곳이 많습니다. 게다가 대상 환자가 겹치는 경쟁병의원도 많습니다. 따라서 잘되는 자리가 나지 않거나, 눈에 보이지 않는다면 과감히 신도시로 눈을 돌려봐도 좋겠습니다. 다만, 신도시의 경우 분양과 입주시기를 잘 살펴야 합니다. 또한 입주를 하게 되면서 단골고객확보에 걸리는 시간이 이미 형성되어 있는 상권보다 오래 걸리는 경우가 많으므로 최소한 1.5년에서 2년 정도의 운영자금을 확보하여야 합니다. 마지막으로 신도시에 개원을 하기로 결정한 경우 상가를 분양을 받아 시작하는 것은 상당한 위험이 따르기 때문에 가급적 처음에는 건물을 임대하기를 권합니다.[15] 또한 임대주택으로 구성된 신도시에서 비급여 진료를 주력으로 하는 경우 위험부담이 증가할 수 있기 때문에 주의를 요합니다.

마지막으로 주택가 상권의 신축 메디컬빌딩에 입주하는 경우에도 조심해야 합니다. 메디컬빌딩은 여러 진료과목이 있기 때문에 환자들이 A과를 갔다가 B과, C과에 들를 수 있다고 생각하지만 이와 같은 시너지 효과가 실현되는 경우는 거의 없습니다. 오히려 경영이 어려워지면 서로의 진료영역이 파괴되면서 자신의 진료과가 아니더라도 서로 환자를 보려고 하기 때문에 보완효과는 고사하고 오히려 경영에 어려움을 겪을 수도 있습니다. 또한 이런 메디컬빌딩은 저녁대가 되면 문을 닫고 간판도 꺼지게 되어 저녁시간이 되면 죽은 건물이 되기 때문에 자신의 병의원 간판을 노출하는데 도움이 되지 않을 가능성이 높습니다. 이에 비하여 지하, 1층, 2층에 식료품점, 학원, 화장품 등의 여러 다른 종류의 상업점포가 있는 일반상가에 입주한다면 다양한 사람들이 건물을 들르면서 그 건물내 진료과목이 있다는 것을 인지하게 되기 때문에 환자를 유치하는데 도움을 받을 수 있습니다.

개원입지로 피해야 할 곳

그렇다면 개원입지로 피해야 할 곳은 어디일까요? 일반적으로 개원입지로 피하여야 할 입지의 특징은 다음과 같습니다.

첫째, 경쟁의원이 많은 곳입니다. 물론 이런 곳이라고 하더라도 개원을 못하는 것은 아니나 기존의 병의원들이 나름대로 해당지역에서 고정고객을 확보한 곳으로 새로 들어가 경쟁하기 만만치 않기 때문입니다. 만약 자금력이 충분하거나 자신의 경쟁력이 다른 병의원보다 높다고 생각하는 경우에 시도해볼 수 있지만 가능하면 하지 않는 것이 낫다고 생각합니다.

둘째 기존에 폐업한 자리는 피하는 것이 좋습니다. 폐업한 데는 그만큼 이유가 있기 때문에 굳이 위험부담을 감수하면서 개원할 필요는 없기 때문입니다. 만약 유동인구도 많고 좋은 상권임에도 불구하고 폐업한 경우 적극적인 마케팅을 하지 않았거나 혹은 불친절한 서비스 등 서비스 역량이 문제일 수 있으므로 시도에 볼만하다고 생각합니다. 하지만 경쟁이 치열하여 문을 닫았다면 새로운 마케팅을 도입하거나 자신의 경쟁력이 다른 경쟁병의원보다 높다고 생각하는 경우에만 들어가는 것이 좋겠습니다.

셋째, 상권이 제대로 발달이 안되고 동선이 없는 사거리는 피하는 것이 낫습니다. 도로 양측에 상권이 형성된 것이 아니라 한쪽만 형성된 상권의 경우도 큰 상권으로 성장하기 어렵기 때문에 피하는 것이 좋다고 합니다. 일반적으로 사거리라고 하면 번화가로 생각하는데 상권이 제대로 발달이 안되어 동선이 없는 곳이 종종 있습니다. 이렇게 상권이 제대로 형성되지 않은 사거리는 무늬만 사거리일 뿐입니다.

넷째, 경사가 지거나 육교 밑 입지는 가급적 피하는 것이 좋습니다. 경사가 지거나 육교 밑은 해당 상가간판이 잘 보이지 않기 때문에 유동인구의 시선에 노출될 가능성이 상대적으로 떨어지기 때문입니다.

다섯째, 일방통행입지는 피하는 것이 낫습니다. 일방통행의 경우 머무는 자리보다는 흐르는 자리이고 방문이 불편하기 때문입니다.

여섯째, 보행자의 통로가 좁은 곳에 위치한 상가의 경우 보행자들이 다니기 불편하여 관심을 상가에 기울이지 않아 상대적으로 유동인구의 시선에 노출될 가능성이 낮기 피하는 것이 좋다고 합니다.

일곱째, 건물을 보면 음과 양이 있는데 음으로 들어간 건물은 피하는 것이 좋습니다. 이외에도 업종이나 주인이 자주 바뀌는 곳, 임대료나 권리금이 비싼 곳은 피하는 것이 좋습니다.

정리

좋은 개업입지를 선택하는 데 있어서 부동산 전문가들은 무엇보다 스스로 발품을 많이 팔아야 좋은 입지를 고를 수 있다고 강조합니다. 앉아서 막연히 추측해 보는 것과 실제로 눈으로 확인하는 것은 다르기 때문입니다. 특히 계약을 성사시키기 위해 노력하는 중개업자의 말은 과장된 경우가 많기 때문에 다 믿지 말고 본인이 직접 면밀히 점검하는 것이 매우 중요합니다. 자동차를 고를 때는 인터넷으로 자동차에 대한 정보를 알아보고 시승도 해보고 남들의 이야기도 주의 깊게 듣습니다. 병원입지도 마찬가지입니다. 한번 병원입지를 선정하여 입주하게 되면 자동차를 사는 것보다 더 많은 돈이 들고 한번 입주하면 최소한 5년 이상은 버텨야 합니다. 따라서 입지를 선정하는 것은 매우 중요합니다. 입지선정이 중요하다면서 대충 알아보고 남의 말만 듣고 계약을 한다면 얼마 지나지 않아 이전을 고려하게 될 확률이 높습니다. 본인이 스스로 많은 곳을 보고 경험해 보아야 좋은 입지인지 판단할 수 있습니다. 단순히 매물을 팔려는 부동산업자의 말만 듣고 판단한다면 큰 낭패를 볼 수 있습니다.

물론 입지는 고객 접근이 용이하도록 하는 하나의 조건에 불가하다는 사실을 잊지 말아야 합니다. 좋은 입지란 내가 원하는 고객을 유치하기에 좀 유리하다는 것일 뿐이지 절대적인 것은 아니다는 사실을 명심할 필요가 있습니다.

참고1) 상권분석

상권은 상권에 따라 특급상권, 1급상권, 중형상권, 동네상권으로 구분되며 특급상권은 강남, 종로, 신촌, 명동과 같이 한시간당 유동인구가 1만 명 이상으로 각종 브랜드점포가 입점한 상권을 말합니다. 1급상권은 한시간당 유동인구가 5,000명 이상인 곳으로 건대, 대학로, 신림동, 노량진, 신천, 양재, 돈암동 등이 해당됩니다. 중형상권이란 시간당 유동인구가 3,000명 이상 되는 곳으로 대학로, 대규모 아파트단지, 지하철지역 등이 해당됩니다. 동네상권이란 외부 인구유입이 거의 없고 시간당 유동인구가 1,000명 이내 상권을 말합니다. 주위에 점포수가 많다는 것은 그만큼 상권이 형성되어 있다는 것이기 때문에 입지를 선정할 때 주위 점포수와 함께 그 지역의 보증금과 임대료, 권리금도 함께 알아보시는 것이 좋습니다. 앞서 말씀드린 바와 같이 유동인구가 많다고 해서 반드시 좋은 것은 아니라는 것을 유념하시는 것이 좋겠습니다. 보험과의 경우 신환창출도 중요하지만 단골을 만드는 것이 더 중요하기 때문입니다.

참고로 상권분석은 정부에서 제공하는 상권분석사이트(http://sg.sbiz.or.kr)에서 많은 정보를 얻을 수 있기 때문에 참고하시면 많은 도움이 될 것으로 생각합니다. 이 상권분석 사이트는 지역내 인구현황, 유동인구비율, 연령대별 분포, 주거환경, 교통환경, 유사업종 등에 대한 다양하고 상세한 데이터를 제공하고 있습니다.

참고2) 의원 내 인테리어

최근에는 많이 변하였다고 하지만 아직도 의사들은 자신의 능력 즉 의료서비스의 질이 우선이라고 생각하며 병의원의 인테리어를 무시하는 경향이 있습니다. 하지만 개업에 있어서 병의원에서 인테리어는 매우 중요하다고 해도 과언이 아닙니다. 이렇게 병의원 실내 인테리어가 중요한 이유는 서비스산업의 특성상 병의원이 제공하는 서비스의 질은 직접 만나기 전에 알 수 없기 때문에 환자들은 의료서비스의 질을 병의원의 인테리어로 판단하는 경향이 있기 때문입니다. 따라서 주요 고객 환자의 특성에 맞추어 병원의 인테리어를 구성해야 합니다. 예를 들어 중소도시의 60-70대 환자들을 주요 대상으로 하는 보험과가 너무 고급스러운 인테리어를 하면 목표했던 환자들은 이러한 인테리어를 오히려 부담스러워하면서 진료비가 많이 나올 것을 걱정하며 내원하지 않을 수 있습니다. 하지만 서울 강남에 20-30대를 대상으로 하는 비보험과의 경우 고급스러운 인테리어가 환자들을 끌어 모으는데 도움이 될 수 있을 것입니다.[16)]

또한 진료 외에 추가적인 상품을 판매하고 있다면 이러한 상품을 어떻게 진열하는지에 따라 매출에 영향을 미칠 수 있습니다. 이와 관련되어 마케팅에서는 연관상품 진열기법(cross category merchandising)이라는 방법이 있습니다. 이 말은 서로 다른 카테고리를 하나의 테마, 용도, 상황, 고객층에 맞추어 함께 진열하는 기법입니다. 예를 들어 술종류를 판매하는 코너 옆에 안주류와 숙취해소음료를 함께 진열하거나 라면코너에 양은냄비를 진열하는 식입니다. 이런 연관상품을 진열하면 고객의 동선을 최소화하고 쇼핑편의를 도울 뿐 아니라 매장에 올 때까지 미쳐 생각하지 못했던 상품이나 계획에 없던 물품을 구입하도록 유도하여 매출을 극대화 시키는 방법입니다. 이러한 연관상품은 상품의 성격에 따라 진열할 수도 있지만 소비자의 구매성향에 따라 진열할 수도 있습니다. 예를 들어 아기 기저귀와 맥주를 같이 진열하는 것은 상품의 성격이라는 관점에서는 잘 어울리지 않지만 기저귀를 사러 온 아빠들이 맥주도 함께 구매할 수 있기 때문에 매출이 도움이 된다고 합니다. 이 기법을 의료기관에 적용하면 소아과라는 이유만으로 아기용 로션만을 진열하기보다 함께 온 어머니를 위한 로션을 함께 진열하는 것도 매출에 도움이 될 수 있다는 것입니다.

참고3) 병원경영지원회사(Management Service Organization, MSO)와 네트워크병원

병원경영지원회사(이하 MSO)란 의료행위 이외에 구매, 인력관리, 마케팅, 회계 등 병원경영 전반에 관련된 경영서비스를 지원하는 회사로서 크게 경영지원형과 자원조달형으로 나눌 수 있습니다. 경영지원형은 해당 의료기관에 구매대행·인력관리·법률·회계·컨설팅 등의 서비스를 지원하여 비용절감과 효율화를 도모하는 형태입니다. 자본조달형은 시설임대·경영위탁 등 MSO를 통해 외부자본을 의료기관에 투자하는 형태입니다. 현행 의료법상 경영지원형 MSO는 허용되지만 자본조달형 MSO는 사무장병원으로 인정되어 허용되고 있지 않습니다. 또한 한 의료인이 둘 이상의 의료기관을 개설하고 운영하면서 이를 주도적으로 지배하기 위한 수단으로 만드는 형식상의 회사(지주회사)도 허용되지 않습니다. 만약 의료인이 의료기관을 지배나 운영하기 위해 MSO를 설립한다면 영리를 목적으로 하는 회사가 의료기관을 실질적으로 지배하고 운영하는 것으로 인정되어 사무장병원에 해당하여 처벌받을 수 있습니다.

이에 비하여 네트워크병원이란 운영은 개별 원장들이 하고 의료기관의 이름을 공동으로 사용하면서 진료기술, 치료프로그램, 마케팅, 경영철학 등은 공유하는 방식을 말합니다. 이러한 네트워크병원은 크게 프랜차이즈형, 조합형 또는 지분투자형, 오너형 또는 경영주도형의 3가지로 구분할 수 있습니다. 프랜차이즈형식의 네트워크병원이란 여러 명의 의료인이 각자 자신이 소유하는 의료기관을 개설·운영하지만 단순히 의료기관 명칭만 공동으로 사용하는 것을 말합니다. 조합형 또는 지분투자형 네트워크병원이란 의료인이 지분을 투자하여 의료기관에 참여하는 유형입니다. 오너형 또는 경영주도형 네트워크병원이란 비의료인이 자금조달, 인력채용 등 주도적으로 의료기관의 개설과 운영에 참여하여 실질적으로 지배하는 유형입니다. 우리나라의 경우 오너형 또는 경영주도형 네트워크병원은 사무장병원으로 인정되어 금지되고 있습니다.

최근 들어 네트워크병원이 많이 주목을 받는 가장 큰 이유는 의료기관끼리 경쟁이 치열해지면서 네트워크병원형식으로 개업하는 것이 마케팅이나 홍보 측면에서 유리하기 때문입니다. 예를 들어 ○○ 성형외과의 경우 광고비를 월 2억 원 이상 쓴다고 합니다. 지하철 광고만 하더라도 한 건에 수백만 원부터 수천만 원까지 들어 개인의원이라면 많은 부담이 됩니다. 하지만 네트워크병원의 경우 가입된 의원들이 나누어 분담하기 때문에 광고비에 대한 부담이 크게 줄어들게 됩니다. 둘째, 네트워크병원에 가입하면 진료전반의 품질을 상향평준화시켜 고객충성도를 높일 수 있습니다. 병원의 주된 업무는 의사의 환자진료이지만 이 외에도 병원직원들이 얼마나 상냥하고 친절한지, 내부환경이 얼마나 깨끗하고 단정한지, 내부프로세스가 얼마나 간편하고 편리한지도 환자들이 병원을 선택하는 데 영향을 미치기 때문에 병원직원에 대한 교육과 관리도 필수적입니다. 네트워크병원의 경우 환자관리와 유지 및 서비스 등 의료품질서비스 측면에서 표준화된 매뉴얼을 사용하고 정기적인 교육과 업무노하우를 공유하기 때문에 이러한 부가의료서비스 수준을 상향평준화 할 수 있습니다. 셋째, 잘 조직된 네트워크병원에 가입하면 개원에 필요한 부동산과 기타 관련정보를 얻는 등 개원과 관련되어 많은 도움을 받을 수 있습니다. 또한 의료기기나 재료를 공동구매를 통해 비용을 절감하고 직원선발에도 공동의 인력풀을 이용할 수 있어 도움을 받을 수 있습니다.[17] 마지막으로 의료인은 의료에 있어서는 전문가이지만 경영에 있어서는 전문가가 아닙니다. 네트워크병원의 MSO과 같은 경영에 전문화된 조직의 도움을 받는다면 보다 합리적이면서 투명한 경영이 가능하고 이를 통해 수익을 창출하는데 도움을 받을 수 있습니다.

네트워크병원이 장점만 있는 것은 아닙니다. 단점도 존재합니다. 첫째, 네트워크병원에 가입하려면 가입비, 보증금과 함께 매월 회비 또는 로열티로 상당금액을 지불해야 하는데 병원입장에서 부담이 될 수 있습니다. 특히 로열티가 일정액이 아니라 매출액에 대한 일정액인 경우 환자가 많아지고 매출액이 높아지면 로열티 역시 상승하기 때문에 로열티로 인한 갈등이 더 커질 수 있습니다. 둘째, 몇몇 네트워크병원들은 진료질을 유지하고 이미지를 개선한다는 명목으로 개원하는 의원규모가 실평수 얼마이상 등의 필수가입조건을 내세우기 때문에 네트워크병원에 가입하는 경우 초기 개원자금이 높게 형성되는 경우가 많다고 합니다. 셋째, 네트워크병원 중에서 한 곳이라도 불친절하거나 치료결과가 좋지 못하거나 의료사고가 발생하는 경우 전체 네트워크병원의 이미지가 실추하게 되는 악영향을 받을 수 있고 여러 이유로 네트워크 병원이 망하면 자신도 영향을 받을 수 있습니다. 만약 자신의 이름을 걸고 병의원을 운영했더라면 받지 않을 위험을 떠안을 수도 있다는 것입니다.[18] 넷째, 네트워크병원의 주요 의사결정에 참여하지 못하거나 경영노하우에 대한 위탁수수료를 추가적으로 지급해야 할 수도 있습니다.

최근에 네트워크병원은 성형외과나 피부과와 같은 비보험과뿐 아니라 내과와 같은 보험과에서도 많이 보이고 있습니다. 또한 기존의 단단하게 얽힌 형식에서 벗어나 기존 병원들의 지역별로 연합하는 다소 느슨한 형태의 네트워크도 나타나고 있습니다. 개원을 앞둔 의사로서 네트워크병원에 가입할 것으로 고려하는 중이라면 이러한 장단점을 파악하고 네트워크병원 가입여부를 신중하게 선택하시는 것이 좋겠습니다.

PART 04

개업에 필요한 심리학적 지식

개업에 필요한 **심리학적 지식**

경제학에서는 이론을 전개할 때 인간은 합리적이라는 가정을 합니다. 하지만 경제학자인 대니얼 카너만은 인간은 비합리적인 편향된 사고를 한다는 것을 증명하여 2002년 노벨경제학상을 수상하였습니다. 많은 기업들이 이러한 무의식적이고 비합리적인 인간의 특성을 상품판매에 이용하고 있습니다. 예를 들어 이마트 트레이더스나 코스트코와 같은 대형 슈퍼마켓에서는 쇼핑카트의 크기가 이마트나 홈플러스에 비하여 훨씬 큽니다. 이렇게 쇼핑카트가 큰 이유는 쇼핑카트의 크기가 2배 크면 소비자는 30%를 더 구매하며, 가격이나 용량보다는 1 + 1이나 한정판매제품을 구매하는 경향이 있다는 연구가 있기 때문입니다. 의료도 마찬가지입니다. 사람들의 비이성적인 행동을 이해한다면 환자와의 관계형성과 함께 경영에도 도움을 받을 수 있습니다.

심리학과 마케팅과의 관련성을 언급한 책을 시중에서 많이 볼 수 있습니다. 여기서는 니콜라 게겐이 지은 '소비자는 무엇으로 사는가'라는 책을 기본으로 하여 이전에 발표된 여러 심리학적인 연구결과를 정리하였습니다. 의료소비자는 어떤 마음을 가지고 병의원을 방문을 하며 의사는 이러한 의료소비자의 비이성적인 행동을 이해하고 진료를 하면서 무엇을 신경을 써야 할 것인지에 대하여 생각해 보고자 합니다.

어떻게 하면 환자의 재방문율을 높이고 검사를 하도록 설득할 수 있을까?

현재 큰 도로에 나가면 많은 의원들이 줄지어 있는 것을 볼 수 있고 한 블럭에 같은 혹은 유사한 진료과목의 의원들을 많이 볼 수 있습니다. 이는 환자입장에서는 선택의 폭이 그만큼 넓어졌다는 것을 의미하지만 병의원의 입장에서는 경쟁이 그만큼 치열하다는 것을 의미합니다. 그렇다면 어떻게 해야 환자의 재방문율을 높이고 검사를 권유하였을 때 환자로부터 거부당하는 것을 줄일 수 있을까요? 이에 대한 몇 가지 심리학적으로 입증된 방법에 대하여 이야기해보도록 하겠습니다.

① 문 안에 한 발 들여놓기 수법 (Foot-in-the-door technique)[19)]

환자가 처음으로 방문하였을 때 환자를 진단하고 상태를 평가하기 위해 여러 검사를 필요로 합니다. 그렇다면 처음으로 방문하였을 때 환자에게 필요한 모든 검사를 권유해야 할까요 아니면 우선 환자와 관계를 형성하고 나중에 조금씩 권유하는 것이 좋을까요?

교통안전을 위해 큰 교통광고판을 개인이 소유한 정원에 설치하는 것은 공익에는 좋은 일이지만 광고판을 개인이 소유한 정원에 설치하면 정원의 모습이 예쁘지 않게 되는 문제점이 있습니다. 연구자들은 주택과 정원을 소유하고 있는 집주인을 실험군과 대조군으로 나누어 실험군에서는 처음에 교통안전 및 환경에 대한 스티커를 자동차에 부착하도록 요청하였고 2주 후 다시 피실험자의 집에 방문하여 이들의 정원에 교통사고예방 광고판을 설치하여도 좋을지 물어보았습니다. 대조군에서는 스티커에 대한 요청을 하지 않고 바로 방문하여 정원에 교통안전 및 환경에 대한 광고판설치가 가능한지를 물어보았습니다. 실험군에서 광고판설치를 승낙한 경우는 76%인 반면 대조군은 16.7%만이 승낙하였습니다.

모르는 사람이 전화로 남의 집 방문을 허락받기는 쉽지 않습니다. 연구자들은 전화번호부에서 무작위로 선출된 주부들을 실험군과 대조군으로 나누어 실험군에서는 전화로 현재 쓰고 있는 제품에 대한 짧은 설문에 답해줄 수 있는지를 물어보고 이 요청을 받아들이면 따뜻한 감사표시를 전하고 전화를 끊었습니다. 3일이 지난 후 같은 설문조사자가 설문에 응했던 주부들에게 다시 전화를 걸어 설문조사단이 집에 직접 방문해도 될지 물어보았습니다. 이와 달리 대조군은 전화로 처음부터 설문조사단이 집에 직접 방문해도 될지를 물어보았습니다. 실험군에서 설문조사단이 집에 방문해도 된다는 승락받은 경우는 50%인 반면 대조군에서는 단지 20% 정도만이 집에 직접 방문하는 것을 승낙하였습니다.

문 안에 한 발 들여놓기 수법이란 상대방에게 큰 부탁을 하고자 할 때 먼저 작고 쉬운 부탁으로 시작하여 점점 더 큰 부탁으로 이동하면서 승낙을 받는 수법을 말합니다. 일반적으로 어떤 요청을 하기 전에 그보다 훨씬 사소한 부탁을 먼저 하는 것이 사람들로 하여금 정말 원하던 요청을 좀더 쉽게 승낙하도록 하는 경향을 보이기 때문에 이와 같은 심리를 이용하는 것입니다. 이런 방법은 마트에서 흔히 볼 수 있습니다. 예를 들어 마트의 시식코너에서는 지나가는 사람들에게 판매원들이 사지 않아도 좋으니 맛이나 보라고 웃으면서 시식을 권하는 경우를 흔히 볼 수 있습니다. 이때 시식한 많은 소비자들이 미안해서라도 하나정도 사서 쇼핑카트에 담게 되는 경우가 많습니다. 자선단체에서 기금을 조성할 때나 기업이 소비자조사를 실시하는 경우에도 이러한 방식이 많이 활용되고 있습니다. 이 수법을 병의원에 적용한다면 환자들을 처음으로 내원하였을 때 진단에 필요하다고 생각되는 검사를 한번에 모두 시행하는 것보다는 우선 가장 기본적이고 간단한 검사를 먼저 시행해보고 환자와의 관계를 형성하고 이후 점차적으로 검사의 폭을 넓혀 나가는 것이 환자의 거부감을 줄이고 재진률을 높이는데 도움을 준다고 생각합니다.

② 문전박대 당하기 수법(Door-in-the-face technique)

최근 의사의 신뢰도가 추락함에 따라 필요하지만 비용이 많이 드는 검사나 약물치료를 권하는 경우 환자들은 의사가 자신들을 속인다고 생각하여 거부하는 경우가 많습니다. 그렇다면 어떤 방식으로 설명하는 것이 환자들의 거부감을 줄이면서 필요한 검사를 시행할 수 있을까요?

> 자원봉사일을 하는 것은 보람되지만 자신의 자유시간을 희생하여야 하기 때문에 참가율이 높지 않습니다. 어떻게 해야 참가율을 높일 수 있을까를 고민한 실험자들은 실험군에 속한 피실험자들에게 일주일에 두시간 2년 동안 소년범죄자들을 상담하는 자원봉사자가 될 수 있는지를 물어보고 이와 같은 제안을 거부를 한 사람들에게 미성년 범죄자들이 동물원에 하루동안 여

행을 가는데 보호자로서 해 줄 수 있는지를 다시 요청하였습니다. 이와 달리 제1대조군에서는 처음의 제안을 하지 않고 바로 미성년범죄자들이 동물원에 하루동안 여행을 가는데 보호자로서 해줄 수 있는지를 요청하였고 제2대조군에서는 일주일에 두 시간씩 2년 동안 소년범죄자들을 상담하는 자원봉사자에 대하여 설명을 한 후에 미성년 범죄자들이 동물원에 하루동안 여행을 가는데 보호자로서 해 줄 수 있는지를 요청하였더니 실험군의 경우 50%가 참여에 동의한 반면 제1대조군과 제2대조군의 경우 각각 17%, 25%만이 동의하였습니다.[20]

거리에서 무작위로 선정된 사람들을 실험군과 대조군으로 나누어 실험군에게 재활용품 사용과 함께 환경에 해로운 가정용품 사용금지에 대한 100권의 소책자를 배포해 줄 수 있는지에 대하여 물어보고 이런 요청을 거절한 사람들에게 그 대신 10권의 책자를 배포해줄 수 있는지를 요청하였습니다. 이와 달리 대조군에서는 아무런 사전 요청없이 곧바로 10권의 책자를 배포해줄 수 있는지를 요청하였습니다. 결과적으로 실험군은 65%가 요청을 수락한 반면 대조군에서는 30%만이 요청을 수락하였습니다.

남녀학생들을 대상으로 인구계층과 건강상태에 대한 설문을 만들어 실험군에서는 자신들이 1개월동안 무엇을 먹는지 적어줄 수 있는가를 요청하였고 이를 거절하면 4일로 바꾸었습니다. 대조군에서는 처음부터 4일 동안의 식습관 보고서를 요청하였습니다. 실험군에서 연구 승낙률은 84%인 반면 대조군은 58%에 불과하였고, 보고서 회수율도 실험군에서 40%이었지만 대조군 14%에 불과하였습니다.

문전박대 당하기 수법이란 처음에 거절당하기 쉬운 큰 부탁을 요구한 뒤에 이 거절로 민망해하고 죄책감을 가지는 사람에게 그 죄책감을 덜어줄 수 있는 작은 부탁을 다시 하는 방법을 말합니다. 문전박대 당하기 수법이 효과적인 근본적인 원인은 자신이 남이 제안한 것을 거절하는 행동이 상대방에게 마치 야박한 사람으로 비추어질 것을 우려하기 때문에 다음의 제안에는 처음과 다른 행동을 하게 되는 것이라고 합니다. 실제 재난영화에서 이런 방법을 사용한 장면이 자주 나옵니다. 위기의 상황에서 생존을 위한 배나 비행기에 사람이 탈 수 있는 자리가 없을 때 아이의 부모가 '우리 아이라도 제발 데려가 주세요'라고 하면 거기 있는 모든 사람들을 구하지 못한다는 죄책감 때문에 아이를 데려가는 경우를 많이 볼 수 있습니다. 또한 어떤 사람이 천만 원을 빌려 달라고 하면 많은 사람들이 거절하지만 이 사람이 다시 '그러면 대신 10만 원만 빌려 달라'고 하면 수락하는 경우가 많은데 이도 문전박대 당하기 수법을 응용한 것이라고 할 수 있습니다.

이 문전박대 당하기 수법을 의료현장에 어떻게 적용할 수 있을까요? 의사들이 환자들에게 진단목적으로 검사를 제안하는 경우, 처음부터 필요한 검사를 제안하는 것보다 처음엔 고가의 검사를 권유하고 만약 환자가 이를 거부하는 경우 이후에 상대적을 낮은 비용의 검사를 제안하는 것이 환자가 검사를 동의할 가능성이 높다는 것을 의미한다고 할 수 있겠습니다.

비언어적 행동이 미치는 효과

① 환자와의 신체접촉이 미치는 영향

촉감은 상호적인 감각으로 매우 훌륭한 사회적 감각이지만 너무나 우리 일상에 가까이 있어 촉감의 영향력에 대하여 무시하거나 무지한 경우가 많습니다. 특히 다른 사람과 1-2초 동안 팔이나 어깨에 신체접촉을 하는 것은 매우 사소하게 보이지만 이전 연구들을 보면 이러한 신체접촉이 소비자의 행동과 평가에 많은 영향을 미친다고 합니다.

대형 수퍼마켓에서 신체접촉이 매출에 영향을 미칠까요? 연구자는 대형 수퍼마켓에 방문한 고객을 대상으로 실험군에게는 매장에 들어올 때 할인중인 제품을 소개하는 카탈로그와 주차권을 건네주는 짧은 시간동안 연구자가 피실험자의 팔을 1-2초 잠깐 만졌고 대조군은 전혀 만지지 않았습니다. 이후 쇼핑을 마치고 주차장으로 이동하는 피실험자들에게 매장에 대한 설문조사를 시행하였는데 매장에 머무른 평균시간과 평균구매액, 그리고 호의적인 매장평가가 신체접촉이 있었던 실험군이 대조군보다 더 높았습니다.[21)]

신체접촉이 시식의 승낙비율과 구매비율에 영향을 미칠 수 있는지 확인하기 위하여 슈퍼마켓을 방문한 고객을 대상으로 연구자는 정중히 다가가 시식용 피자 한 조각을 맛보도록 권하면서 실험군인 고객에서는 시식을 권하는 도중 아주 짧은 순간 고객과 신체접촉을 시행하였고 대조군에서는 아무런 신체접촉을 하지 않았습니다. 연구자들은 연구대상인 고객들이 피자를 맛본 후 자리를 떠나려고 할 때 방금 맛본 피자에 대한 의견과 함께 그들이 시식한 피자를 실제로 사는 정도가 얼마나 되는지를 알아보았습니다. 결과적으로 피자에 대한 평가는 실험군과 대조군이 비슷한 반면, 신체접촉이 있던 실험군이 대조군에 비하여 피자구매 비율이 높았습니다.[22]

생선과 해산물을 취급하는 한 식당에서 고객들을 실험군과 대조군으로 나누어 실험군은 종업원이 메뉴판과 함께 주방장의 특별요리를 고객들에게 추천하는 동안 고객들의 팔을 슬쩍 1-2초 만졌지만 대조군은 어떤 신체접촉도 시행하지 않았습니다. 결과적으로 메뉴제안을 함께 신체접촉을 시행한 실험군이 대조군보다 제안한 요리를 택하는 경우가 훨씬 많았습니다.[23]

촉감은 가장 먼저 발달되는 감각이자 우리를 감싸고 있는 피부에서 오는 감각입니다. 피부의 촉감과 다른 감각과 다른 가장 중요한 특징은 바로 상호적이라는 것입니다. 위의 실험결과들을 종합해보면 고객과의 작은 신체접촉은 하찮은 행동으로 보이지만 실제로 구매와 구매장소에 대한 좋은 인식을 높여 주고 있습니다. 즉, 적절한 수준에서의 작은 신체접촉은 상대방에 대한 나의 긍정적인 감정과 배려를 표현하는 좋은 수단으로 인식된다는 것입니다.

이런 경우를 종종 진료를 보면서 느낄 수 있을 것입니다. 예를 들어 할머니, 할아버지와 같은 어르신들에게 기계로 혈압을 재는 대신 원장이 직접 재면서 작은 신체접촉을 유도하거나 어르신들의 손을 한번 가볍게 만져드리면 좋아하시는 모습을 흔히 볼 수 있습니다. 위와 같은 연구들은 이와 같은 작은 신체접촉이 병의원에 대한 호의적인 평가와 동시에 환자들의 재방문율을 높일 수 있는 유효한 방법이라고 생각합니다.

최근에 코로나19 대유행시기에 많은 사람들을 감동시키는 사진은 유능한 의사가 병을 잘 치료하는 것이 아니라 방호복을 입은 간호사가 환자의 어깨를 두드리고, 손을 잡고 팔짱을 끼고 환자와 상호작용을 하는 모습이었다는 것을 상기하시면 좋겠습니다. 하지만 젊은 여성에게 위와 같은 방법을 사용하면 성추행으로 고소당할 수도 있으니 주의하시기 바랍니다.

② 미소가 환자에게 미치는 영향

미소란 우리가 무언가 즐겁고 활기찬 것을 찾아냈을 때 우리가 얼굴에 짓는 동작으로 인간에게서만 나타나는 행동으로 알려져 있습니다. 그렇다면 미소가 사람들에게 미치는 영향은 어떨까요?

우리가 미소를 지을 때 우리의 뇌는 세로토닌과 엔도르핀과 같은 화학물질을 분비하여 자기자신에게 밝고 긍정적인 기분과 함께 스트레스를 감소시키는 효과가 있다고 합니다. 또한 미소는 다른 사람들에게는 신뢰감과 친밀감 등 긍정적으로 작용하여 미소를 짓는 사람들에게 친근감을 느끼고, 이 사람이 사회성이 좋고 영리한 사람이며 좋은 인간성을 지녔다고 생각하게 됩니다.

물론 항상 미소를 짓는 것이 절대로 쉽지 않고 미소만으로는 충분하지 않다는 사실을 잘 알고 있습니다. 하지만 미소를 잘 활용하는 사람은 이러한 미소의 효과를 통해 많은 이득을 얻고 있습니다. 미소를 전략적으로 가장 잘 활용하고 있는 곳이 백화점과 항공사입니다. 미소는 고객의 기분을 좋게 하고 고객과의 장기적인 관계형성에도 중요한 역할을 하기 때문입니다 그렇다면 의료현장에서 미소를 어떻게 응용할 수 있을까요? 의사들은 웃음과 미소에 인색한 경우가 많습니다. 하지만 개업을 한 원장은 그래서는 안 됩니다. 환자에게 찡그리거나 무관심한 얼굴을 하지 말고 미소를 지으면서 상냥하게 대하는 태도를 길러야 합니다. 만약 미소를 짓는 것이 너무 어렵다면 거울 앞에서 연습을 하는 것도 좋은 방법입니다. 하지만 정말로 노력하여도 원장자신이 미소를 짓기 너무 어려우면 최소한 간호사나 의료기사라도 환자들 앞에서 미소를 하게 하여야 합니다.

③ 시선이 환자에게 미치는 영향

시선(視線)이란 눈의 가는 길 혹은 눈의 방향을 말합니다. 그렇다면 사회활동에서 눈을 마주치는 것이 얼마나 중요한 것일까요?

연구자는 공중전화부스에 동전을 놓아두고 이후 부스에서 나오는 사람들을 실험군과 대조군으로 나누고 실험자에게는 자신이 몇 분 전에 공중전화 부스에 깜박 잊고 돈을 놔두고 떠났다며 혹시 그 돈을 보지 못했는지를 물어보면서 질문을 하는 동안 피실험자를 지속적으로 쳐다보면서 질문을 하였습니다. 이에 비하여 대조군에게는 연구자가 눈을 돌려 시선을 피하면서 질문을 하였습니다. 결론적으로 시선을 유지하면서 물어본 실험군의 동전의 회수율이 대조군보다 높았습니다.

시선과 기부금정도와 관련이 있는지를 확인하기 위하여 연구자들은 거리를 지나가는 행인을 실험군과 대조군으로 나누고 실험군의 경우 장애인들을 위한 단체 뱃지를 착용한 연구자가 실험군의 시선을 마주보면서 모금함에 기부해 줄 것을 요청한 반면 대조군은 연구자는 옆을 바라보는 등 피실험자의 시선을 마주치지 않으면서 기부를 요청하였습니다. 결과적으로 상대방의 시선을 마주보면서 기부를 부탁한 실험군이 대조군보다 월등하게 많은 기부를 받을 수 있었습니다.

학생처럼 보이는 연구자가 자신의 학과공부에 관련된 숙제를 하기 위한 설문지에 답해줄 수 있는지를 사람들에게 물어보면서 실험군은 이러한 요청을 하면서 상대방의 눈을 보면서 부탁하였지만 대조군에서는 시선을 피하면서 부탁하였습니다. 결론적으로 시선을 마주치면서 요청한 실험군의 경우 66%의 사람들이 부탁을 들어준 반면, 대조군은 34%만이 설문에 응하였습니다.

인간은 사회적 동물이기 때문에 일생에 거쳐 다른 사람들과 다양한 관계를 맺으며 살아가게 됩니다. 다른 사람과 관계를 잘 형성하려면 다른 사람의 의도나 감정을 신속하게 파악할 필요가 있는데 이를 효율적으로 수행하기 위한 방법이 바로 상대방의 얼굴을 살피는 것인데 이러한 의미에서 시선은 매우 중요한 역할을 합니다. 우리들은 말을 하지 않고도 시선만으로도 많은 것을 표현할 수 있기 때문입니다. 또한 시선만으로도 타인에 대한 해석이 가능합니다. 앞선 연구들은 시선을 마주치는 행위로도 상대방에게 좋은 평가를 받을 수 있고 상대방으로 하여금 요청을 받아들이도록 하는데 긍정적인 영향력을 행사하는 것을 보여주고 있습니다. 이와 반대로 시선을 회피하는 것은 얼굴에 담겨있는 역동적이고 복합적인 정보를 외면함으로써 대화를 어렵게 하는 요인이 될 수 있습니다.

진료하는 동안 환자와의 시선을 회피하면서 컴퓨터 모니터만 보면서 이야기하는 원장님들을 흔히 볼 수 있습니다. 이러한 시선회피는 환자들에게 긍정적인 평가를 받기 어렵습니다. 환자와 시선을 맞추며 이야기를 하시는 것이 환자들로부터 긍정적인 평가를 받고 환자들을 단골로 만드는데 매우 중요하다는 것을 알아야 하겠습니다.

 의사의 태도나 외모, 복장이 환자에게 미치는 영향

개업한 의사들 중 멋진 드레스셔츠와 넥타이, 깨끗이 다려진 흰 가운을 입고 진료를 보는 사람들도 있지만 어떤 분들은 후줄근한 남방에 넥타이는 매지 않고 김치국물이 여기저기 묻은 가운을 입고 진료를 보는 사람도 있습니다. 그렇다면 과연 의사들의 외모가 환자들에게 영향을 미칠까요?

연구자들이 심장질환이 있는 사람들을 돕기 위한 단체에 약간의 기부를 피실험자들에게 요청하는데 실험군은 이러한 요청하는 사람들을 매력적인 용모를 가진 군으로 구성하였고 대조군은 그다지 매력적이지 않은 용모를 가진 사람들로 구성하였습니다. 결과적으로 매력적인 용모를 가진 실험군이 대조군보다 많은 기부자를 모을 수 있었습니다.

실험자는 이메일로 자신이 학생이라고 소개하면서 학과수업 차원에서 프랑스인의 식습관에 대한 연구를 진행하고 있다고 설명하고 이에 대한 설문지를 첨부하였는데 이메일 아래에 자신의 이름, 신분 확인서류 및 미리 신체적인 매력도에 따라 높음, 중간, 낮음으로 평가된 이메일 발신자의 사진이 첨부하였습니다. 결론적으로 설문에 대한 응답률은 높은 매력을 가진 군이 낮은 매력을 가진 군보다 높았습니다.

위의 연구들은 요청자의 신체적인 매력이 기부를 얻어내거나 설문지의 응답률을 높이는데 효력을 발휘한다는 것을 알 수 있습니다. 즉 요청자의 매력적인 용모가 타인에게 직접적인 이득을 일으키지는 않지만 그럼에도 불구하고 그 자체로 다른 사람에게 영향력, 즉 사람에게 부탁하거나 제안할 경우 더 쉽게 받아들일 수 있게 한다는 것입니다. 그렇다면 왜 외모가 결과에 영향을 미칠까요? 바로 후광효과 때문입니다. 후광효과(Halo effect)란 부모의 직업이나 경제적 능력이 자녀에 대한 평가에 영향을 미치고 어느 기업 제품인지에 따라 해당제품에 대한 신뢰도 및 평가가 결정된다는 것으로 이러한 후광효과가 외모에도 적용될 수 있습니다. 어떤 사람이 가지고 있는 하나의 긍정적인 특성이 그 사람 전체를 평가하는데 결정적인 영향을 미치게 된다는 것입니다. 이전 연구에 의하면 매력적인 외모를 가진 사람들이 그렇지 않은 경우보다 12-14%정도의 높은 급여를 받는다고 합니다. 또한 매력적인 외모를 가진 경우 다른 사람들의 도움을 보다 쉽게 얻어낼 수 있으며 설득력 또한 상대적으로 강해진다고 합니다. 여기서 말하는 매력적인 외모란 반드시 잘생긴 얼굴과 체형만을 의미하는 것은 아니라 단정한 옷차림, 친절한 마음과 함께 훌륭한 매너, 표정 등의 후천적인 것도 포함됩니다.

옷은 그 사람의 인격이나 지위, 직업을 나타내 주는 거울이라고 합니다. 우리들은 정장을 입으면 걸음걸이도 바르게 되고 언행도 차분해지는 것을 경험할 수 있습니다. 그러나 캐주얼을 입으면 왠지 자유롭고 걸음도 편해집니다. 아무리 개성과 자유가 중요하더라도 학생을 가르치는 선생님이 노란색으로 머리염색을 하고 찢어진 청바지를 입고 학생을 가르치지는 않습니다. 화려한 옷을 입고 상갓집에 가지는 않는 것도 마찬가지입니다. 이처럼 복장은 나 자신의 행동과 함께 상대방의 신뢰형성에 큰 영향을 미치게 됩니다. 멋진 외모를 위해 반드시 값비싼 옷이 필요한 것이 아닙니다. 단지 상황에 맞는 복장을 하는 것만으로도 상대방에게 편안함과 더불어 신뢰감을 줄 수 있습니다. 의복은 상황과 시간, 장소에 따라 적절한 복장을 갖추는 것이 가장 중요하고 기본적인 요소이기 때문입니다. 이러한 사실을 고려한다면 원장이라면 환자들의 주위를 산만하지 않게 하면서도 환자들에게 신뢰를 줄 수 있는 깔끔한 복장과 함께 깨끗한 가운을 입는 것이 환자들의 신뢰를 얻는데 도움이 될 것으로 생각합니다.

⑤ 사람들은 줄서는 것을 싫어한다?

우리나라 대학병원 외래진료는 한시간 기다려 3분 진료를 받는 것으로 악명이 높습니다. 그리고 환자들은 진료를 위하여 오랫동안 기다리는 것을 싫어한다고 알려져 있습니다. 2012년 한국금융연구원이 은행의 콜센터를 이용하는 사람들을 대상으로 조사한 결과 48%가 상담원 연결을 위한 대기시간이 불만족스럽다고 이야기하였습니다. 이처럼 사람들은 원하는 어떤 목적을 성취하거나 얻기 위하여 대기하는 시간이나 절차에 대하여 부정적으로 생각하는 경우가 많습니다. 하지만 환자나 고객들을 오랫동안 기다리는 것이 부정적인 영향만 있을까요?

실험자는 피실험자들에게 레스토랑들의 사진을 보여주면서 실험군은 사람들로 붐비는 레스토랑을 보여주었고 대조군은 사람들이 적은 레스토랑을 보여주면서 레스토랑의 음식의 품질 및 가격을 평가해 달라고 하였습니다. 결과적으로 사람이 붐비는 레스토랑일수록 긍정적인 평가가 많이 나왔습니다.

미국에서 베이글 샌드위치점에서 줄을 서면서 차례를 기다리는 고객을 대상으로 무작위로 줄의1/3 지점과 2/3 지점의 사람들을 선택하여 이들이 구입하기 위하여 기다리는 샌드위치의 기대가치와 본인의 노력에 대하여 설문조사를 시행한 결과 고객의 뒤에 있는 사람의 숫자가 늘어날수록 제품에 대한 기대가치가 높았습니다.

사람들은 타인들의 행동을 관찰함으로써 세상을 설명하고 사건을 해석하며 판단을 내리게 됩니다. 이런 판단은 불충분한 정보를 가진 경우 많은 역할을 하게 됩니다. 사람들이 많으니까 이 레스토랑은 맛이 있을 것이고 당연히 명성이 높을 것으로 생각하는 것입니다. 또한 줄을 서고 있는 사람들은 자신의 뒤에 있는 사람들로부터 성취감을 느끼게 되고 이 성취감은 자신이 기다리고 있는 제품이나 음식, 서비스의 가치를 더 높이 평가하게 하는 요소가 되기도 합니다. 이렇게 소비자가 느끼는 기대가치가 상승하면 소비자의 지출이 더 증가할 가능성이 높아지게 됩니다. 이러한 심리를 이용하는 것이 바로 맛집과 나이트클럽입니다. 맛집들은 장사가 잘 되어도 사업장의 크기를 넓히지 않습니다. 나이트클럽의 경우 사람들을 고용하여 저녁 특정한 시간에 사람들이 일부러 줄을 서게 한다고 합니다.

이러한 연구결과를 개원가에 어떻게 적용할 수 있을까요? 어떤 원장은 환자들의 편의를 위한다는 이유로 환자들이 기다리지 않도록 예약방문 시간간격을 충분히 잡는 경우를 종종 볼 수 있습니다. 하지만 처음 방문하는 환자들의 경우 너무 대기실이 텅 비어 있으면 환자가 병의원을 방문하는 것에 부담스러울 수도 있고 의사의 능력이 떨어지는 것이 아닌지 의심을 가질 수도 있습니다. 따라서 개원초기에 환자수가 적다고 생각되시면 대기실에 약간의 사람들을 유치해 놓는 것이 환자의 신뢰를 얻고 환자방문을 증가시키는 데 도움이 될 수도 있다고 생각합니다. 환자가 어느 정도 쌓여 있는 경우에도 환자를 위한다고 예약시간간격을 띄엄띄엄 잡는 것보다는 1-2명정도 겹치게 하여 환자들이 약간 기다리게 하는 것도 영업에 도움이 될 수 있습니다. 물론 너무 기다리게 하는 것은 불만의 원인이 될 수 있으므로 좋지 않습니다.

참고) 지식의 저주(Curse of Knowledge)

의사들이 환자에게 환자의 질환이나 치료에 대하여 설명을 하다 보면 굉장히 답답하다고 느끼는 경우를 흔히 만날 수 있습니다. 자신은 쉽게 설명한다고 하는데 환자의 반응이 영 미덥지 않기 때문입니다. 이럴 때 짜증이 나지만 다시 설명해야 하나 고민하다가 귀찮고 힘들어서 그냥 지나치는 경우를 많이 느끼실 것입니다. 그렇다면 이러한 현상은 환자의 독특한 문제일까요? 아니면 일반적으로 발생하는 현상일까요?

연구자들은 연구 참여자들을 1그룹과 2그룹으로 나누어 1그룹 사람들이 '크리스마스 캐럴'이나 '생일축하합니다(해피버스데이 투유)', '반짝반짝 작은 별' 등 누구나 다 아는 노래를 들려주면서 노래에 맞추어 탁자를 두드리게 하였고, 2그룹 사람들에게는 1그룹 사람들이 두드리는 소리만으로 노래 제목을 맞추게 하였습니다. 이후 1그룹 사람들에게 2그룹 사람들이 얼마나 맞힐 수 있을 것인지 물어보았고 실제로 2그룹 사람들이 맞춘 결과와 비교하였습니다. 결과적으로 1그룹 사람들은 자신의 두드린 소리만을 듣고 2그룹 사람들이 50% 정도는 맞출 수 있을 것으로 예상하였지만 실제적으로 2그룹 사람들은 2.5%(120곡 중에서 3곡)만이 맞힐 수 있었습니다.

우리들은 대화 중에 무의식적으로 자신이 잘 알고 있는 것을 상대방도 당연히 알고 있을 것이라고 생각하는 경향이 있는데 이를 지식의 저주라고 합니다. 이러한 지식의 저주는 소통이 어렵게 하는 주요 원인이 됩니다. 특히 의료현장에서 지식의 저주가 자주 발생하는 이유는 바로 짧은 진료시간 때문입니다. 우리나라의 경우 낮은 의료수가로 인하여 진료시간이 짧기로 악명이 높습니다. 이러한 상황에서 의사들은 환자들의 질병과 치료에 대하여 필요한 말만 짧게 말하는 경향이 있습니다. 배경지식이 충분한 의사들은 자신의 짧은 설명에도 불구하고 환자들이 충분히 이해하고 있다고 생각하는 경향이 있지만 질병과 치료에 대한 배경지식이 없는 환자들은 의사의 말을 전혀 이해하지 못하기 때문에 지식의 저주가 발생하는 것입니다.

그렇다면 이러한 지식의 저주를 어떻게 벗어날 수 있을까요? 가장 중요한 것은 다른 사람의 입장을 이해하고 인정하는 역지사지의 정신이라고 생각합니다. 나 자신도 처음에는 이해하지 못했고 의문을 가졌던 시기가 있었음을 인정하는 것부터 의사소통이 시작될 수 있습니다. 환자의 의문점에 귀를 기울이고 쉬운 말로 천천히 그렇지만 적절하게 말하는 것이 매우 중요합니다. 아인슈타인은 '여섯 살 아이에게도 설명할 수 없다면 아직 제대로 이해하고 있는 것이 아니다'라는 말을 하였습니다. 자신이 완전히 이해하고 있으시면 상대방에게 맞는 언어로 이해할 수 있게 설명할 수 있어야 합니다. 둘째로 장황한 설명보다는 중간중간 머리에 쏙쏙 들어오는 핵심을 상대방에게 전달하는 것도 매우 좋은 방법입니다.

물론 현재의 의료수가를 가지고는 이렇게 할 수 없다고 불평하시는 원장님도 있을 것으로 생각합니다. 하지만 개인적으로는 원장이 자신의 클리닉에 내원한 환자들과의 충분한 소통을 통해 내 단골고객으로 만드는 것이 성공적인 개원의 중요한 발판이 될 것이라고 확신합니다.

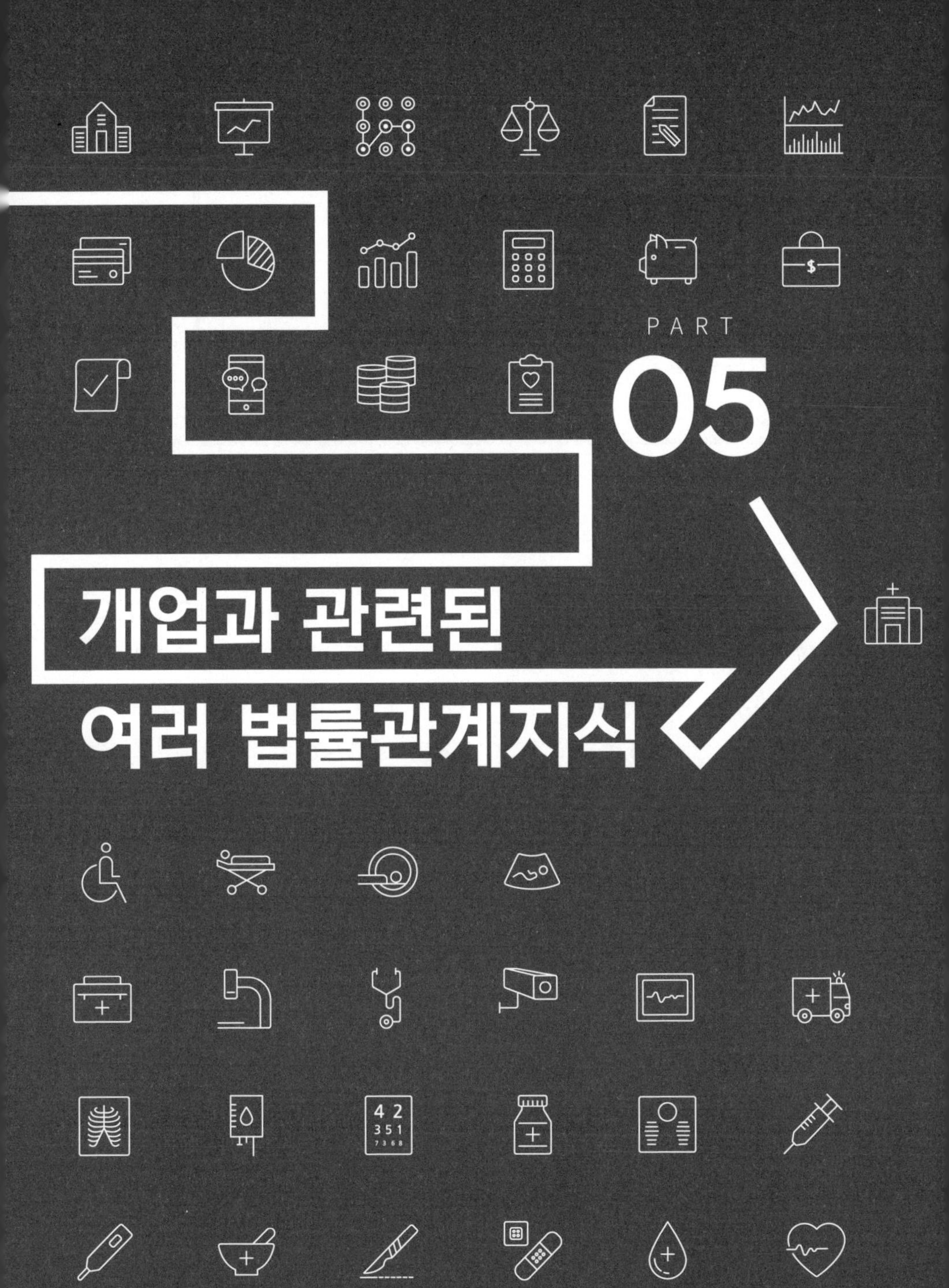
PART
05
개업과 관련된
여러 법률관계지식

개업과 관련된 **여러 법률관계지식**

많은 의사들이 법률적인 문제라고 하면 의료사고로 인한 소송만을 생각하고 있습니다. 하지만 실제 개업한 의사들이 겪는 법률적인 문제는 의료사고로 인한 소송보다는 개원이나 진료와 관련된 의료법 문제, 직원들을 고용하고 해직할 때 발생하는 노동법 문제, 동업한 원장과의 법률관계, 의료기기 구입과 관련된 문제, 인테리어의 하자보수 문제, 의료광고, 건물주인과의 건물임차문제, 국민건강보험공단의 보험급여삭감 등이 더 중요하다는 것을 알게 됩니다. 하지만 이러한 문제에 대하여 학생시절이나 전공의시절에는 전혀 생각하거나 접해보지 않았기 때문에 더욱 어렵게 느끼게 됩니다. 하지만 이런 문제를 배우지 않았다고 소홀히 여긴다면 이로 인하여 나중에 더욱 심각한 피해를 받는 경우도 있습니다.

소규모 의원이라도 사회의 한 구성원이기 때문에 의료분야의 전문지식 외에도 사회전반에 대한 균형감각을 잃지 않는 식견을 가져야 하기 때문에 적어도 사회구성이나 조직을 지배하는 법의 원칙에 대하여 어느 정도 알고 있어야 합니다. 또한 소규모 사업을 운영하면서 직면할 수 있는 여러 법적인 문제를 슬기롭게 해결하고 자신의 권리를 지키기 위해서 법 지식은 필수적이라고 생각합니다.

여기서는 개업을 하면서 마주칠 수 있는 여러 법적인 문제에 대하여 살펴보도록 하겠습니다.

각론에 앞서 우선 법에 대하여 생각해보도록 하겠습니다. 법이란 무엇일까요? 법은 사람들이 사회적 목적을 달성하기 위하여 만들어낸 국가적인 규범이라고 할 수 있습니다. 물론 종교나 도덕, 관습도 똑같이 모든 인간의 행동을 규율하는 사회규범이지만 법은 국가사회의 질서를 유지하기 위한 강제규범으로 종교나 도덕, 관습과 달리 의무와 책임을 지우고 있으며 의무와 책임을 다하지 않으면 벌칙을 받게 됩니다.

법의 원칙

법은 강제성을 가진 사회규범이기 때문에 법을 만들고 적용하고 해석할 때에는 원칙을 가지고 있어야 합니다. 법의 가장 대표적인 원칙이라고 하면 소유권 절대원칙, 계약자유의 원칙, 신의성실의 원칙, 비례의 원칙, 평등의 원칙, 죄형법정주의 등이 있습니다.

- 소유권 절대원칙이란 국가는 개인이 소유하고 있는 사유재산을 인정하고 국가나 타인이 이를 간섭하거나 제한하지 못하도록 하는 원칙을 말합니다. 이러한 원칙하에서 소유자는 그의 소유물을 자유로이 사용하고, 수익을 내고, 처분을 할 수 있습니다. 물론 자신의 소유라고 하더라도 타인의 권리를 침해하지 않는 방식으로 사용하여야 하고, 재산권을 행사할 때에는 공공복리에 적합하게 행사해야 하며, 사유재산이라고 하더라도 공공복리를 위해서는 일정부분 제한을 받을 수 있습니다.

- 사적자치의 원칙이란 사법상의 법률관계를 개인의사에 의해 자유로이 할 수 있다는 것으로 가장 대표적인 것이 계약자유의 원칙입니다. 계약자유의 원칙이란 개인의사에 따라 누구의 간섭도 받지 않고 당사자와의 합의에 의하여 자유로이 계약관계를 맺을 수 있다는 것입니다. 하지만 계약이 발생되면 계약당사자는 계약내용에 따라 상호 구속을 받으며 계약에 의한 채권과 채무가 발생하게 됩니다. 이러한 계약자유의 원칙은 계약당사자가 서로 평등하다는 것을 전제로 하고 있습니다. 하지만 실제로는 경제적이거나 지적 불평등 상황에서 강자가 약자를 압박하고 횡포에 의해 계약이 형성되는 경우가 많습니다. 가장 대표적인 것이 사업자와 근로자와의 근로계약과 임대인과 임차인의 임대차 계약입니다. 이러한 문제를 해결하기 위하여 국가는 사인간의 계약임에도 불구하고 최저임금제도, 근로기준법, 임대차보호법과 같은 법률로써 강자의 횡포를 억제하고 약자를 보호하고 있습니다.

- 과실책임의 원칙이란 사고나 피해가 발생하였을 때 가해자의 과실에 근거해 책임을 지우는 것입니다. 과실책임의 원칙에서 개인의 자유는 타인재산을 존중하고 약속을 지키고 타인의 생활권을 부당하게 간섭하지 않는 법위에서 인정되기 때문에 이러한 조화를 깨뜨려 발생한 타인의 손해를 가해자는 배상해야 한다는 것입니다.

- 신의성실의 원칙이란 줄여서 '신의칙'이라고 하기도 하며 권리를 행사하거나 의무를 이행하는 당사자는 자신의 의무를 신의를 가지고 성실하게 이행하여야 하며 자신의 권리라고 하더라도 남용해서는 안된다는 원칙입니다. 이러한 원칙에 의하여 상대방의 정당한 이익을 배려하여야 하고 형평에 어긋나거나 신뢰를 저버리는 권리를 행사하거나 의무를 이행하면 안 됩니다. 예를 들면 쉽게 이해할 수 있습니다. 2016년 경기도 성남의 음식점에서 배달일을 하는

한 근로자가 음식점주에게 밀린 임금 29만 원을 달라고 했습니다. 이 음식점주인은 기분이 나빴는지 임금을 17만 4,740원으로 깎고 이 중에서 4천원을 제외한 임금을 모두 10원짜리 동전으로 지급한 사건이 있었는데 재판에서 음식점주인은 신의성실 원칙을 위반하였다고 선고하였습니다.[24] 한가지 더 예를 들어 보겠습니다. 세익스피어의 희극 '베니스의 상인'에서 주인공인 안토니오는 고리대금업자인 샤일록에게 돈을 빌리면서 '돈을 갚지 못하면 살 1파운드로 갚는다'는 계약을 체결하였는데 이러한 계약 역시 신의성실의 원칙에 위배한다고 할 수 있습니다.

- 비례의 원칙이란 목적달성을 위하여 일정한 수단을 동원함에 있어서 달성하고자 하는 목적과 수단 사이에 균형관계가 유지되어야 한다는 원칙으로 '과잉금지의 원칙'이라고도 합니다. 예를 들어 어떤 법률조항이 헌법에 위배되는지를 결정할 때 헌법재판소는 이러한 비례의 원칙을 구현하기 위하여 (1) 입법목적이 정당한지, (2) 법률의 목적을 달성하기 위한 방법이 효과적이고 적절한지, (3) 법률로 인하여 제한되는 기본권이 최소한으로 이루어져 있는지, (4) 법률로 보호하려는 공익과 침해되는 사익을 비교하여 양자간 균형이 유지되고 있는지를 평가하여 위헌판결을 내리게 됩니다.

- 평등의 원칙이란 모든 사람은 법에 의해 평등한 의무와 권리를 가지고 국가도 법을 특정개인에게 유리하거나 불리하게 적용하지 못한다는 원칙입니다. 하지만 헌법에서 이야기하고 있는 법 앞의 평등은 모든 사람에게 일체의 차별을 해서는 안된다는 절대적인 평등을 의미하는 것이 아니라 어떤 차별에 대한 합리적인 근거가 있는 경우 그러한 차별은 허용한다는 뜻의 상대적인 평등을 이야기하고 있습니다. 하지만 합리적인 근거가 없는 차별은 인정하지 않습니다. 예를 들어 기업이 사람을 뽑을 때 능력에 따라 차별적으로 선택하는

것은 위 원칙에 위반되지 않습니다. 하지만 성별이나 종교, 출신지역을 이유로 뽑지 않는 것은 위 원칙에 위반하는 행동이라고 할 수 있습니다.[25)]

- 죄형법정주의란 범죄에 대한 형벌은 미리 법률로서 규정해야 처벌할 수 있다는 원칙입니다. 죄형법정주의는 국가의 과도한 형벌권 행사로부터 시민의 자유와 권리를 보호하려는 원리로서 아무리 사회적으로 비난을 받을 수 있는 행위라도 법률이 범죄로서 규정하지 않았다면 처벌할 수 없다는 것입니다.

이 외에도 행위를 할 때 범죄로 규정되지 않았던 행위를 나중에 범죄로 규정하고 처벌하는 것을 금지하는 소급효금지 원칙, 무엇이 범죄이고 각각의 범죄에 대한 어떤 형벌이 부과되는지 명확하고 적정해야 한다는 명확성 및 적정성의 원칙, 그리고 형벌법규에 처벌대상으로 명시되어 있지 않다면 아무리 그것과 유사한 성질의 것이라도 유추하여 적용해서는 안된다는 유추적용금지 원칙 등이 있습니다.

개원 원장이 알아 두면 좋은 법률상식

법은 어마어마하게 많습니다. 이러한 법을 모두 상세히 다루는 것은 어렵고 필자의 능력을 벗어나는 일이기도 합니다. 그리고 그렇게 할 필요도 없습니다. 그렇다면 어떤 내용을 알면 좋을까요? 개인적으로는 의료법일부, 근로관계법(노동법)일부, 상가임대차보호법일부, 보건의료관련 행정절차 및 의료과오소송과 관련된 내용과 절차 정도면 충분하다고 생각합니다.

한 가지 말을 첨부한다면 이 책에서 다루는 의료법, 근로기준법, 상가 임대차보호법은 의사가 개업하는 데 도움을 줄 수 있는 극히 일부분만을 다루고 있기 때문에 만약 더 관심이 있다면 관련된 책을 사서 읽거나 인터넷을 검색하시기 바랍니다. 만약 구체적인 사례가 발생하였을 때에는 변호사나 법무법인과 상담하는 것이 좋겠습니다. 이러한 이유는 이 책에서는 그 대략적인 내용만을 정해 놓은 것으로 구체적인 사건에 실제로 적용하는 것은 사소한 사실관계의 변화에 따라 많이 바뀌기 때문입니다. 또한 법이라는 것이 정체된 것이 아니라 계속 바뀌는 것이기 때문에 이 책에서 쓰인 내용은 시간이 지나면 바뀔 수 있다는 것을 알고 있어야 합니다. 하지만 전체적인 큰 흐름을 이해하고 있다면 법률이 개정되어도 어떻게 얼마나 변화하는지 인지할 수 있을 것으로 생각됩니다. 또한 혹시 만약 법적으로 문제가 생겨 변호사를 만날 일이 있더라도 내가 정말로 필요한 바를 변호사와의 상담을 통해 얻을 수 있을 것으로 생각됩니다.

근로기준법

개업에 있어서 의사의 역할은 매우 중요하지만 의사 혼자서는 아무것도 할 수 없습니다. 즉 개업을 하면 의사를 도와주는 여러 근로자를 고용하여야 합니다. 하지만 사람을 고용한다는 것이 쉬운 일이 아닙니다. 근로자를 고용한다는 것은 그만큼의 무거운 법적책임이 뒤따르기 때문입이다. 사업장에 고용된 근로자를 보호하는 가장 대표적인 법률이 근로기준법입니다. 근로기준법은 우리에게 낯선 것이 아닙니다. 자신은 알고 있지 못하였을지 몰라도 이미 인턴, 전공의, 전임의로서 대학병원이나 종합병원에서 근무하였을 때 근로자의 지위로서 일을 하였고 근로기준법에 의하여 보호받았기 때문입니다. 이러한 근로기준법은 말 그대로 근로자의 기본적인 생활을 보장하기 위하여 최소한의 근로조건을 법으로 규정한 것으로 근로시간이 하루/일주일에 최대 얼마까지 근로를 할 수 있을지, 추가근무에 대한 수당은 어떻게 책정되는지, 휴가(연가)는 며칠이 주어져야 하는지, 회사가 근로자를 해고하려면 어떻게 해야 하는지 등 근로자가 직장에 취직해 일을 시작하면서 퇴직까지 근로자들의 근로의 최저기준을 규정하고 있습니다. 근로기준법은 강행규정이기 때문에 사업자가 근로조건을 근로기준법보다 낮게 책정이 되어 있다면 근로자가 이러한 기준을 동의하고 서명을 하였더라도 무효이고 근로기준법을 따라야 합니다. 이러한 근로기준법은 월급을 받으면서 일하는 사람(근로자)과 근로자를 고용하는 사람들(사업자)에게 알면 약이고 모르면 병이 될 수 있는 기초상식과 같은 정보이기 때문에 가장 법률에 대한 기초상식으로 알고 있어야 합니다. 특히 남을 처음으로 고용하는 사업자인 개원의들은 자신의 개원전략을 짤 때 근로기준법과 관련에 반드시 알아야 합니다. 참고로 근로기준법에서 제시하고 있는 임금, 근로시간, 휴일, 연차 등을 위반하는 경우 사업자인 원장은 행정기관으로부터 과태료처분을 받거나 그 정도가 심한 경우 벌금이나 징역을 받을 수 있습니다.

근로기준법의 의의와 적용범위

앞서 말씀드린 바와 같이 근로기준법은 사용자로부터 근로자를 보호하기 위한 법으로 이 법에서 규정한 내용보다 낮은 수준의 근로계약은 근로자가 동의하였다고 하더라도 무효입니다. 하지만 이렇게 강력한 근로기준법의 모든 조항이 모든 사업장과 모든 근로자에게 적용되지 않습니다. 즉 근로기준법은 상시 근무하는 근로자의 숫자에 따라 근로기준법상 어떤 법규는 적용이 되고 어떤 법규는 적용이 되지 않습니다. 예를 들어 매일 근무하는 근로자의 숫자가 원장을 제외하고 5명 이상인 경우 예외적인 경우를 제외하고 근로기준법의 모든 조항이 적용이 되지만 4인 이하의 근로자를 고용하는 사업장의 경우 부분적으로 적용되게 됩니다(표 5-1, 5-2). 하지만 4인 이하를 고용하는 사업장이라고 하더라도 반드시 지켜야 하는 것은 근로계약서 작성의무(근로자와 사업주와 근로계약서는 반드시 작성해야 함), 해고예고수당(4인 이하의 사업장의 경우 해고는 사유를 불문하고 사업자

표 5-1. 근로기준법의 적용

구분	적용범위
전면적용	상시 5명 이상의 근로자를 사용하는 모든 사업 또는 사업장 공무원이 아닌 근로자를 사용하는 국가 또는 지방 자치단체 이 경우 근로자 인원수에 상관없이 적용됨 *상시 사용되는 근로자 수에는 상용근로자뿐만 아니라 일용직 등 기간제 근로자나 단시간 근로자, 동거하는 친족인 근로자, 외국인 근로자 등 해당사업이 사용하는 모든 근로자를 포함. 단, 파견근로자나 도급근로자는 제외 *사업의 목적, 허가유무, 업종 등에 관계없이 적용되므로 영리사업은 물론, 사회사업단체, 종교단체 등 비영리 공익사업도 적용됨 *사업이 1회적, 또는 일시적이라도 적용
적용제외	동거의 친족만을 사용하는 사업 또는 사업장 가사사용인
일부미적용	상시 4명 이하의 근로자를 사용하는 사업 또는 사업장 1주 소정근로시간이 15시간 미만인 근로자

■ 표 5-2. 상시 4명 이하의 근로자를 사용하는 사업장에서 적용되지 않는 규정

구분	미적용규정
근로계약	법령요지 등 게시의무 사용기간 제한[26] 근로계약에서 명시된 근로조건이 사실과 다를 경우 노동위원회에 손해배상청구, 사용자의 귀향 여비 지급의무 정당한 이유없는 해고제한규정 경영상 이유에 의한 해고규정 해고시 서면 통지 의무 *적용되는 주요사항 퇴직급여제도, 해고예고제도(해고하기 한달전 통보), 해고금지기간 규정(업무상 부상질병을 위하여 휴업한 기간 및 그후 30일, 산전후휴가로 휴업한 기간과 그 후 30일)
임금	휴업수당 지급의무[27]
근로시간과 휴식	근로시간제한[28] 가산임금(야간근로, 연장근로, 휴일근로)[29] 연차휴가[30] *적용되는 주요사항 휴게시간[31](4시간 근로 시 30분), 유급주휴일(일주일 근무 시 1일은 유급 휴가)
여성과 소년	임산부 아닌 18세 이상 여성의 보건상 유해, 위험한 사업 중 임신 출산과 관한 기능에 유해 위험사항 사용금지조항 야간, 휴일 근로 시 18세 이상의 여성의 동의 여부 생리휴가 적용 육아시간 조항
취업규칙	취업규칙에 대한 모든 규정

마음대로 할 수 있지만 해고하는 경우 30일 전에 미리 알려주거나 즉시 해고하고자 하는 경우 한달에 해당하는 임금을 주어야 하는 제도), 최저임금제도, 유급 주휴일제도(일주일을 개근하면 1일 이상의 유급휴일을 주어야 하는 제도), 퇴직금제도(1년 이상 근무한 직원이 퇴직하는 경우 퇴직금을 주어야 하는 제도), 휴게시간보장, 출산휴가, 육아휴직제 도입니다. 이렇게 사업장에 근무하는 근로자의 수가 4인 이하인지 5인 이상인지

에 따라 적용되는 근로기준법에서 많은 차이를 보이기 때문에 개업을 준비하는데 있어서 병원의 규모를 5인 이상의 근로자를 고용할지 아니면 4인 이하의 조직으로 시작할지에 대하여 반드시 전략적으로 고민하여야 합니다.

② 근로기준법에 따른 근로계약서 작성

사업자는 근로자와 근로계약을 맺을 때 근로계약서를 작성하여야 하는데 근로계약서에는 임금, 소정근로시간, 유급 주휴일, 연차휴가, 그 밖에 대통령령으로 정하는 근로조건[32]을 명시하여 서면으로 작성하여야 하고, 작성된 근로계약서 한 부를 근로자에게 교부하여야 합니다. 이렇게 작성된 근로계약을 통해 근로자는 사용자에게 근로를 제공하고 사용자는 임금을 지급하게 됩니다. 사업자와 근로자는 계약을 통해 근로자는 성실의무[33]가 발생하며 사업자는 배려의무[34]가 발생하게 됩니다.

현재 근로계약을 구두로 맺는 것을 금지됩니다. 따라서 모든 근로계약서는 서면으로 작성하여야 합니다. 만약 근로계약서를 스스로 만들기 어렵다면 인터넷에서 '표준근로계약서'를 검색하여 자신에 맞게 수정하여 사용하시면 됩니다.

근로자와 일정한 기간의 근무를 약정하였지만 그 기간 내에 퇴직을 하는 경우 근로자가 일정액 혹은 일정률의 위약금이나 손해배상금을 지급하거나 임금을 반환한다는 소위 위약금약정[35]이나 임금반환약정은 근로계약서에 들어가서는 안되고 들어가 있어도 무효입니다. 법에서 위약금과 임금반환약정을 금지하는 이유는 위약금이나 임금반환약정으로 인하여 근로자의 퇴직할 자유가 부당하게 제약되고, 불리한 근로조건 하에서도 강제로 근로할 위험에서 근로자를 보호하기 위한 것입니다.

근로자가 사업주에게 빌린 돈을 임금과 상계하거나, 근로자에게 근로자의 의사에 반하여 강제저축을 시키거나, 사용자가 근로자에게 예금을 받아 관리하거나 금융기관에 예금시키고 그 통장과 인감을 사용자가 보관하는 것도 금지하고 있습니다. 법에서 이와 같은 것을 못하게 하는 이유는 이와 같은 수단이 근로자를 장기간 구속하게 하여 강제근로를 강요하고 불리한 근로조건을 감수케 하는 수단으로 이용될 수 있기 때문입니다.

취업규칙

취업규칙은 흔히 사규라고도 하는데 사업장의 근무규칙을 말합니다. 취업규칙은 사용자에 의하여 작성되며 복무규율과 근로조건에 관한 내용을 담고 있다면 그 명칭이 무엇이든지 상관없습니다. 만약 이러한 취업규칙과 법률과 충돌하게 되면 법률을 따라야 합니다. 만약 근로계약과 취업규칙의 내용이 다른 경우에 취업규칙 규정이 근로자에게 유리한 경우 취업규칙을 따르지만 취업규칙보다 근로계약이 유리한 경우 근로계약을 따르게 됩니다.

상시 10명 이상의 근로자를 사용하는 사용자는 취업규칙을 작성하고 신고를 해야 하지만 10인 이하의 사업장의 경우 취업규칙을 작성할 의무가 없습니다. 사업자에 의해 작성된 취업규칙은 고용노동부장관에 신고를 해야 합니다.

취업규칙은 크게 필수적 기재사항과 임의적 기재사항으로 구분됩니다. 필수적 기재사항으로는 임금에 관한 사항(임금의 결정, 계산, 지급방법, 임금의 산정기간, 지급시기 및 승급에 관한사항), 근로시간에 관한 사항(업무의 시작과 종료시각, 휴게시간, 휴일, 휴가 및 교대근로에 관한 사항), 퇴직에 관한 사항(임의의 퇴직 이외의 해고, 정년 등 근로관계종료사유)이 있습니다. 임의적 기재사항으로는 가족수당, 식비, 작업용품의 부담, 재해부조, 표창 등이 있습니다. 하지만 임의적 기재사항이라고 하더라도 일단 정한 경우는 반드시 따라야 합니다.

하지만 법을 잘 모르는 사업자가 취업규칙을 스스로 만들어 작성하기는 매우 어렵습니다. 이에 따라 정부에서는 매년 표준취업규칙서식을 만들어 배포하고 있기 때문에 표준취업규칙[36]을 참고하여 각 회사의 사정에 맞추어 변경하고 작성하시어 지방고용노동관서에 신고제출하시면 됩니다. 이러한 신고제출도 간편화되어 각 지역노동관서를 방문할 필요없이 정부24 인터넷 홈페이지에서 할 수 있게 되었습니다.

사업자가 취업규칙을 만들면 작성된 취업규칙을 준수하고 이행할 의무가 발생하게 됩니다. 또한 일단 취업규칙이 만들어지면 변경하기는 쉽지 않습니다. 특히 복무규정을 강화하는 것과 같이 근로자들에게 불리한 변경인 경우 근로자 과반수의 동의를 받거나 노동조합이 설립되어 있다면 노동조합의 동의를 받아야 합니다. 만약 이러한 과정을 거치지 않으면 변경한 취업규칙은 무효가 됩니다.

임금

임금이란 임금, 봉급 등 명칭에 상관없이 근로의 대가로 사용자가 지급하는 일체의 금품을 말합니다. 사용자는 근로자에게 임금을 지급할 때 (1) 근로자 본인에게 직접, (2) 화폐로, (3) 전액을, (4) 정기적으로 일정한 날짜에 주어야 합니다. 예를 들어 임금을 현금대신 상품권, 식권, 주식, 혹은 어음으로 지급되는 것은 허용되지 않습니다.[37] 또한 근로자의 부인이나 부모와 같은 제3자가 임금을 대리로 수령하는 것도 허용되지 않습니다.[38] 원칙적으로 사용자는 근로자에게 임금전액을 지불하여야 하지만 고용보험이나 국민연금, 건강보험과 같은 사회보험이나 노동조합비 등 법령이나 단체협약에서 예외가 있는 경우 임금일부를 공제하고 임금을 지불할 수 있습니다. 하지만 회사에서 빌린 돈을 회사가 임의로 공제하거나 상계한 후 차액을 임금으로 지급하는 것은 허용되지 않지만 사용자가 근로자의 동의를 얻어 공제한 것은 문제가 되지 않습니다. 또한 임금은 정기적으로 지급되어야 하는데 이러한 정기성은 시급, 일급, 주급, 월급 등 근로계약이나 취업규칙에 의하여 정해지지만 최소한 매월 1회 이상 임금을 지급해야 합니다. 이렇게 정기성을 강조하는 이유는 임금이 체불되거나 받지 못하는 것을 막아 근로자들의 계획적이고 안정적인 생활을 보장하기 위한 것입니다. 하지만 성과급, 상여금 등 기타 부정기적으로 발생하는 수당은 이러한 원칙에 해당하지 않습니다.

퇴직금은 사업장의 규모나 재직인원에 상관없이 일년 이상을 근무한 모든 근로자에게 주도록 되어 있습니다. 퇴직금은 퇴직이전 3개월 평균임금[39]의 한달치에 해당되는 금액을 일한 연수로 곱해서 그 액수가 정해집니다. 이러한 평균임금에는 우리가 생각하는 임금과 함께 시간외 근로수당, 야간근로수당, 휴일근로수당, 연차수당 등 법적수당과 함께 특별상여금과 가족수당도 포함됩니다. 퇴직금은 근로자가 퇴직한 지 14일 이내 지급하여야 하며, 지연되는 경우 그 다음날부터 지급하는 날까지의 지연일수에 대하여 연 20%의 지연이자를 주어야 합니다.

⑤ 해고

회사가 마음대로 해고할 수 있으면 모든 근로자들의 직장생활은 불안해질 것입니다. 따라서 근로기준법은 근로자의 해고를 엄격히 제한하고 있습니다. 하지만 정당한 해고는 가능합니다. 정당한 해고는 크게 징계해고, 통상해고, 정리해고로 나눌 수 있습니다. 통상해고란 직무능력이나 조직 적응력 부족 등을 이유로 하는 해고를 말하고, 징계해고란 근로자의 잘못으로 인한 해고를 말합니다. 정리해고는 경영상의 이유로 인한 해고를 말합니다.

일반적으로 징계해고가 되는 주요 이유로는 무단결근, 사업장내 절취, 폭행, 업무방해 등이 있습니다. 하지만 징계해고도 해고에 합당한 잘못을 저질렀고 적절한 절차를 거쳤을 때만 정당한 해고로 인정됩니다. 통상해고란 직무능력평가에 따라 근로자가 업무이행이 불가능함을 이유로 해고하는 것으로 사업자는 근로자가 업무이행이 불가능함을 증명해야 하기 때문에 해고조건이 매우 까다롭습니다. 따라서 사업자가 근로자의 직무능력을 주관적인 판단만을 가지고 해고한다면 정당한 해고로 판단될 가능성이 낮습니다. 경영상 해고는 정리해고라고도 하며 (1) 긴박한 경영상의 필요가 있거나, (2) 사용자가 회피노력을 하고, (3) 합리적이고 공정한 해고의 기준과 대상자를 선정하며 (4) 해고회피방법 및 해고의 기준에 관한 근로자 대표와 성실히 협의하여야 하는 등 까다로운 절차를 거쳐야 합니다. 여기서 '긴박한 경영상의 필요'란 반드시 기업의 상태가 좋지 않아 부도의 위험이 높아진 경우만이 아니고 '장래에 올 수도 있는 위기에 미리 대처하기 위한 경우'도 '긴박한 경영상의 필요'로 인정되고 있습니다. 하지만 경영상의 해고임에도 불구하고 업무능력이 낮거나 근무성적이 부진한 것을 사유로 해고하는 것은 부당해고로 간주될 수 있습니다.

하지만 위에서 말한 조건은 5인 이상의 사업장의 경우로서 4인 이하의 사업장의 경우 어떠한 사유로도 해고가 가능합니다. 주의할 것은 해고를 결정하더라도 근로자에게는 적어도 30일 전 해고에 대한 예고를 하여야 하고, 만약 즉시 해고하는 경우 30일분 이상의 임금을 지급하도록 규정하고 있습니다. 또한 해고사유와 해고시기는 서면으로 통지해야 합니다. 최근 대법원 판례에서 서면통지대신 이메일로 해고통지를 보낸 것이 적법하다고 판시하였습니다만(대법원 2015.9.10일 선고 2015두41401) 이러한 경우에는 극히 예외적인 경우로 직원이 무단결석 중이거나 연락이 되지 않는 경우에 한하여 이메일로 해고통지를 보낼 수도 있습니다. 하지만 문제의 소지를 없애기 위해서는 우편으로 송달하는 것이 좋습니다. 당시의 감정에 휘둘려서 문자나 카톡으로 해고통지를 해서는 안 됩니다. 만약 근로자가 사업주의 해고에 반발하여 지방노동위원회나 법원에서 부당해고로 신고하고 부당해고로 인정되는 경우 해당 직원을 다시 복귀시켜야 함은 물론 해고기간 동안의 임금까지 주어야 하는 등 사업자는 이중의 불이익을 받게 됩니다.

참고1) 전공의 80시간 근로규정

2018년 근로기준법이 변경되면서 우리나라에서 근무하는 근로자는 연장 및 휴일 근로를 포함하여 이전의 최대 주 68시간에서 최대 주 52시간으로 단축되었습니다. 하지만 전공의의 경우 2019년 시행된 전공의법에 의하여 주 80시간 이상 근무 제한, 36시간 이상 지속적으로 근무하는 것이 금지되었습니다. 다시 생각해보면 이상합니다. 다른 근로자는 근로기준법에서는 최대 주 52시간으로 규정되어 있는데 전공의만 80시간 동안 근무하는 것이 허용될까요?

여기에는 근로시간 특례규정이 있기 때문입니다. 근로기준법 제59조에는 특정사업에 대하여 사용자가 근로자 대표와의 서면합의를 한 경우에는 주 12시간을 초과해 연장근로를 하게 하거나 휴게시간을 변경할 수 있는 것으로 규정하고 있습니다. 이러한 규정은 엄격한 근로조건 규제로 공중생활의 불편을 초래할 우려가 있는 사업의 경우 사용자가 근로자가 합의한 경우에 한하여 최대 근로시간 규정이 완화되었기 때문입니다. 대표적인 근로시간 특례업종이 육상운송 및 파이프라인 운송업, 수상운송업, 항공운송업, 기타 운송관련 서비스업, 그리고 병원과 같은 보건업입니다. 이러한 근로시간 특례가 주어지면 연장근로 최대시간인 주 12시간을 초과해 연장근로를 시킬 수 있고, 4시간 근로에 30분, 8시간 근로에 60분 휴게시간도 변경해서 운영이 가능해집니다. 하지만 과도한 연장근로를 제한하기 위하여 사업주는 근로시간이 종료한 후부터 다음 근로개시 전까지 최소 11시간 연속해 휴식시간을 부여할 의무가 있습니다. 이러한 이유로 전공의들의 80시간 근무가 허용이 되고 36시간 연속근무 후 12시간 휴식보장이 전공의법에 규정되어 있는 것입니다. 이와 함께 이전에는 당직비가 실제 당직한 일수와 상관없이 소정의 당직비로 지급되는 경우가 많았지만 최근에 포괄임금제의 범위가 엄격히 제한되고 최근 전공의들이 자신이 근무하였던 병원을 상대로 당직비를 청구하는 소송에서 병원이

지는 경우가 많아(대전고등법원 2014.11.26선고, 2013나11186판결 등) 지금은 당직한 일수에 따라 지급하게 되었습니다.

참고2) 근로자의 임금의 범위

임금과 관련되어 제기되는 또 하나의 문제가 바로 임금의 범위가 어디까지 인정하여야 할 지입니다. 예를 들어 기업은 건강보험비의 50%, 국민연금부담금의 50%, 고용보험부담금 50%를 부담하고 있습니다. 또한 여러 복리후생제도를 가지고 있습니다. 그렇다면 기업에서 부담하고 있는 4대보험료와 복리후생제도도 임금으로 인정 될까요? 현재까지의 판례를 보면 기업시설이나 복리후생시설 등은 임금이 아니며, 산재보험료 등 각종 사회보험제도에 따라 사용자가 부담하는 보험료 역시 임금이 아니라고 해석하였습니다.[40] 또한 고객으로부터 받는 봉사료(팁)는 임금이 아닙니다. 이와 함께 가족수당이나 식비와 같은 경우 일률적, 계속적, 정기적으로 지급되고 그 지급에 관하여 취업규칙, 단체협약 등에 의하여 사용자에게 지급의무가 있다면 임금으로 인정되지만 식사를 하는 자에게만 지급되는 순수한 식비나 자동차 운전에 사용된 기름값과 같은 경우에는 임금에 포함되지 않습니다.[41] 마지막으로 지급사유가 비확정적이고 일시적인 특별상여금의 경우 임금에 포함되지 않지만 상여금이 계속적이고 정기적으로 지급되는 경우 임금으로 인정받을 수도 있습니다.

이렇게 임금여부를 따지는 이유가 무엇일까요? 임금의 기준이 정해지면 이러한 기준을 통해 퇴직금을 정산하거나 초과근로수당 혹은 연장근로수당을 산정하기 때문입니다.

참고3) 퇴직금 분할약정의 위법성

요즘에는 많이 나아지기는 하였지만 이전에는 봉직의로 근무할 때 근로계약서에 '퇴직금을 매월 나눠서 월급에 포함되어 지급한다(퇴직금 분할약정)'라는 규정이 있거나 혹은 구두로 근로자가 동의하였다고 퇴직금을 안 주는 경우도 있었습니다. 하지만 계약서에 기술된 퇴직금 분할약정의 내용에 대하여 근로자가 동의한다고 서명하였거나 구두로 합의하였다고 하더라도 이 계약은 무효입니다. 따라서 봉직의로 근무하였던 병의원에서 1년 이상 근무하였지만 사용자가 계약서에 기술이 되어 있거나 구두로 동의하였다는 이유로 퇴직금을 주지 않을 경우 퇴직한지 3년이 지나지 않았다면 이전에 근무하였던 병의원을 상대로 퇴직금을 달라고 요청할 수 있고 만약 이를 거부한다면 법원에 소를 제기하거나 해당지역 노동청에 이를 신고할 수 있습니다. 퇴직금 소송에서 진 병의원은 변호사 비용과 함께 연체된 날짜만큼 지연이자(소가 제기된 순간부터가 아니라 원래 주어야 하는 시간에서부터 계산된 총액의 연 20% 이자율)를 받을 수 있습니다.

퇴직금소송에서 분약지급은 인정을 받지 못하는 것이 개원가나 소규모병원에서 많이 알려짐에 따라 최근에는 많은 병의원들이 계약한 월급의 1/12을 따로 모아두고 나중에 퇴직할 때 주는 경우를 흔히 볼 수 있습니다. 이런 경우에 연봉이 얼마인데 퇴직금을 제외하고 월급을 준다는 내용이 계약서에 적혀 있으면 이는 불법은 아닙니다. 하지만 앞서 말씀드린 대로 퇴직금은 퇴직하기 직전 3개월 동안의 평균임금이기 때문에 퇴직금이 이렇게 모아둔 돈보다 커질 수 있습니다. 봉직의의 관점에서 그 차액이 크다면 차액에 대하여 보전요청을 할 수 있습니다.

원장의 관점에서 직원들이 퇴직하면 기업은 한번에 목돈을 지급해야 하는데 퇴직금 지급에 대한준비를 해놓지 않으면 금전적인 부담을 느낄 수 있어 1년에 한 번씩 퇴직금을 정산하는 것을 선호합니다. 하지만 현재 법령에서는 퇴직금의 중간정산 요건이 매우 까다롭습니다. 이런 경우에 사업자인 원장이 할 수 있는 것이 퇴직연금 DC형(확정기여형 퇴직연금)에 가입하는 것입니다. 확정기여형 퇴직연금에 가입하면 원장은 매년 임금총액의 1/12에 해당하는 금액을 근로자의 개별계좌에 정기적으로 납입하면 근로자는 그 금액으로 직접 운용할 상품을 선택할 수 있고 회사가 납입한 부담금과 운용손익 최종 급여로 지급받게 됩니다.

다시 한번 말하지만 1년에 한 번 무조건 퇴직금을 지급하여 정산하는 것은 여러 문제가 발생할 수 있고 문제가 인정되는 경우 퇴직금을 한 번 더 지급해야 할 수도 있기 때문에 주의를 요합니다.

연습문제

예제 A의원은 막 개업하여 매일 오전 9시부터 오후 8시까지 2시간 연장하여 외래를 보고 있고 토요일 오전 9시부터 오후 3시까지 외래를 보고 있습니다. A의원에는 현재 보조인력으로 간호사 및 간호보조원, 카운터 총 3명을 두고 있고 이들의 주당 평균 근로시간은 56시간이지만 40시간이 초과한 근로시간에 대하여 경영상의 이유로 40시간이 초과된 근로에 대하여 임금을 지급하지 않고 있습니다. A의원 원장이 자신의 클리닉을 이렇게 운영하는 것이 법적으로 문제되지 않는지요?

정답 근로기준법에 의하면 근로시간은 일주일에 40시간, 1일에 8시간을 초과할 수 없고 1주일에 평균 1회 이상의 유급휴일을 주어야 합니다. 근로자는 회사와 합의하에 일주일에 휴일근로, 연장근로를 포함하여 12시간을 근로시간을 연장할 수 있고 최대근로시간은 주 52시간입니다. 이렇게 연장근로나 휴일근로를 하면 추가로 근로한 시간에 대하여 원래 주던 임금의 50%를 추가로 지급하여야 합니다. 하지만 이와 같은 것은 5인 이상 사업장의 경우이고 4인 이하의 경우 최대근로시간인 52시간의 제한이 없고 추가근로나 연장근로에 대하여 임금을 주지 않아도 됩니다.

하지만 이와 같은 요건은 법에서 정한 최소요건이라고 할 수 있습니다. 4인 이하의 사업장이라고 하더라도 이렇게 일을 오랫동안 시키는데도 불구하고 휴일근로나 연장근로에 대하여 아무런 보상을 하지 않는다면 병원직원은 한 달도 못 버티고 그만둘 것입니다. 따라서 근로자가 일한 만큼 합리적인 보상이 병원경영에는 더 도움이 될 듯합니다.

예제 B의원에서 근무한 지 6개월된 간호사가 원장에게 면담을 요청하면서 월차를 사용하겠다고 합니다. 현재 B의원에서는 고용된 의사를 포함하여 총 4명이 근무하고 있습니다. 원장은 간호사의 월차 요구에 대하여 어떻게 해야 할까요?

정답 현재 근로기준법에 따르면 직원이 4명 이하인 사업장의 경우 근로자에게 연차유급휴가를 줄 의무는 없습니다. 따라서 이 사례에서 원장은 간호사에게 월차를 주지 않아도 됩니다. 하지만 5인 이상의 근로자가 고용하는 사업장의 경우 개정된 근로기준법에 의하여 1년간 근무 일수 중 80% 이상을 출근하면 15일의 유급휴가(연차)를 받을 수 있고, 일한 지 1년이 안 되거나 80% 미만을 출근한 경우 11일의 유급휴가를 받을 수 있습니다. 또한 연차는 근속연수가 2년 늘어날 때마다 하루씩 더해지도록 되어 있습니다. 즉 3년차가 되면 16일, 5년차가 되면 17일이 됩니다. 하지만 연차가 무한으로 늘어나는 것은 아니고 최대 25일까지 증가하게 됩니다.

참고로 1년 안에 연차를 사용하지 못하면 사용하지 않은 연차는 수당으로 청구할 수 있는데 이를 연차수당 혹은 연차보상비라고 합니다. 이는 사용하지 않은 연차수를 통상임금에 곱한 액을 지급하게 됩니다.

참고로 회사가 연차보상비를 지급하지 않아도 되는 방법이 있는데 바로 연차사용촉진제도입니다. 이 제도는 회사가 연차가 소멸되기 6개월 전에 근로자에게 남은 휴가일수를 서면으로 알리고, 근로자는 알림을 받은 날로부터 10일 이내에 회사에 통보하도록 하여 연차사용을 촉진시키는 것입니다. 만약 알림을 주어도 10일 이내 근로자가 연차사용계획을 알리지 않은 경우 회사는 연차휴가 미사용에 따른 수당을 지급하지 않아도 됩니다. 이러한 연차사용촉진제도의 주의할 점은 모든 과정이 구두가 아니라 서면으로 진행되어야 한다는 것입니다.

예제 D는 개업을 막 준비하고 있는 봉직의로서 개업을 하기 위하여 3년간 근무하였던 C의원을 그만두려고 합니다. C의원은 의사 두 명을 포함하여 총 6명이 일하고 있습니다. D는 C의원에 처음 취직할 때 연봉계약서를 보지 않고 원장이 서명하라고 해서 서명을 하였는데 당시 계약서에는 퇴직금은 1/12로 분할해서 월급에 포함되어 지급된다고 기술되어 있었습니다. 원장은 근로계약서를 근거로 D가 퇴직하더라도 퇴직금을 지급하지 않겠다고 합니다. 하지만 한 직장에 3년간 근무하였는데 남들이 다 받는 퇴직금을 받지 못하면 억울할 것 같습니다. D는 퇴직금을 받을 수 있을까요?

정답 퇴직금은 직원 4명 이하인 경우도 반드시 주게 되어 있습니다. 판례를 보면 사용자와 근로자가 월급과 함께 퇴직금을 미리 지급하기로 한 퇴직금 분할약정을 했다고 하더라도 그 약정은 퇴직금 중간정산으로 인정되는 경우가 아닌 한 무효이고, 퇴직금 분할약정에 따라 사용자가 근로자에게 퇴직금을 임금과 함께 지급하였더라도 퇴직금의 효력이 없다고 판시하였습니다. 만약 이런 경우를 당한 봉직의는 해당 병원을 관할하는 해당 지역 노동청에 위의 사실을 신고하거나 그 병원에 대하여 퇴직금반환에 관한 민사소송을 제기하면 특별한 문제가 없다면 퇴직금을 받을 수 있습니다. 하지만 소송을 하려고 한다면 퇴직한지 3년 이내 소송을 제기하여야 합니다. 이 시기를 지나면 퇴직금을 받을 수 없습니다.

예제 의사 E는 서울에서 내과로 개업하고 있는 개업의입니다. 개원한 지 3년 정도 되었고 건강검진센터도 하다 보니 현재 직원이 7명이 되었습니다. 진료를 보면서 환자들에게 이것저것 불평을 듣는데 그 중 가장 많이 듣는 것이 방사선사기사가 불친절하다는 것이었습니다. 의사 E가 보기에도 불성실한 것 같고 가끔 지각하기도 합니다. 불러서 이런 저런 이야기도 하였지만 변하지 않는 것 같습니다. 맘 같아서는 바로 자르고 싶습니다. 그렇다면 방사선사기사를 불성실하고 불친절하다는 이유로 해고하는 것은 법적으로 가능할까요?

정답 정당한 해고는 크게 통상해고, 징계해고, 정리해고로 나눌 수 있습니다. 통상해고란 직무능력이나 조직 적응력 부족 등을 이유로 하는 해고를 말하고, 징계해고란 근로자의 잘못으로 인한 해고를 말합니다. 정리해고는 경영상의 이유로 인한 해고를 말합니다. 일반적인 징계해고의 주요 원인으로 무단결근, 사업장내 절취, 폭행, 업무방해 등이 있습니다. 하지만 징계해고도 해고에 합당한 잘못을 저질렀고 적절한 절차를 거쳤을 때만 정당한 해고로 인정됩니다. 통상해고란 직무능력 평가에 따라 근로자가 업무이행이 불가능함을 이유로 해고하는 것으로 사업자는 근로자가 업무이행이 불가능함을 증명해야 하기 때문에 해고조건이 매우 까다롭습니다. 따라서 사업자가 근로자의 직무능력을 주관적인 판단만을 가지고 해고한다면 정당한 해고로 판단될 가능성이 낮습니다.

하지만 위의 조건은 5인 이상의 사업장의 경우로서 4인 이하의 사업장의 경우 어떠한 사유로도 해고가 가능합니다. 주의할 것은 사업장의 근로자 수와 상관없이 해고하더라도 적어도 30일 전 해고에 대한 예고를 하여야 하고, 만약 즉시 해고하는 경우 30일분 이상의 임금을 지급하도록 규정하고 있습니다. 또한 해고사유와 해고시기는 서면으로 통지해야 합니다.

상가임대차보호법

의사들이 개원할 때 거의 대부분이 상가를 임대하여 시작하게 됩니다. 하지만 개원하려면 상가임대 보증금 외에도 시설과 장비에 많은 투자비용이 들어가게 되므로 이 투자자산을 지키는 것이 매우 중요합니다. 이러한 자산을 지키는 데 가장 핵심이 되는 법률이 바로 상가임대차보호법입니다. 하지만 많은 의사들이 상가임대차보호법의 '상'자도 모른 채 개원을 하고 있습니다. 물론 상가를 임대하고 특별한 문제가 없는 경우가 대부분이지만 막상 문제가 생기면 초기 투자비용은 고사하고 보증금조차 받지 못하고 쫓겨날 수도 있습니다. 또한 사업이 어느정도 되는가 싶으면 건물주가 임대료를 큰 폭으로 올리거나 아니면 임대차 계약기간이 만료되었다고 무조건 나가라고 하면 황당할 수 있습니다. 예를 들어 건물주 아들이 의사여서 자신이 나간 자리에 개업하면 결국 실컷 좋은 일해서 남 좋은 일을 한 꼴이 된 것이 될 수도 있습니다.

이와 같은 상황을 고려한다면 상가를 임대하여 개업을 하는 경우 무엇을 유의해서 계약을 할 지와 개원하면서 생긴 자신의 권리를 어떻게 지킬 것인지에 대한 상가임대차보호법의 내용을 아는 것이 중요하다고 할 수 있습니다. 특히 자기의 보증금 및 투자비용은 자기가 지킨다는 마음가짐으로 계약서부터 꼼꼼히 챙기는 것이 자신의 재산을 보호하는 지름길이라고 생각합니다.

상가임대차계약에서 가장 중요한 것은 계약은 반드시 건물주와 해야 한다는 것입니다. 건물을 임차한 임차인과 다시 계약하는 것을 전대라고 하는데 건물주에게 허락을 받지 않고 전대계약을 하는 경우 임대차보호법에 보장된 임차인으로서 보호를 받지 못합니다. 따라서 계약할 때 부동산중개업자만 믿지 말고 계약을 하러 나온 당사자가 건물주임을 반드시 확인하고 계약하여야 하는 것을 명심하시기 바랍니다.

여기서는 상가임대차보호법에 대하여 알아보도록 하겠습니다.

 상가임대차보호법의 목적

주택임대차보호법은 주택에 월세나 전세를 계약할 때 상대적으로 강자인 임대인(건물주)의 횡포로부터 사회적 경제적 약자인 임차인을 보호하고 과도한 임대료 인상을 억제하기 위하여 만들어진 제도입니다. 마찬가지로 상가에 월세로 계약할 때 상대적으로 강자인 임대인(건물주)의 횡포로부터 사회적 경제적 약자인 임차인을 보호하고 과도한 임대료 인상을 억제하기 위하여 만들어진 제도가 상가임대차보호법입니다.

이 상가임대차보호법은 근로기준법과 마찬가지로 임대인과 임차인이 그 내용을 확인하고 계약서에 서명을 하였다고 하더라도 법에서 기술된 내용보다 임차인에 불리한 것은 무효이고 법을 따라야 합니다.

 상가임대차보호법의 주요 개념

상가임대차보호법은 보호되는 임차인의 권리를 크게 (1) 우선변제권, (2) 임대료 인상률상한 제한, (3) 대항력, (4) 권리금으로 규정하여 보호하고 있습니다. 여기에서는 각각이 무엇을 말하고 있는 것인지, 어떤 내용인지에 대하여 간략하게 설명을 하도록 하겠습니다. 우선 각각의 내용에 대하여 이야기를 하기 전에 가장 기본이 되지만 주택임대차보호법에는 없는 '환산보증금'이라는 개념을 먼저 이야기해보도록 하겠습니다.

환산보증금이란

환산보증금이라는 개념은 법에서 어떠한 임차인을 보호할지에 대한 고민에서 출발합니다. 어떤 임차인은 임대인보다 더 재력이 좋고 임대인보다 강자일 수도 있는데 이렇게 재력이 좋고 강자인 임차인을 임차인이라는 이유로 보호할 이유가 없기 때문입니다. 따라서 법을 통해 보호할 임차인을 구분하기 위하여 환산보증금이라는 개념이 등장합니다. 환산보증금이란 보증금과 월세를 통해 얻어지는 액수로 환산보증금이 일정액을 넘어서면 상가임대차보호법의 보호를 받지 못합니다. 이렇게 환산보증금 제도를 통해 일정수준을 넘어서는 임차인은 법으로 보호하지 않겠다는 것입니다. 이와 달리 주택임대차 보호법은 모든 임차인에 적용됩니다. 따라서 전세금이 20억 원이라도 주택임대차보호법으로 보호받습니다. 여기서 의문이 드시지 않으시나요? '각 지역마다 건물임대료가 다른데 일률적인 환산보증금을 적용하면 문제가 발생하지 않을까요?'라는 것입니다. 맞습니다. 그렇기 때문에 환산보증금은 지역마다 다르고 시간이 지나면서 점차적으로 올라갑니다. 예를 들어 서울의 경우 2019년 4월 기준으로 9억 원이고 부산은 6억 9천만 원, 세종, 용인, 안산의 경우 5억 4천만 원으로 되어 있습니다(표 5-3). 두 번째로 '상가건물의 경우 전세가 많은 주택과 달리 거의 대부분이 월세인데 이러한 월세를 어떻게 보증금으로 계산할까요?'입니다. 상가임대차보호법에서 말하는 '환산보증금'이란 계약 시 맡기는 보증금 + (월세 × 100)으로 계산하게 됩니다. 예를 들어 상가건물의 임대보증금이 5천만 원, 월세가 50만 원이라면 환산보증금은 5,000만 원 + (50만 원 × 100) = 1억 원이 됩니다.

표 5-3. 상가임대차보호법적용 상한선

담보물권 설정일 설정일자기준	대상지역구분	보호대상 환산보증금범위
2014.1.1-2018.1.25	서울특별시	4억 원 이하
	수도권 중 과밀억제권역	3억 원 이하
	광역시(인천군지역 제외)	2억 4천만 원 이하
	그밖의 지역	1억 8천만 원 이하
2018.1.26-2019.4.1	서울특별시	6억 1천만 원 이하
	수도권 중 과밀억제권역	5억 원 이하
	광역시(인천군지역 제외)	3억 9천만 원 이하
	그밖의 지역	2억 7천만 원 이하
2019.4.2-현재	서울특별시	9억 원 이하
	수도권 중 과밀억제권역	6억 9천만 원 이하
	광역시(과밀억제권역에 포함된 지역과 군지역 제외), 안산시, 용인시, 김포시, 광주시	5억 4천만 원 이하
	그 밖의 지역	3억 7천만 원 이하

수도권 중 과밀억제권역: 인천광역시, 의정부시, 구리시, 남양주시, 하남시, 고양시, 수원시, 성남시, 안양시, 부천시, 광명시, 과천시, 의왕시, 군포시, 시흥시)

이러한 환산보증금은 정해져 있는 것이 아니라 정기적으로 수년마다 한번씩 개정되어 증가하고 있습니다. 예를 들어 서울의 경우 2010년 7월 환산보증금 상한선은 3억 원이였지만 2018년 1월 6억 1천만 원, 2019년 4월 9억 원으로 계속해서 늘고 있습니다. 주의할 것은 상가임대차보호법에 적용여부를 가리는 환상보증금의 기준은 현재 날짜가 아닌 임대차를 계약한 날짜라는 것을 명심할 필요가 있습니다. 예를 들어 서울에서 2015년 환산보증금이 6억 원인 상가에 계약하였고 현재가 2021년 8월이라면 이 상가건물에 대한 계약은 계약 당시인 2015년 기준이 적용되어 상가임대차보호법의 보호를 받을 수 없게 된다는 것입니다.

하지만 2020년 9월 상가임대차보호법에 적용되지 않는 경우라도 대항력, 계약갱신요구권, 차임과 보증금 증감청구권, 권리금의 경우에는 상가임대차보호법의 적용을 받게 법이 개정되었습니다.

임대료 인상제한

2018년 이전에는 상가임대차보호법이 적용되는 건물의 경우 상가임대료를 연 9%까지 올릴 수 있었지만 2018년 법이 개정되면서 1년에 5% 이상은 올릴 수 없게 되었습니다. 하지만 상가임대차보호법이 적용되지 않는 건물의 경우 이 법과 상관없기 때문에 임대료를 임대인의 마음대로 올릴 수 있습니다. 단, 임대인이 특별한 인상요인없이 주변 상가건물의 월세나 보증금에 비하여 월세나 보증금을 마구 올리는 경우 임차인은 법원에 월세나 보증금의 증감을 청구할 수 있습니다.

계약갱신요구권과 묵시적갱신

일반적으로 주택임대는 2년을 기간으로 계약을 하게 됩니다. 최근인 2020년 주택임대차보호법이 개정되어 2 + 2년으로 바뀌었지만 그럼에도 불구하고 2년을 계약기간으로 하는 것이 일반적입니다. 하지만 상가계약을 하면 최소 5년 동안은 유지할 수 있습니다. 2018년 법이 개정되면서 5 + 5년인 10년으로 연장되었습니다. 이렇게 계약을 임차인의 요구대로 5년 한번 더 연장할 수 있도록 하는 것을 계약갱신요구권이라고 합니다. 상가의 경우 계약갱신요구권을 설정하는 이유는 상가를 임차하는 경우 건물에 대한 계약이외에 상가인테리어와 여러 기구설치비용이 추가로 들어 이러한 추가비용을 회수할 충분한 기간을 주려는 목적입니다. 이러한 계약갱신요구권에 의하여 임차인이 임대계약을 처음에 2년으로 맺었다고 하더라도 10년까지는 임대인에게 상가계약기간을 연장할 수 있는 권리가 생기게 되었습니다. 또한 10년보장의 효력은 법이 개정되기 이전인

2018년 이전 계약에도 적용됩니다. 즉, 2018년 10월 이전에 계약하였고 2018년 10월 이후 갱신된 경우에도 5년이 아닌 10년의 임대기간을 보장받을 수 있습니다. 임차인이 계약갱신요구권을 사용하고 싶으면 임대차계약 기간만료 6개월 전부터 1개월 전까지 임대인에게 계약갱신을 요구하여야 합니다.

또한 2020년 법이 개정되어 상가임대차보호법의 적용을 받지 않는 임대차계약이라도 임대인에게 계약갱신을 요구할 수 있게 되었습니다.

하지만 임대인은 특수한 상황에서는 임차인의 임대차계약갱신을 거부할 수 있습니다. 가장 대표적인 것이 임차인이 월세를 제대로 내지 않는 경우입니다. 만약 임차인이 월세를 3번 이상 내지 않거나 계약서대로 건물을 사용하지 않는 경우, 그리고 임대인의 동의없이 임차권을 양도하거나 전대한 경우에는 기간이 만료되거나 기간이 만료되지 않아도 계약을 해지하거나 계약갱신을 하지 않을 수 있습니다. 이외에도 임차한 건물의 전부 또는 일부가 멸실 혹은 철거하거나 재건축되

표 5-4. 임차인이 계약갱신을 요구하는 경우에 임대인이 거절할 수 있는 정당한 사유

임차인이 3기의 차임액에 달하도록 차임을 연체한 사실이 있는 경우[42)]
임차인이 거짓 그 밖의 부정한 방법으로 임차한 경우
쌍방 합의하에 임대인이 임차인에게 상당한 보상을 한 경우
임차인이 임대인의 동의 없이 목적 건물의 전부 또는 일부를 전대한 경우
임차인이 임차한 건물의 전부 또는 일부를 고의 또는 중대한 과실로 파손한 경우
임차한 건물의 전부 또는 일부가 멸실되어 임대차의 목적을 달성하지 못할 경우
임대인이 목적건물의 전부 또는 대부분을 철거하거나 재건축을 하기 위해 목적건물의 점유 회복이 필요한 경우
그밖에 임차인이 임차인으로서의 의무를 현저히 위반하거나 임대차를 존속하기 어려운 중대한 사유가 있는 경우

는 경우에도 계약갱신이 되지 않을 수 있습니다(표 5-4 참조).

만약 임차인이 계약갱신을 요구하지 않고 임대인도 계약만료 6개월 전부터 1개월 전까지 계약갱신이나 계약조건을 변경하겠다는 통지를 임차인에게 하지 않는 경우 기존 임대차계약과 동일한 조건으로 계약된 것으로 보는데 이를 묵시적 갱신이라고 합니다. 이러한 묵시적 갱신이 발생한 경우 임대차가 1년기간으로 연장된 것으로 보지만 임차인이 원치 않는 경우 언제든지 임대인에게 계약해지를 통보할 수 있습니다.

대항력 및 우선변제권

상가를 임대하여 영업을 하고 있는데 상가주인이 바뀌어 기존의 임차인에게 주인이 바뀌었으니 이전에 임대계약은 무효이고 자신이 사용하려고 하니 나가 달라고 하면 큰일입니다. 따라서 상가임대차보호법은 이런 상황에 마주친 임차인을 보호하는 제도를 마련하고 있는데 이를 '대항력'이라고 합니다. 대항력이란 상가를 임차한 후 상가주인이 바뀌더라도 새로운 소유자는 임대인의 지위를 승계하기 때문에 기존의 임차인이 계약기간동안 그 상가에서 영업을 지속할 수 있는 권리를 말합니다. 이러한 대항력은 건물을 인도받고 세무서에서 '사업자등록'[43]을 하면 사업자등록을 신청한 다음날부터 대항력이 발생하게 됩니다. 주의해야 할 것은 임차인이 새로운 임대인에 대한 대항력을 유지하기 위해서는 건물을 점유하면서 사업자등록을 유지해야 합니다. 만약 임차인이 사업지를 이전하여 건물을 점유할 수 없거나 폐업하여 사업자등록이 말소되면 자신의 대항력은 소멸하게 됩니다.

또한 상가를 임대하여 영업을 하고 있는데 상가주인인 임대인이 파산하여 상가건물이 경매나 공매로 넘어가게 되면 자신이 임대인에게 맡겨 두었던 보증금을 받기 어려울 수 있습니다. 상가임대차보호법에서는 임차인이 경매대금에서 후순위권리자 및 그 밖의 채권자보다 우선해서 보증금을 변제를 받을 수 있도록 하는 권리를 부여하고 있는데 이를 '우선변제권'이라고 합니다. 이러한 우선변제권은 상가계약을 하면 바로 발생하는 것이 아니라 건물을 인도[44]받고 세무서에서 '사업자등록'과 '확정일자'를 받아야 그 다음날부터 우선변제권이 발생하게 됩니다. 여기서 확정일자는 증서가 작성된 날짜에 임대차계약서가 존재하고 있음을 증명하기 위해 법률상 인정되는 날짜로서 세무서에서 해줍니다(참고로 주택은 주민센터에 전입신고를 할 때 함께하면 됩니다). 따라서 자신의 임대보증금의 대항력과 우선변제권을 지키기 위해서는 임대차계약이 확정되면 즉시 세무서로 달려가 사업자등록과 함께 확정일자를 받는 것이 매우 중요하다고 하겠습니다.

하지만 임차인이 건물인도와 확정일자를 받기전에 이미 상가건물에 대하여 저당권[45]이나 가등기[46], 가처분등기[47]가 설정되어 있는 경우에는 이들의 권리가 자신의 우선변제권보다 우선하기 때문에 최악의 경우 임차보증금을 받지 못하고 퇴거당할 수도 있습니다. 예를 들어 은행에 이미 저당권이 설정되어 있는 건물을 임차하였고, 임차한 건물이 매매로 주인이 바뀐다면 새로운 건물주인에게 임대보증금을 청구할 수 있습니다. 하지만 경매로 넘어가 주인이 바뀐다면 경매금액에서 자신보다 우선순위의 채권자들에게 먼저 지급한 후 자신의 임대보증금을 받게 되며 경매로 건물을 얻은 새로운 주인에게 보증금반환을 청구할 수 없습니다. 따라서 자신의 순위가 낮으면 낮을수록 보증금을 반환받을 가능성이 낮아지게 됩니다. 따라서 상가건물을 임차하는 경우 해당 건물이 금융기관에 근저당[48]이 설정되어 있는지, 있다면 얼마나 설정이 되어 있는지 반드시 해당 부동산의 등기부등본을 대법원 인터넷 등기소에서 확인하여야 하고, 만약 이전에 설정된 저당권이 건물의 실제거래액보다 많거나 비슷한 경우 건물을 임차하는 것에 주의가 필요합니다(등기부등본은 표제부, 갑구, 을구로 나누어져 있는데 근저당설정과 관련해서는 을구에서 확인할 수 있습니다).

만약 임대차기간이 종료되었지만 보증금을 돌려받지 못한 상태에서 사업을 이전하거나 폐업을 하여야 하는 경우에는 해당관할 법원에 임차권등기명령을 신청하면 임차인의 대항력과 우선변제권을 유지할 수 있습니다. 참고로 임차권등기를 하는데 필요한 비용은 임대인에게 청구를 할 수 있습니다.

권리금

개업할 때 시설비용으로 꽤 많은 투자를 하였지만 열심히 일한 덕분인지 환자도 많이 늘었습니다. 하지만 아이의 교육문제로 다른 곳으로 이사를 가게 되었습니다. 이러한 상황에서 현재 영업하고 있는 의원을 다른 의사에게 넘기면서 이제까지 시설에 투자한 비용과 단골로 만든 환자들을 넘기는 것에 대한 보상을 받고 싶은 것은 인지상정입니다. 법에서는 이러한 보상을 '권리금'이라고 합니다.

권리금은 크게 영업권리금, 시설권리금, 바닥권리금으로 나눌 수 있습니다. 바닥권리금이란 시설이 좋거나 장사가 잘 되는 것과 상관없이 상가의 위치적인 장점에 따라 발생되는 가치로 일종의 '자릿값'이라고 할 수 있습니다. 바닥권리금은 산정하는 공식이 없고 유동인구나 위치, 지리적 특성, 상권규모에 따라 형성됩니다. 시설권리금이란 기존 임차인이 개업할 때 투자했던 인테리어, 가구, 집기, 주방시설 등 시설대금에 대한 대가로서 지급하는 것으로 일반적으로 초기투자비용을 1년에 30%씩 감가상각하고 3년이 지난 집기에 대해서는 시설권리금을 주지 않는 것이 관행입니다. 이러한 관행은 일반적인 것으로 새로운 임차인이 관리상태를 직접 확인하고나서 그 금액을 서로 타협하는 경우가 많습니다. 영업권리금이란 얼마나 많은 단골손님이 있고 많은 수익이 있느냐 등 영업활성화에 따라 매겨지는 권리금으로 일반적으로 6개월에서 1년치 순이익을 권리금으로 지불하는 것이 관례라고 합니다. 영업권리금은 주로 병의원이나 학원 등을 거래할 때 주로 거론되는데 해당매출에 대한 정확한 판단이 필요하지만 정확한 측정이 어려워 기존 임차인이나 부동산업자의 말에 의존할 수밖에 없다는 단점이 있습니다.

권리금이 법으로 인정받기 전까지 상가임차인들은 다음 임차인에게 자신이 지급했던 권리금을 회수하였고 이러한 권리금을 인도하는데 건물소유주는 전혀 관여하지 않는 것이 관행이었습니다. 하지만 어떤 상가주인은 임차인끼리 서로 권리금을 받지 못하도록 방해를 하거나 권리금을 임차인이 아닌 임대인이 받는 경우가 있어 사회적인 문제가 되었습니다. 이에 2015년 개정된 상가임대차보호법에 의해 임차인들의 권리금에 대한 권리를 제한적[49]으로 인정받게 되었습니다.

이러한 권리금은 동일한 업종을 지속하는 경우에는 물론 동일하지 않은 업종을 하는 경우에도 받을 수 있습니다. 또한 권리금을 다음 임차인에게 받는데 임대인의 동의는 필요가 없습니다. 임대인 자신이 사용하겠다는 특수한 경우를 제외하고 권리금을 임대인으로부터 받을 수는 없습니다. 하지만 임대인이 기존 임차인이 신규 임차인으로부터 권리금을 받는 것을 방해한다면 임대인에 대하여 상가권리금에 대한 소송과 손해배상청구를 할 수 있습니다.

권리금을 받기 위해서는 임차인은 임대차 기간이 끝나기 6개월 전부터 임대차 종료까지 임차인이 그 상가를 임차하고 싶어하는 임차인을 구하여 임대인에게 상가임대계약을 하도록 요청하면 됩니다. 하지만 임대차계약 종료시까지 임차인을 구하지 못하면 권리금을 받지 못하게 됩니다.

상가임대차보호법은 임대차계약을 할 때 표준권리금 계약서사용을 권장하고 있습니다. 이 계약서에는 권리금액과 임대차계약현황, 권리금의 대가로 받아야 할 대상의 범위를 특정하여 기재하도록 되어 있습니다.

참고1) 표준임대차계약서

임대차계약을 할 때 부동산중개소에서 제공하는 표준임대차계약서를 사용하는 것이 일반적입니다. 표준임대차계약서를 이용해 계약할 때 유의할 점은 다음과 같습니다.

첫째, 표준임대차계약서를 사용하면서 필요하다면 추가적으로 수기로 필요한 내용을 기재하는 특약도 가능하다는 사실을 아시면 좋습니다. 이러한 특약제도를 잘 활용하면 매우 도움이 됩니다. 예를 들어 규모가 큰 건물의 임대인과 계약하는 경우 해당 건물에 자신과 같거나 비슷한 종류의 의원이 임차할 수 없게 독점권을 명시하는 것입니다(예를 들어 내과의 경우 소아과, 이비인후과, 내과 등이 들어오지 않는다는 내용기재).

둘째, 임대차계약서에 해당상가의 전용면적, 보증금, 월세 및 부가가치세, 임차기간 및 전세권등기 가능여부가 임대차계약서에 기재되어 있는지 반드시 확인하여야 합니다.

셋째, 건물임대 후 언제부터 인테리어가 가능한지도 확인해야 합니다.

넷째, 건물간판을 어떻게 사용하는 것이 가능한지 건물주와 협의하고 이를 기재하는 것이 좋습니다. 건물간판이 중요한 것은 간판이 병의원을 알리는데 매우 중요한 수단이기 때문입니다. 하지만 어떤 건물의 경우 모서리에 간판을 걸 수 없거나, 간판을 거는 위치가 좋지 않거나 걸 수 있는 간판의 수가 제한이 있는 경우가 있을 수 있기 때문입니다. 따라서 계약서 작성을 할 때 간판을 적당한 위치와 시기를 확인하고 가능하다면 특약으로 이를 명시하는 것이 좋겠습니다.

참고2) 상가건물주인이 임차하였던 상가를 자신이 사용할 수 있는 방법

현재의 상가임대차보호법은 기존 임차인이 권리금을 회수할 수 있도록 보장하고 있습니다. 하지만 상가주인인 임대인이 자신이 임대한 건물을 회수하여 자신이나 자신의 가족이 사용하기 원할 수도 있습니다. 이러한 경우에 상가건물주인은 기존의 임차인에게 권리금을 주어야 할까요? 만약 주지 않기 위해서는 어떻게 해야 할까요?

현재 상가임대차보호법에서는 상기건물주인인 임대인이 자신이 해당 건물을 회수하기 위해서는 임차인에게 권리금을 주거나 아니면 상가건물을 1년 6개월 이상 영리목적으로 사용하지 않는 경우에만 가능하다고 되어 있습니다. 따라서 건물주라고 하더라도 자신이 소유한 상가를 자신이 사용하고자 한다면 기존 임차인에게 권리금을 주어야 합니다. 만약 권리금을 주기 싫다면 자신의 상가를 1년 6개월 이상 공실로 놔두고 이후에 사용한다면 권리금을 지급하지 않아도 됩니다. 또한 기존임차인이 임대차계약이 끝나는 날까지 새로운 임차인을 구하지 못한 경우에도 권리금을 줄 필요가 없습니다. 이 외에 표 5-5에 해당하는 경우에도 갱신계약을 거절할 수 있으며 임차인에게 권리금을 줄 필요가 없습니다.

연습문제

예제 의사 A는 2020년 1월 서울에 있는 B 소유의 상가건물을 보증금 4,500만 원에 월세 120만 원으로 상가임대계약을 맺고 사업자등록 및 확정일자를 받고 영업 중입니다. 한편 위 상가건물은 계약서를 쓰기 전에 이미 우선순위 근저당권이 있었습니다. 이 경우 A는 상가임대차보호법의 적용을 받을 수 있을까요?

정답 위 사례가 상가임대차보호법이 적용되는지 여부를 확인하기 위해서는 환산보증금으로 전환하여야 합니다. 위 사례의 경우 월세 120만 원과 보증금 4,500만 원을 환산보증금으로 전환하면 4,500 + 120 × 100 = 1억 6천 5백만 원의 환산보증금으로 서울시의 9억 원 이하의 보증금액에 해당되어 상가건물 임대차보호법의 적용을 받을 수 있습니다.

만약 의사 A의 임차건물이 경매로 넘어가고 A가 우선변제권을 행사한다면 경매액에 대하여 이 계약서보다 후순위 권리자 및 그 밖의 채권자보다 우선하여 보증금 변제를 받을 수 있습니다. 하지만 만약 경매대금이 A보다 우선순위 권리자의 채권액보다 적다면 상가임대차보호법의 보호를 받더라도 보증금을 받을 수 없거나 일부만 받을 수 있게 됩니다. 만약 대항력을 행사한다면 A는 경매에서 경락받은 자에 대하여 임차권을 지속해서 주장할 수 있습니다.

예제 의사 A는 2018년 1월 서울에 있는 B 소유의 상가건물을 보증금 1억 원, 월세 200만 원에 2년간 임대차계약을 체결하고 의원영업을 하고 있습니다. 그런데 1년 전 B 소유의 상가건물이 C에게 팔리게 되었습니다. 새로운 임대인인 C는 다가오는 계약기간이 만료되면 무조건 건물을 비우라고 통보했습니다. A는 처음 입점할 때 당시 의원 인테리어비용으로 1억 6,000만 원이 들었고 최근 환자가 많이 늘었기 때문에 C에게 보증금과 월세를 올려주겠다고 하였지만 C는 무조건 비우라고 합니다. 의사 A가 새로운 임대인과 재계약을 할 방법은 없을까요?

정답 B는 월세 및 보증금 전환율에 따른 환산보증금을 계산하면 3억 원으로 상가임대차보호법 적용대상이 됩니다. 상가임대차보호법 대상인 경우 임차인은 임대차기간 만료 6개월 전부터 1개월 전까지 임대인에 대하여 계약갱신을 요구할 권리가 있고 임대인은 정당한 사유없이 거절할 수 없습니다. 이러한 임차인의 계약갱신요구권은 최초의 임대차기간을 포함한 전체 임대차기간이 10년을 초과하지 않는 범위 내에서 행사할 수 있습니다. 대항권과 갱신요구권은 임대인이 바뀌더라도 상관이 없습니다. 따라서 새로운 상가주인인 D가 나가라고 하더라도 나가지 않아도 되며 최소 10년간 계약을 유지할 수 있습니다.

예제 의사 E는 2018년 경기도 수원에 F 소유의 상가건물 2층을 보증금 1억 4,000만 원에 월세 200만 원으로 2년간 임차하여 의원으로 사업자등록 및 확정일자를 받아서 영업하고 있습니다. E는 계약기간이 끝나더라도 영업을 계속하고 싶은데 계약당시 건물주인 의사 F는 2년 후에 자기도 정년퇴직을 하기 때문에 반드시 상가를 비워주어야 한다고 하면서 계약서에 '2년 뒤에는 이유를 불문하고 가게를 명도하기로 약정함'이라고 기재하였습니다. 당시 A는 이 상가에 입점하고 싶은 생각에 그렇게 기재하기로 동의하였는데 지금에 와서는 후회가 막심합니다. A는 당초의 임대차계약기간인 2년이 만료되는 경우 그 기간갱신을 주장할 수는 없을까요?

정답 E의 환산보증금은 14,000 + 200 × 100 = 3억 4천만 원으로 상가임대차보호법 대상으로 계약갱신요구권이 있습니다. 따라서 E는 임대인 F와 2년 뒤에는 이유를 불문하고 가게를 명도하기로 함을 약정하였지만 이와 같은 계약은 상가임대차보호법에 위반하는 것으로 효과가 없다고 할 수 있습니다. 또한 F가 주장하는 퇴거요인은 임대인이 거절할 수 있는 정당한 사유에 해당되지 않습니다. 따라서 E는 계약서와 상관없이 최소 10년간의 계약갱신을 요구할 수 있을 것으로 생각됩니다. 만약 상가주인 F가 임대하였던 상가를 본인이 사용하기 위해서는 임차인인 E가 퇴거를 원하거나 임대기간이 끝나는 8년 후에 가능할 것입니다. 또한 F는 임대차계약이 끝나면 다음 임차인에게 권리금을 요구할 권리가 있기 때문에 임대차계약이 끝나고 F가 자신의 건물에 들어간다면 퇴거하는 E에게 적절한 권리금을 지불하여야 합니다.[50] 만약 권리금을 지불하지 않는다면 법에 따라 자신의 건물을 1년 6개월 동안 공실로 비워 두면 됩니다.[51] 또한 임대차기간이 종료되기 전까지 임차인인 E가 주선하는 새로운 임차인을 구하지 못한 경우에도 권리금을 지급할 필요가 없습니다.

예제 의사 A는 2020년 서울의 B 소유 상가를 임차보증금 1억 원, 월세 200만 원에 임차하고 사업자등록 및 확정일자를 받아 의원영업을 하고 있습니다. 그런데 임대인 B는 의사 A가 모르게 임차건물을 C에게 매도하였습니다. 종전 임대인이면서 매도인 B는 위 건물 외에도 다른 부동산을 많이 가지고 있는 부자여서 임대차계약기간이 종료할 때 A가 임차보증금을 반환받는 데 지장이 없을 것으로 보이지만 C는 갑으로부터 매수한 위 건물 외에 다른 부동산을 가지고 있지 못하고 이 건물을 매입하는데 상당히 빚을 많이 졌다는 소문이 있습니다. 이 경우 A는 위 임대차계약을 해지하고 B로부터 임차보증금을 반환을 받기 원하면 가능할까요?

정답 의사 A는 상가임대차보호법에 의한 대항력을 갖춘 임차인으로 A가 원한다면 새로운 임대인인 C에게 기존의 임대차를 유지하거나 그렇지 않으면 보증금반환과 퇴거를 요청할 수 있습니다. 하지만 임차인인 A는 종전의 소유자인 B에게는 보증금 반환을 요구할 수 없습니다.

예제와 같이 임차인이 새로운 임대인으로서의 지위승계를 원하지 않고 있고 이를 이유로 임대차 계약을 해지하고 임대인 B에게 보증금 반환을 청구할 수 있는지에 대한 문제에 관하여 대법원은(대법원 1996.7.12 94다37646) 임대차계약에 있어서 임대인의 지위의 양도는 임대인의 의무의 이전을 수반하는 것이지만, 임차인이 원하지 아니하면 임대차의 승계를 임차인에게 강요할 수는 없는 것이어서 임차임은 기존의 임대인인 B에게 이의를 제기하여 승계되는 임대차관계도 해지할 수 있다고 판시하였습니다. 따라서 A는 위 임차목적물의 소유권이 B에서 C로 이전되는 경우 즉시 이의를 제기하여 기존의 임대차계약을 해지하고 B에게 임차보증금반환을 청구할 수 있습니다.

예제 **의사 A는 B 소유의 상가를 계약기간 2년, 임차보증금 2억 원, 월세 150만 원으로 임차하여 의원을 하다가 생각만큼 영업이 잘 되지 않아 임대계약기간이 만료되는 시점에서 건물주 B에게 계약만료 1개월 전에 계약해지를 통보하고 계약이 끝나고 보증금반환을 청구하였습니다. 하지만 건물주 B는 새로운 임차인이 나타나지 않는다는 이유로 보증금 반환을 지체하고 있습니다. 이 경우 A는 약정된 월세 150만 원을 계속 지급해야 할까요?**

정답 판례에 따르면 임대차계약의 종료로 인한 임차인의 건물점유 반환 및 임대인의 보증금 반환은 동시에 이행하여야 하므로 임대차가 종료된 후에 임차인이 보증금을 반환하지 않는다는 이유로 임차건물을 계속 점유하고 있더라도 이러한 행위를 불법점유라고 할 수 없고 손해배상의무도 없습니다. 하지만 임차인이 임차건물을 계속 점유하면서 그로 인한 이득이 발생한다면 이는 부당이득으로서 반환하여야 한다고 판시하였습니다.

위의 판례를 고려한다면 의사 A가 계약이 만료되었음에도 불구하고 임대인이 임차보증금을 반환하지 않아 어쩔 수 없이 위 점포를 계속 점유하는 동안 지속적으로 영업을 계속한 경우에는 월세에 상당하는 금액을 B에게 지급하여야 하지만 영업을 하지 않고 있다면 임대인에게 월세를 낼 필요는 없을 것으로 생각됩니다.

예제 A는 서울에서 상가주인인 B에게 보증금 9,000만 원, 월세 100만 원으로 상가를 2년 임차하여 의원영업을 하였으나 영업을 시작한 지 6개월이 지나서 갑작스러운 A의 개인적인 사정으로 영업을 못하게 되어 임대인 B에게 알리고 계약해지를 요구하였습니다. 하지만 임대인은 계약기간만료까지 18개월간의 월세를 모두 지불해야 보증금을 반환해주겠다고 하는데 임대인의 요구를 들어주어야 할까요?

정답 이 예제의 경우 임대차계약을 하고 임대기간을 정하면서 특별히 계약서에서 임차인의 해지권을 설정하지 않았고, 임차인의 개인적인 사정으로 계약만료 전에 계약해지를 하고자 하는 경우 임차인이 일방적으로 계약을 해지할 수는 없기 때문에 당초의 계약내용대로 이행을 하거나 남은 월세를 주고 합의하여 해지하여야 할 것이라고 생각합니다.

하지만 만약 이 상가에 18개월 이내에 다른 세입자가 들어와 영업을 시작한다면 임대인에게 자신이 이미 지불한 월세반환을 요청할 수 있을 것입니다. 즉 18개월에 대한 월세를 다 주고 나갔지만, 나가고 나서 2개월 후 다른 세입자가 들어와 같은 장소에서 영업을 시작한다면 임대인에 대하여 미리 지급한 16개월(18-2개월)에 대하여는 부당이득이라고 생각되어 반환을 요청할 수 있다는 뜻입니다.

의사 A는 B의 상가건물을 임차보증금 2억 원에 임대하였는데 의사 A는 자신의 편의를 위하여 임차건물에 공조에어컨으로 설치하면서 1,000만 원의 비용을 지출하였습니다. 이후 건물주 B는 위 상가건물을 새건물주 C에게 팔았습니다. 새건물주 C는 A의 임대차 계약기간이 만료되어 A에게 상가를 비워줄 것을 요구하였는데 의사 A는 새건물주 C에 대하여 공조에어컨을 설치비용을 임차보증금과 함께 받을 수 있을까요?

임차인이 임차물의 객관적 가치를 증가시키기 위하여 투입한 비용을 유익비라고 합니다. 이에 비하여 임차인이 임차물의 보존을 위하여 지출한 비용을 필요비라고 합니다. 위 사례에서 의사 A가 공조에어컨을 설치한 것은 건물의 객관적인 가치를 증가시키기 위하여 투입한 유익비라고 할 수 있습니다. 기존의 건물주인인 B가 새건물주 C와 매매계약을 체결하면서 정한 매매가격에는 의사 A가 유익비를 지출함으로 인하여 증가한 건물의 가치증가분이 포함되어 있다고 볼 수 있기 때문에 이전 건물주인인 B는 의사 A의 유익비지출로 인한 이득을 얻었다고 할 수 있습니다. 판례는 임차인이 부동산 매매계약체결이전에 비용을 들여 임차부분을 수선하여 이로 인하여 부동산의 가치증가가 발생하였다면 이는 부동산매매 시 매매대금에 반영되었다고 할 것이므로 이 유익비는 매도인이 이를 부담하여야 한다고 하였습니다(대법원 1990.2.23 선고 88다카32425판결). 따라서 공조에어컨 설치비용을 새건물주 C가 갚기로 하는 특별한 약정이 없다면 기존의 건물주인인 B는 의사 A에게 공조에어컨 설치비용을 지불하여야 합니다.

하지만 표준계약서에는 유익비를 상환하지 않는다는 조항이 있거나 계약기간이 끝나 건물을 명도할 때 건물을 원상태로 회복하여야 한다는 조항이 있는 경우가 많습니다. 이러한 경우에는 임차인이 건물을 이용하면서 들였던 유익비를 건물주에게 청구를 하지 못할 수도 있습니다. 만약 부득이 이런 경우가 발생하면 변호사나 부동산업자와 상의하는 것이 좋을 것으로 생각됩니다. 만약 이런 유익비를 청구할 가능성이 있다면 임대인과 합의하에 계약서의 위의 내용에 두줄 긋고 관련된 내용을 손글씨로 써넣으면 됩니다(이런 것을 특약이라고 하며 특약은 일반적인 표준계약서에 우선하게 됩니다).

의료광고

최근 의료기관 사이의 경쟁이 치열해지면서 의료광고에 대한 욕구가 급증하고 있습니다. 광고는 기업이 고객을 대상으로 회사의 제품을 알리고 고객들에게 제품을 구매할 수 있도록 유도하는 중요한 마케팅 수단입니다. 하지만 의료광고의 경우 다른 분야와 달리 매우 규제가 엄격하여 만약 이를 위반하였을 경우 형사처벌과 함께 업무정지나 자격정지와 같은 행정처분이나 과징금 등을 많은 손해를 입을 수 있기 때문에 매우 주의해야 합니다.

여기서는 의원이나 병원에서 광고나 홍보를 할 때 알아 두어야 할 점에 대하여 이야기해 보도록 하겠습니다.

① 의료광고의 특성

앞서 이야기한 바와 같이 의료광고는 다른 제품이나 서비스 광고와 달리 매우 제약이 심합니다. 이렇게 의료광고에 많은 제한을 둔 이유는 첫째, 의료는 사람의 생명과 신체를 다루기 때문에 무제한의 경쟁을 허용한다면 국민의 건강에 심각한 위험을 초래할 수 있습니다. 둘째, 한번 잘못된 의료행위는 되돌릴 수 없기 때문에 다른 상품과 서비스와 동일한 기준으로 규제할 수 없다는 인식도 있습니다. 셋째, 의료서비스에서 제공하는 의학지식은 전문성과 어려운 용어 등 의료자체가 가지는 특수성으로 인하여 광고의 정보제공이 정확한지 아닌지 의료소비자가 분간하기 어렵고, 과장된 의료광고로 인하여 선택을 왜곡시킬 가능성이 크기 때문입니다. 마지막으로 많은 의료소비자들은 의료지식의 상당부분을 상업적인 의료광고에서 얻기 때문에 정확한 지식전달이 중요하기 때문입니다.

의료광고에 안 되는 내용

현재 의료법에서 의료광고란 의료기관 또는 의료인이 신문, 잡지, 음성, 음향, 영상, 인터넷, 인쇄물, 간판, 그 밖의 방법으로 의료행위나 의료기관 및 의료인 등에 대한 정보를 소비자에게 나타내거나 알리는 행위로 정의하고 있습니다.

현재 의료법에서는 의료광고에 포함하면 안되는 내용을 언급하고 있으며 그 외의 광고만을 허용하고 있습니다. 각각의 내용을 살펴보면 다음과 같습니다.

첫째, 신의료기술평가를 받지 않은 신의료기술에 대한 광고를 금지하고 있습니다.[52] 예를 들어 2013년 'IMS(근육 내 자극치료)는 1회용 바늘을 의료기기에 연결해 급만성 통증환자의 손상된 근육을 자극하면 치료에 더 효과적'이라는 광고한 병의원이 있었는데 당시 IMS는 신의료기술평가에서 보류된 상태였기 때문에 의료광고위반으로 시정조치 및 형사고발조치를 받았습니다.[53]

둘째, 소비자가 치료효과를 오인하게 할 우려가 있는 내용의 광고도 금지됩니다. 현재 대한의사협회 사전자율심의기준에 따르면 소비자가 치료효과를 오인하게 할 우려가 있는 광고로는 환자의 치료경험담이나 의료인의 환자치료사례, 의료인과 환자간 문답을 통하여 환자가 자신의 외모나 건강상태를 비하하거나 의료인이 세밀한 답변을 하는 것, 수술 전후 사진을 개제하는 것 등이 포함됩니다.

하지만 환자가 전반적인 의료기관 이용만족도나 의료인 친절도 등 단순히 의료기관의 방문경험을 후기로 작성하는 것은 문제가 되지 않습니다. 하지만 특정의료기관에 대한 진료에 대한 구체적인 경험이나 수술 예후 등을 게시하는 경우 법에서 금지하는 의료광고로 인정될 가능성이 높습니다(헌법재판소 2013.11.28. 선고 2011헌마652 전원재판부 결정). 이와 함께 이전에는 인터넷 홈페이지에 환자의 수술 전과 후 사진을 게시하는 경우가 많았습니다.[54] 하지만 2019년 개정된 의사협회심의기준에 따르면 환자의 수술 전후 사진게재는 치료경험담으로 간주하여 허용되지 않습니다. 다만 아무런 설명없이 내원환자의 시술 전 혹은 수술 후의 사진을 단독으로 사용하는 경우에는 단순모델 이미지로 간주하여 허용되지만 사진을 설명하면서 중년남성, 20대 중년여성 등의 표현은 환자경험담으로 비춰질 오인의 소지가 있으므로 허용되지 않습니다.

셋째, 거짓된 내용을 표시한 광고(거짓광고)도 금지됩니다. 여기서 거짓광고란 객관적인 사실과 다른 내용을 광고하는 것으로 예를 들어 '세계 최초', '최저가', '1시간 만에 완치', '완벽해결', '0% 혹은 100%'의 의미가 포함된 단어를 사용하거나 치료기간을 단정적으로 명시하는 경우 거짓광고로 인정될 가능성이 높습니다. 2016년 대법원은 의사 A가 거짓된 내용이 담긴 명패를 자신의 블로그에 게시한 사건에 대하여 거짓광고에 해당한다고 판시한바 있습니다.[55] 다만 실제로 부작용이 거의 없다고 밝혀진 시술이나 수술을 '부작용이 거의 없다'로 광고한 경우 관련 논문 등 의학전문자료에 근거해 시술이나 수술의 특징이나 장점을 설명하였다면 과장광고로 보기 어렵다는 판례가 있지만 의료행위의 특수성을 고려한다면 가급적 이러한 표현은 사용하지 않는 것이 좋습니다.

넷째, 다른 의료인 등의 기능 또는 진료방법과 비교하거나 비방하는 광고(비교광고, 비방광고)도 금지됩니다. 비교광고란 의료인의 진료나 수술방법을 다른 의료인과 비교해 우수하거나 효과가 있다는 내용으로 광고하는 것으로 예를 들어 다른 의료기관과 자신병의원의 비급여진료비를 비교하거나, '◌◌수술 아무 데서나 받지 마세요, 안전하고 효과적인 결과만을 약속하는 ◌◌병원이 도와드리겠습니다', '아직도 많은 병원에서 발치교정을 선호합니다. 발치를 하면 치아를 움직일 수 있는 공간을 쉽게 만들 수 있기 때문입니다. ◌◌의원에서는 환자의 만족도를 위하여 최대한 비발치교정으로 진행하려고 노력합니다', '보통 치과에서는 잇몸뼈가 부족하면 원데이 임플란트를 할 수 없다는 말을 합니다. 하지만 ◌◌치과는 다릅니다'와 같은 광고는 다른 의료인과 비교하거나 비방하는 광고로 인정된 바 있습니다.56)

다섯째, 수술장면 등 직접적인 시술행위를 노출하는 광고도 금지됩니다. 여기서 '시술행위 노출'이란 '의료인이 환자를 수술하는 장면이나 환자의 환부 등을 촬영한 동영상이나 사진으로 일반인에게 혐오감을 일으키는 것을 개제하여 광고하는 것'을 말합니다. 대한의사협회 자율심의기준에 따르면 '일반인에게 혐오감을 줄 수 있는 신체부위나 환부사진은 심의위원회에서 검토하여 허용여부를 결정한다'고 규정하고 있지만 실제 시술장면에 대한 사진이나 동영상은 환자 현혹우려가 있고 직접적인 시술행위노출에 해당하여 허용하지 않고 있습니다. 판례에서는 이러한 '혐오감'은 특정인이나 집단의 주관적인 입장이 아닌 일반적으로 사회 평균적인 사람들을 기준으로 사회통념에 따라 객관적이고 규범적으로 판단해야 한다고 판시한 바 있습니다.

여섯째, 의료인 등의 기능이나 진료방법과 관련된 부작용이나 중요한 정보를 누락하는 광고(기만적의료행위)도 금지됩니다. 예를 들어 의료행위나 수술방법에 대하여 부작용을 기술하지 않고 장점만을 나열하거나 본문보다 부작용정보를 작게 표기하는 것은 기만적 의료행위가 될 수 있습니다.

일곱째, 객관적인 사실을 과장하는 내용의 광고(과장광고)도 금지됩니다. 대한의사협회의 심의기준에 따르면 공인되지 않은 치료법, 시술명, 처방명 등은 모두 금지하고 있습니다. 따라서 광고의 내용이 객관적 사실이나 근거가 없거나, 실제보다 지나치게 부풀려져 있거나, 현대의학상 안전성 및 유효성이 과학적으로 검증되지 않은 내용을 기재한 경우 허위 또는 과장광고라고 할 수 있습니다. 예를 들어 A는 내과 전문의 겸 한의사이고 B는 같은 건물의 다른 층에서 별도로 한의원을 운영하고 있는 한의사인데 A와 B가 각자 '양한방 협진검사, 양한방 종합검진' 등의 문구를 기재한 광고전단지를 배포한 사건에서 대법원은 A와 B는 각자 건물의 다른 층을 사용하여 독립된 의료기관을 운영하고 있고, 의료장비도 각각 구입해 비치하여 개별적인 검사와 진료를 할 수 있을 뿐임에도 불구하고 사례의 광고는 한의원과 내과의사가 긴밀하고 유기적인 협조 하에 한방과 양방의 종합검사와 진료를 받을 수 있을 것으로 오인하게 할 염려가 있는 과장광고로 판단하였습니다. 다른 예를 보면 ○○정형외과 의원을 개원해 배포한 광고전단지의 하단에 '○○정형외과, 신경외과 병원 원장전문의 A'로 기재한 사건에서 대법원은 의료법상 병원이 아닌 의원임에도 병원으로 기재하고, 전문과목인 정형외과와 진료과목인 신경외과를 따로 표시하지 않아 마치 A가 정형외과와 신경외과 전문의인 것처럼 혼동을 일으킬 수 있어 허위 과장광고라고 판결하였습니다.

여덟째, 법적인 근거가 없는 자격이나 명칭을 표방하는 내용의 광고도 금지됩니다. 예를 들어 전문의 자격이 없음에도 전문의 자격을 표방해 광고하거나 전문과목을 다르게 게시하는 경우 혹은 '유방전문의'와 같이 법적인 근거가 없는 명칭을 표방하는 경우, 법적인 근거없이 '○○박사' 등의 문구를 사용하는 것이 이에 해당합니다. 또한 의료인의 6개월 이하의 임상경력을 광고하는 것도 금지되어 있습니다. 예를 들어 하바드대학병원에 3개월 연수를 갔다 온 경력을 광고하거나 기재하는 것은 금지됩니다.

아홉째, 신문, 방송, 잡지 등을 이용하여 기사 또는 전문가의 의견형태로 표현되는 광도도 금지됩니다. 신문이나 잡지, 방송에서 특정의료기관이나 의료인의 연락처, 약도 등의 정보를 보여주는 것이 이에 해당합니다. 보건복지부는 특정 의료기관이나 의료인의 연락처나 약도정보 등이 없더라도 기사에 광고성 내용이 포함되어 있다면 의료법 위반행위에 해당될 수 있다고 유권해석을 내린 바 있습니다.

열 번째, 급여항목은 물론 이전에는 허용되던 비급여항목에 대한 할인하거나 면제하는 내용의 광고도 2018년부터 금지되고 있습니다. 현재 대한의사협회의 사전자율심의기준에 따르면 '연예인대상', '수험생대상', '군인대상' 등 특정환자를 대상으로 하는 진료광고나 '직간접적으로 이벤트, 경품제공을 암시하는 광고', '과도한 할인 등 환자유인의 소지가 있는 문구를 표기한 광고' 등은 금지하고 있습니다. 이와 함께 '합리적 비용', '비용문의', '가격문의', '무료제공' 등의 문구도 허용하고 있지 않습니다. 하지만 의료인이나 의료기관이 스스로 자신에게 환자에게 가격을 설명하는 행위는 금품제공이나 의료시장의 질서를 근본적으로 해하는 등의 특별한 사정이 없는 한 환자유인이라고 할 수 없고, 그 행위가 의료인이 아닌 직원을 통해 이루어졌다고 하더라도 환자의 소개나 알선, 사주에 해당하지 않는다고 판시하였습니다.[57] 즉 광고는 할 수 없으나 의사나 그 직원이 직접 환자에게 비급여항목에 한하여 가격할인이나 면제되는 사항을 설명하는 것은 특별한 문제가 되지 않는 한 허용한다는 것입니다.

열한 번째, 정부나 공공기관의 인증을 받지 않은 협회나 단체로부터의 각종 상장이나 감사장 등을 이용하는 광고 혹은 인증/보증/추천을 받았다는 내용의 광고는 금지됩니다. 다만 의료기관 인증을 표시하거나 정부나 공공기관으로부터 받은 인증이나 보증을 이용한 광고는 허용됩니다. 예를 들어 언론사주관으로 의료기관의 수상이력을 나타내는 게시물은 법에서 금지하고 있는 각종 상장 등에 이용하는 광고에 해당됩니다. 또한 공공기관의 후원을 받은 단체의 상장이라도 광고는 허용되지 않습니다.[58] 하지만 지방자치단체나 국가에서 직접받은 상장은 광고가 허용됩니다.

기타적으로 의료인이나 의료기관이 아니면 의료광고를 하지 못하게 되어 있습니다. 예를 들어 의료인이 아닌 ○○주식회사의 대표이사가 의료인과 의료광고 및 경영지원 컨설팅계약을 체결하고 그 직원이 인터넷에 접속하여 병의원의 성형수술 및 시술후기에 관한 글이나 수술 전후 사진을 게시한 사건에서 법원은 의료인이 아닌 자의 의료광고로 인정한 바 있습니다. 또한 의료인이 아닌 사람이 문신시술을 마친 손님의 사진이나 문신을 시술하고 있는 사진과 함께 주소와 연락처를 게재한 사건을 의료법위반으로 처벌한 사례가 있습니다. 이와 함께 보건복지부는 카페나 블로그를 통해 소비자에게 자연스럽게 정보를 제공해 기업의 인지도와 신뢰도를 높이는 바이럴마케팅의 경우에도 의료인이 아닌 자가 영리를 목적으로 환자 유인알선행위를 한 것으로 보고 금지시켰습니다.

참고1) 의료기관의 명칭표시: 간판 및 진료과목

간판이란 기관이나 영업소 등의 이름이나 판매상품, 업종 등을 써서 사람들이 쉽게 볼 수 있도록 세우거나 걸거나 붙여 놓은 표지를 말합니다. 다른 업종과 달리 의료기관의 경우 간판내용에 대한 규정이 매우 까다롭습니다. 만약 이를 위반하는 경우 벌금 300만 원과 함께 시정명령을 받게 됩니다.

의원급 의료기관의 간판에는 고유명칭, 종류명칭(의원, 한의원, 치과의원), 전화번호, 의료인의 면허종류와 이름, 전문의인 경우 전문자격 및 전문과목만을 쓸 수 있습니다. 의료기관의 고유명칭은 종류명칭 앞에 적어야 하며 고유명칭과 종류명칭의 크기는 동일하여야 합니다. 그리고 고유명칭과 종류명칭은 반드시 들어가야 합니다. 의료기관의 개설자가 일반의인 경우 전문의를 고용하여 진료를 보고 있더라도 명칭표지판에 전문과목을 표시할 수 없습니다.

[올바른 예]

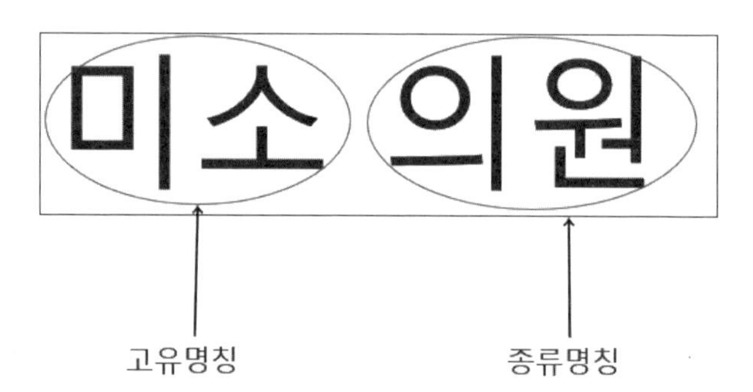

[틀린 예]

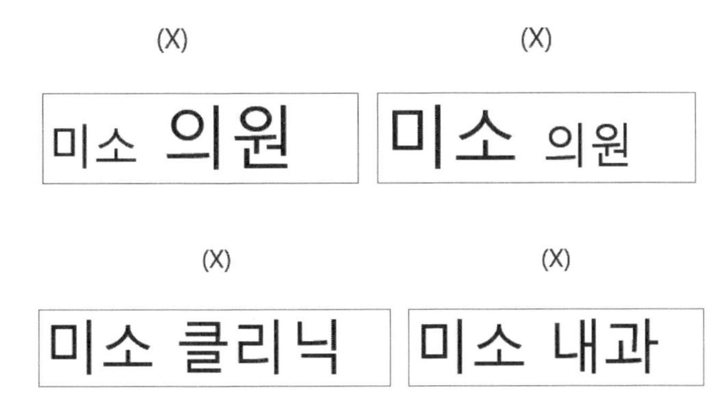

의료기관의 고유명칭이 의료기관 종류명칭과 혼동할 우려가 있거나 특정진료과목 또는 질환명과 비슷한 명칭은 의료기관 고유명칭으로 쓸 수 없습니다. 예를 들어 '대학병원 의원'의 경우 의료기관 명칭이 의료기관 이름이 되어 사용할 수 없습니다. 또한 '아토피 의원', '류마티스 의원'과 같이 특정진료과목이나 세부질환을 표시하는 것도 금지되어 있습니다. 마지막으로 '신의학', '신의료기술', '통합의학', '대체의학' 등의 용어를 사용하는 것도 금지되고 있습니다.

만약 의료기관 개설자가 전문의인 경우 병원간판에 고유명칭과 의료기관 종류명칭 사이에 전문과목을 삽입해 표기할 수 있지만, 전문의자격이 없거나 전문의자격과 간판에 적고자 하는 전문과목이 다른 경우에는 '진료과목'이라는 글자와 함께 진료과목의 명칭을 표시하여야 합니다. 이때 진료과목을 표시하는 글자크기를 의료기관 명칭을 표시하는 글자의 크기를 1/2 이하로 표기해야 합니다. 간판에 표기할 수 있는 진료과목은 해당기관의 시설이나 장비 및 의료인 등을 고려해 실제 진료가 가능한 항목만을 표시하여야 합니다.

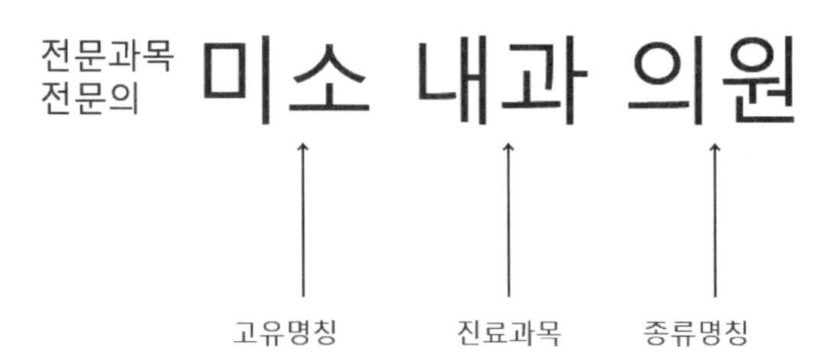
전문과목
전문의
미소 내과 의원
고유명칭
진료과목
종류명칭

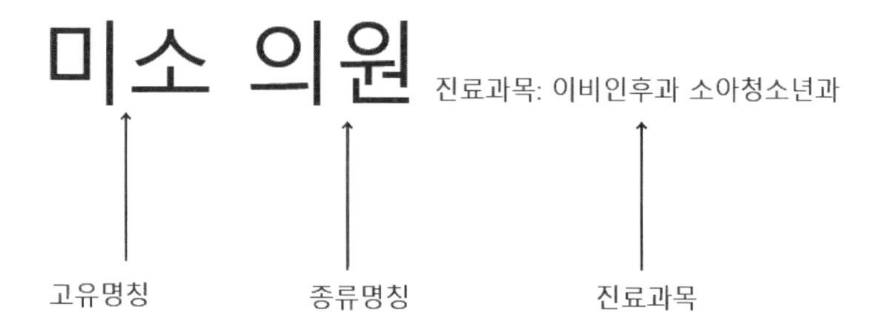
미소 의원
진료과목: 이비인후과 소아청소년과
고유명칭
종류명칭
진료과목

참고2) 개원행사 및 인터넷 홈페이지에 대한 법률문제

의원급 의료기관이 개원행사를 할 때 개원안내장을 보내는 경우가 많은데 이러한 개원안내장을 불특정한 다수인에게 보내는 것은 의료광고에 해당하기 때문에 의료광고규정을 적용받습니다. 따라서 개원안내장을 비특정다수에 보내는 것은 하지 않는 것이 좋으며 일부 특정한 사람들에게만 발송하는 경우라도 만일에 대비하여 발송처나 명단을 보관하는 것이 바람직합니다. 특히 개원선물로 무료시술권이나 진료비 할인권 등을 제공하는 것은 환자유인에 해당될 가능성이 높기 때문에 하지 않는 것이 좋습니다.

인터넷 홈페이지의 경우 광고로 볼 수 있으므로 법령에 따라 홈페이지를 제작하여야 합니다. 전문업체에 의뢰하여 홈페이지를 제작하는 경우 만약 관리업체의 잘못으로 인하여 의료법위반이 발생하는 경우를 대비하여 미리 계약서에 작성하여 사후 책임을 어떻게 나눌지를 정하는 것이 좋습니다.

참고3) 의료광고심의제도

2015년 이전에 의료광고를 하기 위해서는 미리 광고의 내용과 방법 등에 관하여 보건복지부장관의 사전심의를 받아야 하였습니다. 이에 따라 보건복지부의 위탁을 받은 의사협회의 광고심의위원회가 의료광고에 대한 사전심의를 시행하였습니다. 하지만 2015년 12월 23일 헌법재판소는 사전심의를 받지 아니한 의료광고를 금지하고 이를 처벌하는 의료법조항이 사전검열에 해당하여 헌법에 위배된다고 한 판결하였습니다.[59] 하지만 2018년 국회는 위헌판결된 내용을 개정하였습니다. 이 법에 따르면 신문이나 잡지, 전광판, 인터넷매체에 의료광고를 하려면 이전과 같이 의사협회 의료광고심의위원회에서 심의를 받아야 하지만 예외적으로 의료광고의 내용이 의료기관의 명칭, 소재지, 전화번호, 진료과목, 의료인의 성명, 성별, 면허종류, 의료기관 개설자 및 개설연도, 인터넷 홈페이지 주소, 진료일 및 진료시간, 전문병원 지정여부, 의료기관 인증여부만이 적시된 경우에 한하여 심의를 받을 필요가 없습니다. 또한 온라인 광고의 경우 전년도 말 기준 직전 3개월간 일일 평균이용자 수가 10만 명 이상인자가 운영하는 인터넷에 광고하는 경우에만 심의가 필요하고 10만 명 이하인 경우 의료광고에 심의가 필요없습니다.[60] 하지만 의료기기나 의약품에 대한 광고 및 건강강좌 개최, 예방접종, 손 씻기 등의 공익적 광고, 의료기관 개설 및 이전 등은 의료광고에 해당되지 않습니다.

보건의료관련 행정처분

의사가 되기 위해서는 국가승인을 받은 의과대학을 졸업하고 면허시험을 합격하여야 합니다. 의사면허를 받은 사람만이 합법적으로 환자를 진료하고 약물을 처방하거나 수술 혹은 시술을 할 수 있는 독점권을 인정받습니다.

이렇게 의사에게 의료분야 독점권을 인정해주는 것은 헌법상 국민의 직업선택의 자유를 제한한다고 볼 수도 있습니다. 이와 같은 면허제도는 일종의 법률상의 특권이기 때문에 의사에게는 일반인보다 높은 도덕성을 요구하고, 위법한 행동을 한 경우에 더욱 엄중하게 처벌하는 등 많은 책임을 지우고 있습니다. 예를 들어 의료관련 법규를 위반한 의사의 경우 법원판결에 의한 형사처벌과 함께 행정기관에서 의사면허를 일정기간 정지시키거나 취소하는 처벌을 받습니다. 이와 함께 해당 의사가 일하고 있는 의료기관의 영업도 중단되거나 취소될 수 있습니다. 이렇게 한가지 불법적인 행위에 대하여 형사처벌도 받고 행정처분도 받기 때문에 이중처벌이 아닌가 하는 의문을 가진 의사들이 많습니다. 하지만 형사처벌과 행정처분은 존재이유와 대상이 다르고 그 불이익의 성질도 다르기 때문에 이중처벌로 간주되지 않습니다.

하지만 많은 의사들이 의사로서 그리고 의원을 운영하는데 있어서 행정처분이 무엇인지 잘 알고 있지 못한 경우가 많습니다. 그리고 이로 인하여 불이익을 받는 경우를 많이 볼 수 있습니다. 여기에서는 행정처분이 무엇인지와 함께 의사로서 그리고 의원을 운영하면서 흔히 마주칠 수 있는 여러 행청처분에 대하여 알아보도록 하겠습니다.

행정처분이란

행정처분이란 보건복지부나 국민건강보험과 같은 행정기관이 구체적 사실에 관하여 공권력을 행사하거나 그 밖의 행정작용을 말합니다. 대표적인 행정처분으로 시정명령, 개설허가취소, 업무정지, 면허취소, 자격정지 등이 있습니다. 이 중에서 시정명령, 개설허가취소, 업무정지는 의료기관에 대하여 내려지기 때문에 대물적 처분이라고 합니다. 이에 비하여 면허취소와 자격정지는 의사에 대한 처분이기 때문에 대인적 처분이라고 합니다. 일반적인 행정처분은 대인적 혹은 대물적 처분 중에서 한 가지만 내려지지만 무면허 의료행위와 진료비 거짓청구는 대물적 및 대인적 처분을 함께 받게 됩니다. 예를 들어 무자격자에게 의료행위를 하게 하거나 면허를 받은 사항이외의 의료행위를 한 경우 의사에게는 자격정지 3개월, 의료기관은 업무정지 3개월을 받게 됩니다.

일반적인 행정처분 절차는 다음과 같습니다. 우선 환자나 관계자가 보건소나 보건복지부에 민원이나 진정서를 제출하거나 경찰에 신고를 하여 경찰 또는 검찰에서 법위반사실을 확인하면 보건소에 해당 의료기관의 관련내용을 통보합니다. 법위반사실을 확인한 행정기관은 위반내용에 대하여 구체적인 확인과 법적 검토를 거친 후에 처분에 앞서 당사자에게 사전통지를 합니다. 사전통지에는 처분제목, 당사자 성명 또는 의료기관 명칭과 주소, 처분원인이 되는 사실과 처분내용의 법적근거, 처분에 대한 의견제출기관의 명칭과 주소, 의견제출기간 등이 명시되어 있습니다. 이러한 사전통지를 하는 이유는 당사자가 행정기관 처분에 대한 의견을 제출할 기회를 주기 위함입니다. 만약 당사자가 이의신청을 하면 청문절차를 통해 이러한 이의신청이 적절한지 판단하여 합리적이지 않다면 기각하고 최종적으로 행정처분을 실시하게 됩니다. 만약 처분당사자가 행정처분에 불복하는 경우 행정심판이나 행정소송을 청구할 수 있습니다(그림 5-1, 표 5-5).

행정처분으로 자격정지가 된 경우 그 순간부터 진료나 의료행위를 하지 못하게 됩니다. 하지만 행정소송을 제기함과 동시에 자격정지처분에 대한 집행정지신청을 한 후 '판결 선고시까지 집행을 정지한다'는 결정을 받을 경우 진료나 의료행위를 다시 시행할 수 있습니다. 하지만 1심에서 패소하면 판결선고 다음날부터 의사면허 정지처분의 효력이 되살아나기 때문에 진료나 의료행위를 하지 못하게 됩니다. 만약 패소판결 후에 진료나 의료행위를 하는 경우 '자격정지 중에 진료를 본 경우'에 해당하여 면허취소의 행정처분을 추가적으로 받을 수 있습니다. 따라서 1심의 판결에 불복하여 항소하는 경우 항소심과 함께 자격정지처분에 대하여 다시 집행정지신청을 하여 정지결정을 받은 후 진료를 시작하여야 합니다.[61)]

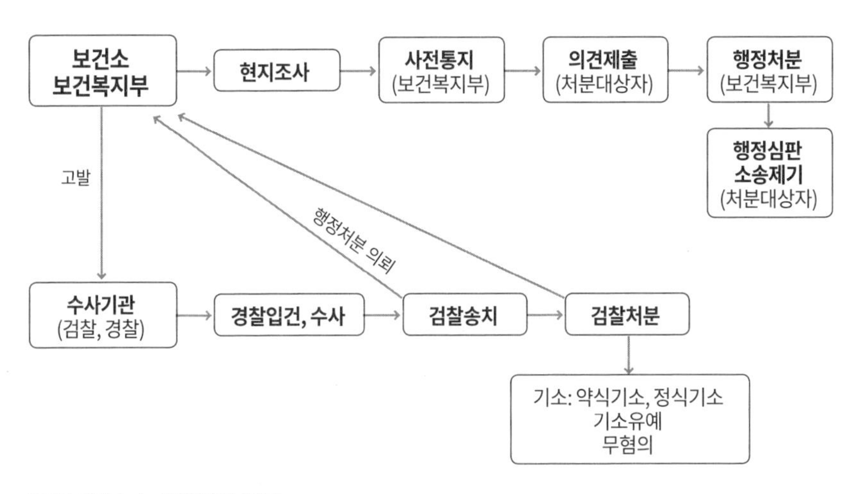

그림 5-1. 행정처분 도표

표 5-5. 행정 및 형사 처분

대물처분	
부당이익금환수, 업무정지, 과징금	업무 정지 부당한 방법으로 요양급여비용을 환자나 공단에 부담시킨 때에는 1년 범위 내에서 월평균부당금액, 부당비율에 의하여 산출 과징금 복지부에서 정한 과징금적용지침에 의거 업무정지에 갈음한 과징금 처분 업무정지일수 10일일 경우 부당금액 2배, 10일 초과 30일 이하일 경우 부당금액 3배
허위청구기관 명단발표	공표대상: 허위청구금액 1,500만 원 이상 또는 허위청구비율 20% 이상 공표내용: 위반행위, 처분내용, 기관명칭, 주소, 대표자성명
대인처분	
면허자격정지	
형사고발	
허위청구에 의한 사기죄(형법)	10년 이하 징역 또는 2천만 원 이하 벌금
업무정지기간 진료행위	1년 이하 징역 또는 1천만 원 이하 벌금
서류제출하지 않거나 허위보고, 제출 및 수사를 방해, 기피하는 행위	1천만 원 이하 벌금

면허자격정지나 업무정지 이상의 처분을 한 행정청은 그 처분내역을 보건복지부 장관, 시도지사, 건강보험심사평가원 및 국민건강보험공단에 통보합니다. 이렇게 행정처분내역을 통보하는 이유는 면허정지기간이나 업무정지기간동안 건강보험 요양급여가 발생하지 않도록 하기 위함으로 행정처분을 받았음에도 진료나 의료행위를 하고 요양급여를 청구하는 경우 부당청구사례로 인정됩니다.

의료법상 의사에 대한 행정처분

의사가 의료법규정을 위반하는 경우 보건복지부장관은 해당 의사에게 시정명령, 의사면허자격정지, 의료기관업무정지, 기타 과징금 부과처분을 내릴 수 있습니다.

> **의료인에 대한 자격정지**
>
> 보건복지부장관은 의사가 의료법을 위반한 경우 1년의 범위에서 면허정지 처분을 내리게 됩니다. 자격정지 처분이유 및 그 처분정도는 표 5-9를 참조하시기 바랍니다. 주의할 것은 법에서 정한 행정처분기간은 최대기간이기 때문에 행정기관에서 그 위반정도가 약하다고 평가된다면 이보다 적게 나올 수 있습니다.[62]

위의 여러 조항 중에서 중요한 항목에 대하여 상세히 이야기해 보도록 하겠습니다.

진료비 거짓청구 및 부당청구

진료비 거짓청구란 진료행위가 실제 존재하지 않는데도 관련서류를 위조 혹은 변조하는 등 부정한 방법으로 진료행위가 존재하는 것처럼 가장해 진료비를 청구하는 것을 말합니다. 가장 대표적으로 환자가 실제로 병원에 내원하지 않았음에도 내원한 것처럼 진료기록부에 기록하고 진료비를 청구하거나(**미진료청구**), 입원중인 환자에게 실제로 실시하지 않은 여러 행위료, 약제비, 식대비를 청구하거나, 비급여치료를 시행하고 건강보험에 요양급여를 청구하는 것 등이 있습니다.

표 5-6. 자격정지 처분 및 해당기간

자격정지	해당기간
진료비 거짓청구 혹은 부당청구	액수에 따라 결정
진료거부	자격정지 1개월
응급의료종사자가 업무 중 응급의료를 행하지 않거나 요청을 정당한 사유없이 기피한 경우	1차 자격정지 2개월, 2차 3개월, 3차 면허취소
진단서, 검안서, 증명서 허위작성 및 교부	자격정지 3개월
진찰하지 아니하고 진단서, 검안서, 증명서, 처방전 교부	자격정지 2개월
의료에서 알게 된 타인의 비밀누설	자격정지 2개월
진료기록부 허위작성, 미보존	자격정지 1개월
진료기록부 미기재	자격정지 15일
영리를 목적으로 한 환자유인행위	자격정지 2개월
학문적으로 인정되지 아니한 진료행위	자격정지 1개월
비도덕적 진료행위	
진료 중 성범죄를 범한 경우	자격정지 12개월
처방전 없이 마약 또는 향정신성 의약품을 투약한 경우	자격정지 3개월
허가나 신고를 받지 않은 의약품을 사용하거나 유효기간이 지난 의약품을 사용한 경우	자격정지 3개월
낙태한 경우	자격정지 1개월
그 밖의 비도덕적 진료행위	자격정지 1개월
불필요한 검사, 투약, 수술 등 과잉진료	경고
진료비 과다요구	자격정지 1개월, 3개월
직무관련 부당한 금품수수	자격정지 2개월
의료기관 개설자가 될 수 없는 자에게 고용	자격정지 3개월
일회용 주사 재사용금지 재사용으로 사람의 생명이나 신체에 중대한 위해발생 시	자격정지 6개월 면허취소
수술에 참여하는 의사를 변경하면서 환자에게 그 내용을 알리지 않은 경우	자격정지 6개월
무자격자 혹은 면허 이외의 의료행위	자격정지 3개월
의료기관을 개설하지 아니하고 의료업을 하는 경우	자격정지 3개월

이렇게 보면 쉽게 구분되어 보이지만 실제로 구분이 어려워 처벌을 받는 경우가 많습니다. 예를 들어 미진료청구로 적발된 사례를 보면 환자에게 흡입증기치료나 물리치료 처방을 하였으나 환자가 받지 않고 갔음에도 이를 청구하거나, 검사결과를 전화로 상담하고 진료비를 청구하는 것 등이 있습니다. 보험료 이중청구로 적발된 사례를 보면 독감예방접종을 하고 부작용인 미열을 치료하기 위하여 타이레놀을 보험으로 처방하고 이에 대한 진료비를 건강보험에 청구하거나, 비보험으로 비만치료를 하고 함께 위산제거제와 수면제 등의 의약품을 급여로 처방하고 그 금액을 요양급여로 청구하거나[63], 비보험으로 영양제를 투여하면서 진찰료를 건강보험에 청구하는 것 등이 있습니다.[64]

진료비 부당청구란 거짓청구와 달리 진료행위는 실제 존재하지만 요양급여기준이나 진료수가 등이 건강보험기준을 위반하는 등 부당한 방법으로 진료비를 청구한 경우를 말합니다. 예를 들어 요양기관이 의료보험의 요양급여기준과 절차를 위반하거나 초과하여 환자로부터 요양급여비용을 받거나, 요양급여에 해당됨에도 불구하고 수진자본인과 비급여로 하기로 상호합의한 후에 진료비용을 수진자에게 지급을 받은 경우(임의비급여)도 이에 해당합니다.[65] 다만 예외적으로 이러한 임의비급여행위가 의학적 안전성/유효성/필요성을 갖추었고, 환자에게 미리 임의비급여 내용과 비용을 충분히 설명하였고 동의를 받았다면 그 예외를 인정받을 수 있습니다. 하지만 이러한 내용을 해당 요양기관이 증명하여야 합니다.[66]

만약 진료비 거짓청구로 인정되면 해당 의사는 자격정지처분을, 해당 의료기관은 업무정지처벌을 받고 동시에 형법상 사기죄로 기소되는 등 3중 처벌과 함께 건강보험공단은 해당 의료기관에 대하여 거짓처분으로 인한 부당이득환수처분을 내리게 됩니다. 이러한 거짓청구가 일정액을 넘어서는 경우 위반사실을 외부에 공포하는 처벌을 추가로 받을 수 있습니다(표 5-7).

표 5-7. 거짓, 부당청구에 대한 조치

구분	내용
행정처분	요양기관 업무정지: 1년범위 내
	과징금: 업무정지 처분에 갈음하여 허위, 부당금액의 5배 이하 과징금부과
	면허자격정지: 1-10월의 범위 안에서 면허자격정지
	개설허가 취소 또는 폐쇄: 의료기관 개설자가 허위로 진료비를 청구하여 금고이상의 형을 선고받을 때
명단공표	허위청구기관의 명칭, 주소 및 대표자 성명 등 홈페이지에 공개 기준: 허위청구금액 1,500만 원 또는 허위청구비율 20% 이상
형사고발	사기죄 고발 기준: 허위청구금액 750만 원 또는 허위청구비율 10% 이상

만약 진료비 거짓청구가 확인된 경우 월평균 거짓청구금액과 거짓청구비율에 의하여 행정처분의 정도가 결정됩니다(표 5-8, 표 5-9). 만약 진료비 거짓청구가 확인되더라도 청구금액과 그 비율이 처분기준에 미치지 못하는 경우 거짓청구에 수반되는 행위인 진료기록부 허위작성으로 행정기관으로부터 자격정지 1개월 처분을 받게 됩니다. 부당청구의 경우도 업무정지기간은 월평균 허위청구금액과 허위청구비율에 의하여 결정이 됩니다(표 5-10).

그렇다면 의료비청구과정에서 실수로 거짓청구나 부당청구를 하는 것은 어떨까요? 행정처분의 대상이 되는 위법행위는 고의에 한정하지 않고 과실에 의한 위법행위도 대상이 됩니다. 특히 국민건강보험법에서도 고의나 과실을 구분하는 규정이나 과실일 경우 처분을 감경하는 규정이 없습니다. 대법원도 행정처분의 경우 고의나 과실을 평가하지 않습니다. 따라서 청구과정에서 실수로 거짓청구나

■ 표 5-8. 진료비 거짓청구 의료기관 행정처분기준

월평균 부담금액	거짓청구비율					
의료기관	0.5-1% 미만	1-2% 미만	2-3% 미만	3-4% 미만	4-5% 미만	5% 이상
12만 원 미만	-	-	1개월	2개월	3개월	4개월
12-20만 원 미만	-	1개월	2개월	3개월	4개월	5개월
20-40만 원 미만	1개월	2개월	3개월	4개월	5개월	6개월
40-160만 원 미만	2개월	3개월	4개월	5개월	6개월	7개월
160-700만 원 미만	3개월	4개월	5개월	6개월	7개월	8개월
700-2,500만 원 미만	4개월	5개월	6개월	7개월	8개월	9개월
2,500만 원 이상	5개월	6개월	7개월	8개월	9개월	10개월

■ 표 5-9. 총 거짓청구금액은 확정되었으나 진료급여비용총액(진료급여비용총액은 건강보험심사평가원이나 의료보장기관에 통보한 진료급여비용을 모두 합산한 금액)을 산출할 수 없을 경우 처분기준

총 거짓청구금액	행정처분기준
30만 원 미만	자격정지 1개월
30만 원 이상-100만 원 미만	자격정지 2개월
100만 원 이상-200만 원 미만	자격정지 3개월
200만 원 이상-350만 원 미만	자격정지 4개월
350만 원 이상-550만 원 미만	자격정지 5개월
550만 원 이상-800만 원 미만	자격정지 6개월
800만 원 이상-1,200만 원 미만	자격정지 7개월
1,200만 원 이상-1,700만 원 미만	자격정지 8개월
1,700만 원 이상-2,500만 원 미만	자격정지 9개월
2,500만 원 이상	자격정지 10개월

표 5-10. 진료비 부당청구 업무정지기준(개정 2018.9.28)

월평균 부담금액	부담비율				
의료기관/약국	0.5-1% 미만	1-2% 미만	2-3% 미만	3-4% 미만	4-5% 미만
20만 원-25만 원 미만	-	-	10일	20일	30일
25만 원-40만 원 미만	-	10일	20일	30일	40일
40만 원-80만 원 미만	10일	20일	30일	40일	50일
80만 원-160만 원 미만	15일	25일	35일	45일	55일
160만 원-320만 원 미만	20일	30일	40일	50일	60일
320만 원-640만 원 미만	25일	35일	45일	55일	65일
640만 원 이상-1,000만 원 미만	30일	40일	50일	60일	70일
1,000만 원 이상-2,000만 원 미만	35일	45일	55일	65일	75일
2,000만 원 이상-3,000만 원 미만	40일	50일	60일	70일	80일
3,000만 원 이상-4,000만 원 미만	45일	55일	65일	75일	85일
4천만 원 이상-5,000만 원 미만	50일	60일	70일	80일	90일
5천만 원 이상-1억 원 미만	55일	65일	75일	85일	95일
1억 원 이상	60일	70일	80일	90일	100일

부당청구를 한 경우에도 행정처분을 받을 수 있고 실수나 착오로 인정되더라도 이러한 행정처분이 취소되는 경우는 거의 없기 때문에 실수나 착오로 건강보험을 청구하는 일이 없도록 주의하시는 것이 매우 중요합니다.[67]

리베이트

리베이트란 판매촉진의 한 수단으로 판매자가 재화나 서비스를 판매하고 판매액의 일부를 구매자에게 돌려주는 행위나 금액을 말합니다. 하지만 의료계의 리베이트의 경우 최종 소비자인 환자가 아닌 약물을 처방하는 의사에게 리베이트로 인한 경제적 혜택이 돌아가고, 그 비용은 결국 의약품이나 의료기기 가격에 전가되어 국민건강보험 재정에 악영향을 미치고, 리베이트와 관련된 제약회사 영업사원들이 자살하는 등 많은 사회적인 부작용을 일으켜 엄격하게 금지하고 있습니다.

2015년 개정된 의료법에서는 리베이트 정의를 '새로운 의약품을 채택하거나 처방을 유도하기 위하여 금품을 제공하는 것' 외에도 특정의약품 처방을 '유지'하기 위해 주는 것도 포함시켰습니다.[68] 이러한 리베이트는 급여약물과 비급여약물을 구분하지 않고 모두 적용됩니다. 따라서 비급여 약품을 공급받으면서 낮은 가격에 약품을 공급받거나, 높은 금액으로 약품을 공급받은 후에 해당 금액을 전부 지급하지 않거나 허위 거래명세표를 발행하여 소득세를 탈루한 경우에도 리베이트에 해당될 가능성이 높습니다.[69]

리베이트를 받은 것이 인정되면 해당 의사에게 징역 3년 이하(2016년 전에는 2년 이하) 또는 3천만 원 이상의 벌금과 같은 형사처벌과 함께 리베이트에 대한 부당이익환수처분(벌금)을 받게 됩니다. 또한 행정기관에서는 자격정지나 취소처분의 행정처분을 받게 됩니다. 벌금은 리베이트 수수액 1/2 이상을 구형하게 되며 그 액수는 기본적으로 200만 원 이상이 됩니다. 단, 초범이면서 수수액 300만 원 이하인 경우 형사벌로 기소유예가 가능하지만 재범이고 상습적인 경우 실형이 나올 수도 있습니다. 리베이트 액수에 따른 자격정지의 행정처분은 표 5-11과 같습니다. 최근에 보건복지부는 리베이트에 대한 처벌을 강화함에 따라 리베이

표 5-11. 리베이트 수수에 따른 자격정지

수수액	1차 위반	2차 위반	3차 위반
300만 원 미만	경고	자격정지 1개월	자격정지 3개월
300만 원 이상-500만 원 미만	자격정지 2개월	자격정지 4개월	자격정지 6개월
500만 원 이상-1,000만 원 미만	자격정지 4개월	자격정지 6개월	자격정지 8개월
1,000만 원 이상-1,500만 원 미만	자격정지 6개월	자격정지 8개월	자격정지 12개월
1,500만 원 이상-2,000만 원 미만	자격정지 8개월	자격정지 10개월	자격정지 12개월
2,000만 원 이상-2,500만 원 미만	자격정지 10개월	자격정지 12개월	자격정지 12개월
2,500만 원 이상	자격정지 12개월	자격정지 12개월	자격정지 12개월

트를 받아 금고이상의 형을 선고받아 확정된 경우 자격정지가 아니라 면허취소의 행정처분을 내리고 있습니다.

하지만 견본품제공[70], 학술대회지원[71], 임상시험지원[72], 제품설명회[73], 대금결제조건에 따른 비용할인[74], 신용카드 포인트[85], 1개월 이내 의료기기 무료체험 등은 합법적인 영업활동으로 인정되고 있습니다.

진료거부

여기서 진료란 사실상 의료인이 행하는 모든 의료행위를 말하는 것으로 의료인은 '정당한 이유'가 아니면 진료거부를 할 수 없습니다. 보건복지부의 유권해석에 따르면 '정당한 거부'란 해당 환자를 돌볼 시설이나 인력이 없거나, 진료일정 때문에 불가피하거나, 환자 등이 의료인에 대하여 모욕죄, 명예훼손죄, 폭행죄, 업무방해죄에 해당될 수 있는 상황을 만들어 의료인이 정상적인 의료행위를 행할 수 없도록 한 경우를 말합니다. 주의할 것은 이전에 진료비를 미납하였다는 이유로 의사의 판단없이 환자의 진료를 거부하는 것은 정당한 사유로 인정되고 있지 않습니다. 예를 들어 서울의 ○○병원 원무과에서 복통을 호소해 응급실로 실려 온 환자가 이전에 진료비 1만 7천 원을 미납한 적이 있어 진료접수를 거부했고 결국 사망한 사건에서 재판부는 과거에 환자가 진료비를 미납한 경우가 있다고 하더라도 응급진료에 대한 판단은 의사에게 있기 때문에 원무과 직원이 판단해서는 안 된다고 하면서 원무과직원에게 실형을 선고한바 있습니다(서울북부지방법원 2016고단5902). 이 외에도 의사가 부재중이거나 신병으로 진료를 행할 수 없거나, 의사가 타 전문과목 영역 또는 고난이도의 진료를 수행할 전문지식 또는 경험이 부족한 경우, 타 의료인이 환자에게 시행한 치료사항을 명확히 알 수 없는 등 의학적 특수성으로 인해 새로운 치료가 어려운 경우, 환자가 의료인의 치료방침에 따를 수 없음을 천명하여 특정치료의 수행이 불가하거나 환자가 의료인으로서 양심과 전문지식에 반하는 치료방법을 의료인에게 요구하는 경우, 더 이상의 입원치료가 불필요함 또는 대학병원급 의료기관의 입원치료는 필요치 아니함을 의학적으로 명백히 판단할 수 있는 상황에서 요양병원이나 가정요양 등을 이용하도록 설명과 권유하고 퇴원을 지시한 경우 등이 있습니다.

의료인의 환자에 대한 정보누설금지

최근에 의료인의 환자에 대한 정보누설금지조항이 이전보다 더 엄격해졌습니다. 2016년 이전에는 '의료와 관련하여 알게 된' 다른 사람의 '비밀'을 누설하거나 발표하지 못한다고 규정되어 있었지만 개정된 의료법에서는 '업무나 진단서 처방전 작성 또는 교부, 진료기록 열람사본 등 업무'라고 정보획득의 방법을 더 구체적으로 규정하여 직접 진료를 본 의사가 아니더라도 환자의 진료기록 열람요청에 따라 진료기록을 교부를 하면서 알게 된 정보도 누설할 수 없게 하였습니다. 또한 지켜야 하는 환자의 정보가 이전 법에는 '비밀'이었지만 개정된 법률에서는 '정보'라고 바꾸었습니다. 여기서 '비밀'이란 일반에게 알려지지 않은 사실로서 보호의 필요성이 있는 정보만을 비밀에 해당하기 때문에 환자정보를 비교적 협소하게 규정하였지만 개정된 법률에 의해 '정보'로 바뀌게 되면서 '일반인에게 알려지지 않은 사실로서 보호의 필요성이 있는 정보'인지를 평가할 필요없이 환자와 관련된 모든 정보의 누설이 금지되었습니다. 하지만 의료행위와 무관하게 얻은 타인의 정보는 위의 정보누설금지에 해당되지 않습니다.[76] 또한 최근 대법원 판결에 따르면 의사의 환자정보보호 대상이 살아있는 사람뿐 아니라 사망한 사람도 포함시켰습니다.

진단서 허위작성

진단서란 의사가 진찰결과에 관한 판단을 표시하여 사람의 건강상태를 증명하기 위하여 작성하는 문서를 말합니다. 이러한 진단서는 운전면허를 취득하거나, 장애나 산업재해를 판정하거나 보험금을 신청하기 위하여 사용하게 됩니다. 만약 허위진단서작성으로 인정되어 금고이상의 형을 받은 경우 면허가 취소되고 금고 미만의 형이면 행정처분인 3개월 이하의 면허정지처분을 받을 수 있습니다.

만약 의사자신이 환자를 진찰하지 않았음에도 불구하고 진단서를 작성하였다면 허위진단서작성에 해당합니다. 판례에서는 산부인과 의사가 방학이나 병가기간이 끝나는 시기에 출산휴가를 가지려는 여교사의 부탁을 받아 실제로 진찰하지 않았지만 과거에 진찰한 경험만으로 분만예정일이나 분만일을 실제로 다르게 기재한 진단서를 작성하였는데 이러한 행위가 허위진단서로 인정받았습니다.[77] 진단서를 작성한 사람의 이름과 기재된 사람의 이름이 달라도 허위진단서 작성으로 처벌을 받은 바 있습니다.[78]

실무적으로는 의학적 판단에 대한 사항의 경우 전문적인 의학지식을 기초로 하기 때문에 허위진단서 작성으로 인정받기 어렵지만 과거의 검사소견이나 향후 치료소견 등 사실관계를 허위로 작성한 경우에는 허위라는 것이 쉽게 인정될 수 있으므로 진단서를 작성할 때 사실관계는 좀 더 꼼꼼히 확인 후 기술하도록 하여야 하겠습니다.

➡ 진료기록부 기록 및 보관

진료기록이란 의사가 시간경과에 따라 특정환자의 병력과 진료에 대하여 체계적으로 기술한 문서입니다. 진료기록이 중요한 이유는 진료행위가 종료된 후에 진료행위가 적절했는지를 판단하는 자료로 사용되기 때문입니다. 현재 의료법에서는 의사는 진료기록부에 환자의 주된 증상, 진단, 치료내용 등 의료행위에 관한 사항과 의견을 상세히 기록하고 서명하도록 규정되어 있습니다. 또한 진료기록부는 진료행위를 한 의사 본인이 작성하여야 합니다.

만약 진료기록을 고의로 사실과 다르게 추가적으로 기재하거나 수정을 하면 진료기록부를 작성하지 않은 것으로 간주됩니다.[79] 하지만 사실을 추가적으로 기재하는 것은 문제되지 않습니다. 따라서 응급상황에서 진료기록을 미진하게 작성한 경우 응급상황이 종료되고 난 후 즉시 해당 진료기록을 사실에 따라 충실하게 정리하는 것이 필요합니다. 주의할 것은 시간이 어느 정도 지난 후 진료기록을 추가적으로 기재하거나 수정하는 것도 가능은 하지만 이렇게 추가적으로 기재하거나 수정하였을 경우 법원에서 내용의 진실성을 의심을 받을 수 있습니다.[80] 또한 의무기록을 상세하게 적어 놓지 않은 경우 환자에게 치료에 대한 설명을 하지 않은 것으로 추정되기 때문에 중요한 진료경과를 상세히 기록해야 합니다.

진료기록부에 기재하는 내용은 의사의 재량권이 허용되지만 까다롭거나 예민하거나 의료기관의 서비스에 불만을 가져 소란을 피운 환자를 '정신과적 이상소견이 있다'거나 '싸이코'라고 기록하거나, 진료행위와 관계없이 환자의 외모에 대한 평가나 성추행을 의심받을 수 있는 내용을 기록하는 등 진료행위와 상관없는 비윤리적인 사항이나 환자가 성적 수치심을 느낄 수 있는 내용을 기재한 것이 확인될 경우 명예훼손 등으로 처벌받을 수 있습니다.

진료기록부는 특정기간이상 보존해야 합니다.[81] 예를 들어 진료기록부는 10년, 수술기록은 10년, 검사소견기록은 5년을 보존해야 합니다. 만약 병의원을 폐업하거나 1개월 이상 휴업하는 경우 진료기록부 등을 보건소장에게 이관하도록 되어 있습니다. 만약 진료기록부 등의 보관계획서를 제출하여 보건소장의 허가를 받은 후 직접 보관할 수도 있습니다.

비도덕적 진료행위

비도덕적 진료행위란 사회통념상 의사에게 기대되는 도덕성과 직업윤리를 훼손하는 행위를 말합니다. 이전에는 비도덕적 진료행위라는 정의가 모호하여 이를 두고 많은 논란이 된 적이 있었지만 2018년 법이 개정되면서 비도덕적 진료행위가 세분화되었고 이에 따른 자격정지도 강화되었습니다. 개정된 의료법에서 규정하고 있는 비도덕적 진료행위와 그 처벌정도를 보면 (1) 진료 중 성범죄를 범한 경우 자격정지 12개월, (2) 처방전 없이 마약 또는 향정신의약품을 투약하거나 제공한 경우 3개월, (3) 허가나 신고를 받지 않은 의약품을 사용하거나 유효기간이 지난 의약품을 사용한 경우 자격정지 3개월, (4) 낙태를 한 경우 자격정지 1개월, (5) 그 밖의 비도덕적 진료행위를 한 경우 자격정지 1개월로 정해져 있습니다. 참고로 2019년 낙태가 위헌판결을 받아 무효화되어 낙태에 대한 조항은 사문화되었다고 할 수 있습니다. '그 밖의 비도덕적 행위'로는 판례에서는 음주한 상태로 환자를 진료한 경우, 마취 중인 환자에 대한 주의의무를 위반한 경우, 마약진통제를 자기에게 투약한 경우 등이 있습니다. 예외적으로 음주를 한 상태에서 환자를 진료를 하더라도 모두 처벌을 받는 것은 아닙니다. 최근 대법원 판결에 따르면 혈중 알코올 농도가 매우 낮고 실제 진료하는데 별다른 영향을 미치지 않는다

■ 표 5-12. 비도덕적 진료행위

비도덕적 진료행위	처벌규정
진료 중 성범죄를 범한 경우	자격정지 12개월
처방전 없이 마약이나 향정신성의약품을 투약한 경우	자격정지 3개월
허가나 신고를 받지 않은 의약품을 사용하거나 유효기간이 지난 의약품을 사용한 경우	자격정지 3개월
낙태를 한 경우*	자격정지 1개월
그 밖의 비도덕적 행위 음주상태로 환자를 진료한 경우 마취 중인 환자에 대한 주의의무를 위반한 경우 마약진통제를 자기에게 투여한 경우	자격정지 1개월

*낙태의 경우 위헌판결로 해당 법률이 무효화되어 이 조항은 사문화된 것으로 보입니다.

면 비도덕적 진료행위에 해당되지 않을 수도 있다는 판결[82]이 있었기 때문입니다. 하지만 음주후에는 안전하게 가급적 진료를 하지 않는 것이 좋겠습니다.

무면허 의료행위

무면허 의료행위는 크게 의료와 관련된 면허를 가지지 않는 사람이 의료행위를 한 경우와 의료와 관련된 면허를 가지고 있어도 면허된 이외의 의료행위를 한 것으로 나눌 수 있습니다. 예를 들면 일반인이 처방전을 발행하면 면허를 가지지 않은 사람이 의료행위를 한 것에 해당되어 무면허의료행위가 됩니다. 의사가 발치나 스케일링을 하면 면허된 것 이외의 의료행위인 무면허의료행위가 됩니다. 마찬가지로 한의사가 맹장수술을 하면 무면허의료행위가 됩니다. 하지만 '면허된 것 이외의 의료행위'를 실제로 구분짓기가 쉽지는 않습니다. 이제까지 사례를 보면 한의사가 안압측정기, 청력검사기를 사용한 경우는 허가된 의료행위로 인정받았지만[83], 한의사가 IPL (Intense pulse light: 잡티제거 등 피부질환 치료를 위한 광선조사기) 및 필러수술을 하거나[84], 골밀도측정기를 사용한 경우[85]는 무면허의료행위로 인정되어 처벌을 받았습니다. 의사가 침술치료를 한 경우[86]도 무면허 의료행위로 인정되어 처벌을 받았지만 치과의사가 보톡스를 사용한 것은 허가된 의료행위로 인정되었습니다.[87]

실무적으로 무면허 의료행위로 문제가 되는 것은 주로 의사가 원무과 직원과 같은 비의료인에게 의료행위를 하도록 하거나 간호사/방사선사/임상병리사에게 자신의 면허 외의 의료행위를 하는 경우입니다. 2020년 법이 개정되어 의료인이 아닌 자가 의료행위를 하거나 의료인이 면허사항이외의 의료행위를 함은 물론 의료인이 아닌 자에게 의료행위를 하게 하거나 의료인에게 면허사항 외의 의료행위를 하게 할 경우 5년 이하의 징역이나 5천만 원 이하의 벌금과 해당 의료인은 3개월의 자격정지의 행정처분을 받습니다. 만약 사람의 생명 혹은 신체에 중대한 위해를 발생할 우려가 있는 수혈, 수술, 전신마취를 하게 하는 경우 의사면허를 취소할 수 있도록 벌칙조항이 강화되었습니다(표 5-13).

표 5-13. 무면허 혹은 면허 외 의료행위에 대한 형벌 및 행정처분

위반사항	처분
의료인이 아닌 자가 의료행위를 한 경우(행위당사자)	형벌: 5년 이하의 징역 혹은 5천만 원 이하의 벌금
의료기사 아닌 자에게 의료기사의 업무를 하게 하거나 의료기사에게 그 업무의 범위를 벗어나게 한 경우	형벌: 5년 이하의 징역 혹은 5천만 원 이하의 벌금
	행정처분: 자격정지 3개월
의료기사가 아닌 자에게 의료기사의 업무를 하게 하거나 업무 외 의료행위를 하게 하여 사람의 생명 혹은 신체에 중대한 위해를 발생할 우려가 있는 수혈, 수술, 전신마취를 하게 하는 경우	형벌: 5년 이하의 징역 혹은 5천만 원 이하의 벌금
	행정처분: 면허취소

··➡ 비의료인과의 동업

자본력이 부족한 의사들이 의사가 아닌 사람(사무장)의 투자를 받아 병의원을 설립하여 공동으로 운영하는 경우가 있습니다. 하지만 현재 의료법에서는 의료인이나 의료법인 등 비영리법인이 아닌 자가 의료기관을 개설하는 것을 원천적으로 금지하고 있기 때문에 만약 이러한 사실이 밝혀지게 되면 해당 의사와 사무장은 형사상 5년 이하의 징역 또는 2천만 원 이하의 벌금이, 의료기관은 개설허가 취소 및 폐쇄명령을 받습니다. 또한 해당의사는 3개월 자격정지처분을 받을 수 있습니다. 국민건강보험공단은 보험급여를 부당이득으로 보고 해당의료기관에 대하여 환수처분과 함께 지급받은 총액의 몇 배에 해당하는 금액의 벌금을 부과하고 있습니다. 이와 함께 사기죄에 따른 형사처벌도 별도로 이루어질 수 있습니다. 참고로 요양급여환수처분은 사무장과 사무장병원 의사가 연대하여 책임을 지게 되는데 환수된 요양급여가 많게는 수십억 원에 이르는 경우가 많은데 사무장은 이런 문제에 대비하여 재산을 이미 도피시킨 경우가 많기 때문에 결국 요양급여환수처분을 받은 해당 의사는 모든 책임을 지는 경우가 많아 경제적으로 파탄하게 됩니다.

요양기관 폐쇄명령이 내려지면 해당 의료기관에서의 모든 의료행위가 중단되어 모든 입원환자를 퇴원하거나 전원해야 합니다. 또한 국민건강보험공단은 해당의사의 예금통장 및 부동산압류를 통해 의사의 경제활동을 마비시켜 사실상 경제적 파단상태를 만들기 때문에 비의료인의 투자를 받아 의료기관을 개설하지 않아야 합니다.

사무장병원의 행태도 변하고 있습니다. 이전에는 도시외곽이나 시골에 병의원에서 근무한 경험이 있는 사무장이나 간호사가 은퇴한 의사면허증을 빌려 의원개설을 하거나 병의원을 실제로 경영하는 사무장이 의사를 고용하여 그의 의사면허로 병의원을 개설하고 월급을 주는 형태가 많았습니다. 하지만 최근에는 요양병원이나 한방병원이 사무장병원으로 적발되는 경우가 많습니다. 2009년부터 2020년까지 총 307개의 요양병원이 사무장병원으로 적발되었는데 이는 전체 1,500여 개의 요양병원 중 19%에 해당하며 일반 중소병원의 사무장병원 적발 비율인 5.7%에 비하여 훨씬 높았습니다.[88)]

이와 함께 주의할 것이 바로 이러한 사무장병원에 취업하는 것입니다. 사무장병원에서 단순히 봉직의로 의료행위를 하는 경우에도 사무장병원이라는 사실을 알고 근무하였다면 300만 원 이하의 벌금의 형사처벌과 면허정지 3개월의 행정처분을 받게 됩니다. 만약 사무장이 일정한 의료행위를 하였다면 부정의료업자의 공범이 되어 징역형처벌과 면허취소의 행정처분이 내려집니다. 또한 건강보험공단에서는 요양급여비용 환수처분을 받습니다.

문제는 해당 병원이 사무장병원인지 몰랐던 상태로 취업을 했는데 나중에 알고 보니 사무장병원인 경우입니다. 이런 경우 처음에는 사실을 모르다가 월급을 조금 더 줄 테니 병원장을 맡아 달라는 요청을 받았을 수도 있고 아무것도 모르고 취직할 때 병원에 인감을 맡겼다가 책임을 뒤집어쓴 경우도 있습니다. 하지만 의사가 사무장병원인지 모르고 취업하였다고 하더라도 이와 같은 사실을 법원에서 인정받지 못하는 경우가 많고 인정을 받았더라도 형사처벌은 모면할 수 있지만 행정처분과 함께 건강보험공단의 요양급여환수처분은 피할 수 없습니다.

그렇다면 어떨 때 사무장병원을 의심해 볼 수 있을까요? 대표적으로 병원개설자인 원장이 자주 바뀌거나, 개설자가 아닌 경영지원회사에서 면접이나 근로조건을 결정하거나, 급여중에서 비급여진료분에 대한 인센티브를 과다하게 책정하거나, 병원에 취업하였는데 병원에서 고용계약서와 함께 병원개설인가 및 임대차계약서 등의 서류에 서명날인을 요구하거나, 취업하면서 인감도장을 맡기라고 하는 경우에도 사무장병원을 의심해보아야 합니다. 만약 사무장병원인지 모르고 들어갔다고 하더라도 1-2개월 생활하다 보면 원장이 실제 병원을 운영하는지 여부를 파악할 수 있는데 이러한 사실을 인지하면 곧바로 근무를 종료하는 것이 좋습니다.

면허취소 및 재교부금지

의료법상 의료관련 법령위반으로 집행유예 이상의 형을 선고받거나 자격정지 처분 기간 중에 의료행위를 하거나 3회 이상 자격정지 처분을 받는 경우 면허가 취소됩니다. 하지만 일정기간이 지나고 7인으로 구성된 의료인면허 재교부 심의위원회의 심사에서 4명 이상이 찬성하면 의사면허를 재교부받을 수 있습니다(표 5-14 참조). 참고로 2014년부터 2020년까지 의사면허 재교부를 신청한 76명 중에서 74명이 재교부를 받았습니다.[89]

표 5-14. 면허취소 및 재교부 금지기간[90]

면허취소사유	재교부절차
정신질환, 마약중독자, 한정후견인	취소사유 소멸여부 확인후 재교부
면허조건 미이행	취소 후 1년 경과, 면허조건 미이행사유 소멸, 개전의 정이 뚜렷한 지 여부 판단
자격정지기간 중 의료행위 3회 이상 자격정지 면허 대여	취소 후 2년 경과, 취소의 원인이 된 사유 소멸, 개전의 정이 뚜렷한 지 여부 판단.
의료법 등 위반으로 금고 이상의 형을 선고받고 그 형의 집행이 종료된 경우	취소 후 3년 경과, 형/집행유예기간 만료 및 벌금 납부 등으로 취소원인사유 소멸, 개전의 정이 뚜렷한 지 여부 판단
일회용 주사 의료용품 재사용으로 사람의 생명 또는 신체에 중대한 위해 발생	취소 후 3년 경과, 개전의 정이 뚜렷한 지 여부 판단

자격정지기간 동안 의료기관 운영

의료법에 따라 의료기관 개설자가 진료비 거짓청구로 자격정지 처분과 함께 의료기관이 영업정지처분을 받으면 해당 의료기관에서 대진의를 고용해서 의료업을 지속하는 것이 금지되지만 그 외의 처분사유로 의료기관 개설자가 자격정지 처분을 받은 경우 개설자는 모든 의료행위가 금지되지만 의료업이 금지되는 것은 아니기 때문에 대진의를 고용하는 등의 방식으로 의료기관의 진료 및 의료행위를 하는 것은 가능합니다.

하지만 불법적인 의료행위로 영업정지처분을 받은 의료기관 개설자가 편법으로 개설자를 변경하거나 폐업한 후에 다시 개설해 운영하는 것은 금지됩니다. 또한 영업정지를 받은 의료기관을 실제로 다른 의사가 인수를 하더라도 이 기간 중에는 해당 의료기관은 업무정지가 유지되어 운영할 수 없도록 하였으니[91] 알고 계시면 좋겠습니다.

의료기관의 행정처분

요양기관은 여러 이유로 행정처분인 업무정지를 당할 수 있습니다(표 5-15 참조). 요양기관이 업무정지처분을 받게 되면 요양기관은 요양급여가 되는 의료행위와 처방행위를 하지 못합니다. 또한 업무정지처분 기간 중에 요양급여에 해당하는 원외처방을 한 경우 해당 환자는 보험혜택을 받을 수 있지만 해당 요양기관은 혜택받은 조제비와 약제비 비용을 환수당하게 됩니다. 하지만 업무정지의 효과는 요양급여에 한정된 것으로 처분기간동안 산업재해나 자동차보험, 의료급여환자 진료 및 비급여항목 진료는 가능합니다.[92] 또한 업무정지처분을 당하였을 경우 원칙적으로 그 처분이 확정된 요양기관을 다른 사람에게 양도하였더라도 양수

표 5-15. 업무정지 처분 및 해당기간

업무정지 처분	해당기간
과대, 허위광고	업무정지 1개월 또는 2개월
진료방법, 연구결과 등의 학술적 외의 광고	업무정지 1개월
보고명령 미이행, 관계공무원 검사 거부	업무정지 15일
무자격자로 하여금 의료행위를 하게 하거나 면허된 의료행위 이외의 의료행위를 하게 한 때	업무정지 3개월
의료기관 개설자가 허위로 진료비 청구하여 금고이상의 형을 선고받고 확정된 경우	허가취소 또는 폐쇄
약국과 담합행위를 한 경우 1차 위반 1차 처분일로부터 2년 이내 2차 위반 2차 처분일로부터 2년 이내 3차 위반	 업무정지 1개월 업무정지 3개월 허가 취소 또는 폐쇄
업무정지기간 중 의료업을 행한 때	허가취소 또는 폐쇄

받은 자에게도 업무정지처분은 승계가 됩니다.[93]

하지만 진료비 거짓청구를 제외한 업무정지의 경우 해당 의료기관을 이용하는 사람에게 심한 불편을 주거나 특별한 사유가 있다고 인정되면 업무정지처분 대신에 부담금액의 5배 이하의 금액으로 과징금을 물고 계속 의료기관을 운영할 수 있습니다. 업무정지를 과징금으로 대체하는 것은 3회까지 가능하고 업무정지 1개월은 30일로 계산하게 됩니다. 과징금부과의 기준이 되는 연간총수입금액은 전년도의 의료업으로 발생한 총소득금액으로 계산하게 됩니다. 국민건강보험법상 과징금 부과기준은 표 5-16, 표 5-17과 같습니다. 참고로 2020년에 의료법이 개정되어 과징금의 상한액을 5천만 원에서 10억 원으로 상향함에 따라 업무정지 과징금부가기준이 올라갔기 때문에 규모가 큰 종합병원의 경우 과징금처분이 수억 내지 수십억 원에 이를 수 있습니다.

표 5-16. 현행 의료기관 과징금 산정기준, 영업정지 일수에 구간별 과징금 기준금액 적용

등급	연간 총수입액(원)	1일당 과징금 금액(원)
1	5,000만 원 이하	18,000
2	5천만 원-1억 원	55,000
3	1-2억 원	164,000
4	2-3억 원	273,000
5	3-4억 원	383,000
6	4-5억 원	493,000
7	5-6억 원	892,000
8	6-7억 원	1,054,000
9	7-8억 원	1,216,000
10	8-9억 원	1,378,000
11	9-10억 원	1,540,500
12	10-20억 원	2,042,000
13	20-30억 원	3,404,000
14	30-40억 원	4,765,000
15	40-50억 원	6,127,000
16	50-60억 원	6,151,000
17	60-70억 원	7,141,000
18	70-80억 원	8,239,000
19	80-90억 원	9,338,000
20	90-100억 원	9,887,000
21	100-200억 원	10,027,000
22	200-300억 원	19,068,000
23	300억 원 이상	23,836,000

표 5-17. 국민건강보험법상의 과징금부가기준

업무정지기간	과징금
10일	총부당금액의 2배
10일 초과-30일	총부당금액의 3배
30일 초과-50일	총부당금액의 4배
50일 초과	총부당금액의 5배

업무정지를 당한 요양기관이 다른 사람에게 넘어가더라도 업무정지처분은 승계가 됩니다. 만약 또한 업무정지 또는 과징금처분을 받을 자가 5년 이내 업무정지 또는 과징금처분을 다시 받는 경우 업무정지기간이나 과징금을 2배 가중처분을 받도록 되어 있습니다.

3 행정처분절차

검찰에서 조사한 불법행위에 대하여 보건소나 보건복지부에 행정처분을 의뢰하면 보건소나 보건복지부는 해당 의료기관에 대한 현지조사를 시행하고 결과에 따라 처분대상자에게 사전통지를 한 후 행정처분을 내리며 이후 행정처분을 잘 이행하고 있는지 현지점검을 하게 됩니다.

보건복지부가 단독적으로 현지조사를 시행하고 위법한 문제점이 발견되어 수사기관에 고발하면 경찰에 입건되어 수사를 하고, 검찰에 송치되면 7일 이내 기소 여부를 결정하게 됩니다(그림 5-1). 의료법 위반에 대한 형사처벌을 형량에 따른 기준은 표 5-18과 같습니다.

표 5-18. 형사처벌

5년 이하의 징역 또는 2천만 원 이하 벌금
면허증 대여, 전자처방전 및 전자의료기록에 저장된 개인정보를 탐지, 누출, 변조, 훼손 시
의료인이 의료기관 개설기준(1개소)을 위한한 경우
3년 이하의 징역 또는 1천만 원 이하의 벌금
비밀누설금지의 의무를 위반한 경우
태아의 성감별행위금지 위반시
환자에 관한 기록의 열람, 사본 교부 등의 의무를 위반한 경우
병원 또는 부속의료기관 개설 허가를 받지 않고 의료업을 한 경우
의료업무 또는 의료인의 경력을 허위, 과대광고한 경우
의료인 및 의료기관 개설자가 정당한 사유없이 업무개시명령을 위반한 경우
의료기관 허가취소 또는 의료업무정지 처분을 받은 자가 의료기관을 개설 운영한 때
1년 이하의 징역 또는 3백만 원 이하의 벌금
정당한 사유없이 진료 및 조산을 거부한 경우
진찰, 검안하지 않고 진단서, 검안서, 증명서, 처방전을 교부한 경우
3백만 원 이하의 벌금
의료기관 세탁물을 의료인, 의료기관, 또는 시군구청장에게 신고하지 않고 처리하거나 위생적으로 보관, 운반, 처리하지 않는 경우
진단서, 검안서, 증명서를 정당한 사유없이 교부를 거부한 경우
환자기록, 임상소견서, 방사선 필름 등의 열람 및 사본교부를 거부한 경우
응급환자 전원시 초진기록 송부를 거부한 경우
진료기록부에 진료에 관한 사항을 기록하고 서명하지 않거나 보존하지 않은 경우
변사체를 신고하지 않는 경우
의료기관을 개설신고를 하지 않고 의료업을 한 경우
각종병원에 응급 및 입원환자를 위한 당직 의료인을 두지 아니한 경우
의료기관 명칭사용을 위반한 경우
의료기관을 개설할 수 없는 자에게 고용되어 의료행위를 한 경우

만약 보건복지부나 보건소에서 내려진 행정처분이 억울하다고 생각하면 행정심판 및 행정소송으로 다툴 수 있습니다. 의료기관이 행정심판을 의뢰하면 행정심판은 처분서를 받은 날부터 90일 이내에 국민권익위원회나 시도행정심판위원회에서 보건복지부의 행정처분이 정당한지를 재결정하는데 이러한 행정심판은 비공개로 진행되며 서면으로만 심리합니다. 만약 심평원 및 의료보험공단 처분에 대하여 이의가 있으면 건강보험분쟁조정위원회에 심판청구를 하면 됩니다. 위의 두 행정기관의 행정심판의 결정에 억울할 경우 행정소송을 제기할 수 있습니다.

행정소송은 행정심판을 청구하지 않고 바로 진행할 수도 있습니다. 행정소송은 행정기관의 처분서 또는 행정심판 재결서[94]를 받은 날로부터 90일 이내 서울행정법원 또는 지방법원 행정부에 소장을 접수하여야 합니다. 만약 행정처분에 불복하여 행정소송을 제기하는 경우에는 변호사나 본인이 직접 집행정지신청서[95]도 함께 법원에 제출하여야 합니다. 일반적으로 집행정지신청이 접수되어 간단한 심의를 거쳐 신청여부에 대한 법원의 결정이 나올 때까지 빨라야 10일 정도 걸린다고 보는 것이 통상인 점을 감안한다면, 행정처분이 나온 뒤 지체하면 법원 결정이 내려지기까지 며칠은 의료행위를 할 수 없게 되기 때문입니다. 집행정지 신청으로 제시된 사유가 타당하다고 법원에서 인정받게 되면 행정처분의 취소나 무효를 구하는 판결이 선고되거나 확정될 때까지 처분의 집행이 유예가 되어 진료업무를 계속할 수 있게 됩니다. 주의할 것은 업무정지는 최종판결 전에 시행되기 때문에 1심에서 지면 바로 다음날부터 문을 닫아야 합니다. 만약 이때 영업을 지속하면 자격정지시기에 진료를 본 것이 되어 자격취소에 해당될 수 있습니다. 또한 처분통지서에 따라 의료기관은 업무정지 혹은 과징금 중에서 하나를 선택할 수 있는데 과징금으로 선택한 경우 만약 2심에서 승소한 경우 납부한 돈을 돌려받을 수 있지만 업무정지를 신청한 경우 병원 문을 닫으면서 생긴 손해는 보상받지 못하기 때문에 과징금을 선택하는 것이 좋다고 합니다.

만약 행정기관의 행정처분이 헌법에 위반된다고 생각되는 경우에는 위헌법률심판제청이나 헌법소원을 제기할 수 있습니다. 위헌법률심판제청이란 행정처분의 근거가 되는 법령이 헌법에 위배되는지를 다투는 것으로 행정처분 취소소송과 동시에 법원에 위헌법률심판제청을 제기하면 됩니다. 만약 법원이 위헌법률심판제청을 기각하는 경우 헌법재판소에 직접 위헌소원을 제기할 수도 있습니다. 이와 같은 위헌소원은 법률, 고시, 검사의 불기소처분이 대상으로 사유가 있음을 안 날로부터 90일 이내, 그 사유가 있은 날로부터 1년 이내 제기할 수 있습니다.

4 행정기관의 조사 및 대처방안

요양기관이 행정기관으로부터 받는 조사는 국민건강보험공단의 현지확인과 보건복지부의 현지조사가 있습니다(표 5-19).

현지확인

현지확인이란 국민건강보험공단이 요양기관을 방문하여 요양급여비용 등에 대하여 거짓청구나 부당청구를 한 사실이 없는지를 요양의료기관에서 확인하는 것으로 공단의 내부규정인 요양기관 현지확인 표준운영지침에 따라 운영하게 됩니다. 통상적으로 공단지역본부 또는 지사직원 2-4인이 오게 되며 의원은 2일 이내, 병원은 3일 이내로 진행되는 것이 원칙입니다. 이러한 현지확인과정에서 해당의료기관의 진료 및 조제기록부, 검사대장, 물리치료, 진료비용계산서, 본인부담금 수납대장, 의약품 구입대장 등의 자료 및 청구내역 사실여부, 규정준수 여부, 본인부담금 적법징수 여부 등을 확인하기 위하여 수진자 조회, 자료의 허위작성여부를 확인하고 및 의료기관 종사자에게 질문을 하게 됩니다. 위의 모든 것을 확인한 후

■ 표 5-19. 현지조사 주관 및 대상기관

	현지조사	현지확인
시행기관	보건복지부	국민건강보험공단
조사담당	보건복지부주관 심평원과 건강보험공단이 인력지원	건보공단 지역본부 및 지사직원
목적	요양급여사항에 대하여 지도감독	의료기관의 진료비 부당청구여부에 대한 사실관계 확인
조사기간	- 의원은 1주일 이내 - 병원은 2주일 이내 - 종합병원은 4주 이내 - 필요시 연장가능	1-2일
조사절차	현지조사 사전통지서, 안내문, 자료제출 명령서 제시	- 협조공문 제시(임의적요청) - 요구사유와 근거 등을 명시하여 자료제출요구 - 동일유형 부당건으로 5건 이상 확인된 기관에 대하여 해당 부당유형에 한정하여 최대 6개월 진료분 범위 내에서 자료 제출
처리결과	- 부당이득금 환수 및 업무정지처분 - 거짓청구금액 750만 원 이상 혹은 거짓청구비율 10% 이상인 경우 형사고발 - 거짓청구금액 1,500만 원 이상 또는 청구금액이 20% 이상인 경우 공표 - 거짓청구의 경우 자격정지처분	- 월평균 부당금액이 15만 원 미만인 경우 자체환수 - 월평균 부당건수가 5건 이상이면서 부당금액 및 부당비율이 행정처분대상인 경우 및 특별한 사유없이 2회 이상 자료제출을 거부해 부당사실관계를 확인하지 못한 경우 현지조사 의뢰

에 확인서를 만들어 이를 의료기관 대표자에게 서명하거나 날인하게 하고 보건복지부에 보고하게 됩니다.

현지확인은 보건복지부의 현지조사와 달리 조사를 받는 대상자에게 반드시 동의를 구하여야 하고 이러한 절차를 거치지 않은 경우 현지확인을 거부할 수 있습니다. 하지만 의료기관이 정당한 사유 없이 현재확인 자료제출요청에 2회 이상 불응하는 경우 보건복지부 현지조사 의뢰대상이 됩니다. 건강보험공단이 현지확인을 하는 이유로는 의료기관 내부종사자가 공익신고를 하거나, 진료내역통보나 수진자조회를 통해 인지한 부당 건에 대하여 사실확인이 필요한 경우, 병원장 친인척 진료건수가 많거나 해당직원 진료가 많은 경우, 생활권 밖에 있는 거주자를 진료하는 경우가 많거나, 의사가 고령인 경우 등에서 시행하게 됩니다. 일반적으로 현지확인을 하기 전에 의료기관에 방문확인통보서 등으로 사전통지를 하는 것이 원칙이지만, 의료기관에서 근무하는 인력을 확인하거나 자료 위변조 또는 증거인멸의 우려가 있거나 긴급을 요하는 경우는 방문을 하면서 통지하게 됩니다. 현지확인에서 동일한 유형의 부당한 청구 건이 5건 미만이거나, 5건 이상이나 월평균 부당금액이 15만 원 미만인 경우 공단자체환수로 끝나지만, 5건 이상이면서 부당금액 및 부당비율이 행정처분에 해당하거나 특별한 사유없이 2회 이상 자료제출을 거부한 경우 보건복지부에 현지조사를 의뢰하게 됩니다.

만약 현지확인이 올 경우 원장님은 차분하게 대처하는 것이 좋습니다. 우선 자료제출요청의 내용을 확인하고 자료제출요청의 사유와 근거를 확인한 후 요청하는 자료만을 제출하여야 합니다. 또한 현지확인의 경우 동일유형 부당 건으로 5건 이상 확인된 경우에만 해당 부당유형에 한정하여 사유, 기간, 대상항목 등을 명시하여 자료제출을 요청할 수 있으므로, 이에 해당하지 않는 자료제출요청은 거부할 수 있습니다. 그리고 대상기관과 관련하여 보건복지부의 요양기관 현지조사지침에 공단이 최대 6개월 진료분 범위 내에서 자료제출요청이 가능하다고 규정되어 있으므로 공단의 현지확인에서 6개월 이상의 자료제출을 요청을 받는 경우에도 거부할 수 있습니다.

더불어 거짓청구나 부당청구로 판단되면 요양기관 대표자 또는 관계자로부터 사실확인서에 대한 서명을 요구하는데 일단 서명을 하면 나중에 그 내용을 가지고 법적으로 다투는 것이 쉽지 않으므로 반드시 그 내용을 세밀히 확인하여야 하고, 만약 동의할 수 없는 내용이 기재되어 있다면 서명하기 전에 반드시 이에 대한 이의를 제기하여야 합니다. 또한 방문확인자는 요양의료기관 대표자와 협의하여 현지확인과정을 녹음 및 녹화할 수 있고, 요양기관도 녹음 및 녹화가 가능하므로 필요에 따라 이러한 방법을 적절히 활용할 필요가 있겠습니다.

만약 현지확인 이전 자료제출만으로 부당청구의혹에 대한 소명이 충분하다고 판단되면 현지확인을 거부할 수도 있지만 이 경우 보건복지부 현지조사 의뢰대상이 될 수 있기 때문에 가능하면 현지확인에서 요구하는 자료를 충실히 제출해야 하겠습니다.

현지조사

현지조사는 요양기관의 요양급여 및 비용의 청구가 적법하고 타당한지 여부를 현지에 출장하여 확인하는 보건복지부의 행정조사를 말합니다. 보건복지부 현지조사는 크게 정기조사, 기획조사, 긴급조사, 이행실태조사로 나눌 수 있습니다. 현지조사단은 조사반장(보건복지부 조사담당자), 조사팀장(심평원 선임자), 조사팀원(심평원 및 공단직원)으로 구성되어 있습니다. 보건복지부의 현지조사의 경우 공단의 방문확인과 달리 의원은 1주일 이내, 병원은 2주일 이내, 종합병원은 4주 이내가 원칙이며 실시유형과 기관 선정방법은 표 5-20, 표 5-21을 참고하시기 바랍니다.

보건복지부의 현지조사는 의료기관의 진료비청구가 적법한지 여부를 조사하기 위하여 실제진료가 존재하는지, 행위-약제의 사용과 일치하는지, 관계규정 준수여부, 본인부담금 적법징수여부 등을 확인하게 됩니다. 정기 및 기획, 긴급현지조사는 최근 6개월분 진료비를 조사하지만 민원 등에 의한 경우에는 최대 3년분까지 조사하기도 합니다. 만약 현지조사 중에 거짓청구가 발견되면 특별현지조사와 동일하게 처리하게 됩니다. 일반적으로 거짓청구여부를 확인하기 위하여 이미 청구된 진료비명세서와 진료기록부, 본인부담 수납대장, 전산자료 등을 대조해 거짓청구를 가려내며, 최근 진료의 경우 수진자조회도 실시하게 됩니다. 특별현지조사는 최근 1년분의 진료비를 조사하는데 허위정도가 심한 경우 최대 3년분까지도 조사하기도 합니다. 특히 무자격자에 의한 진료는 발생시점까지 소급해 조사합니다.

공단의 현지확인은 거부를 하더라도 법적으로 불이익을 받지 않지만 보건복지

표 5-20. 현지조사 실시유형

정기조사	지표점검기관, 외부의뢰기관 등 부당청구 개연성이 높다고 판단되는 요양기관에 대하여 실시하는 일반적/통상적 현지조사 조사의뢰, 부당청구, 자율시정미흡, 민원 다발생기관 및 내부종사자 신고기관 등 기획을 제외한 통상적인 현지조사
기획조사	건강보험 제도 개선 및 올바른 청구문화 정착을 위하여 제도 운영상 개선이 필요한 분야 또는 사회적으로 문제가 제기된 분야에 대하여 실시하는 현지조사
긴급조사	거짓이나 부당청구의 개연성이 높은 기관 중에서 증거인멸이나 폐업의 우려가 있거나 사회적으로 문제가 제기되어 긴급하게 조사가 필요한 요양기관에 대하여 실시하는 조사
이행실태 점검	업무정지처분기간 중 해당 처분을 편법적으로 회피할 우려가 있거나 불이행이 의심되는 기관에 대하여 처분의 사후 이행여부를 점검하기 위하여 실시되는 조사

*2015년 기획 조사 항목
- 건강보험분야(2014. 12.31. 사전예고) 진료비 이중청구 의심기관: 병의원급 30개소
- 장기 입원 청구 기관: 병원급 20여 개소
- 의료급여 분야(2014. 12. 31. 사전예고)
- 사회복지시설 수급권자 청구기관
- 장기입원 청구 기관-병원급 20여 개소

부의 현지조사를 거부하는 경우 1년간 영업정지를 받을 수 있습니다.

적발된 거짓 및 부당청구금액은 환수처분하고, 월평균 거짓이나 부당청구금액 정도에 따라 해당의료기관에는 1년 이내의 업무정지 처분과 과징금 처분, 의사에게는 자격정지 처분이 내려지게 됩니다. 만약 거짓청구금액이 1,500만 원 이상 혹은 거짓청구금액비율이 20% 이상인 경우 해당 의료기관명단을 보건복지부, 국민건강보험공단, 심평원 홈페이지에 공표하거나 수사기관에 고발조치를 하게 됩니다. 만약 행정처분을 이행을 하지 않은 경우 해당 업무정지기간 또는 과징금의 2배에 해당하는 가중처분을 받게 되고, 부당 취득한 진료비는 환수하게 됩니다.

표 5-21. 현지조사 대상기관 선정

건강보험공단의뢰	- 진료내역 안내나 문의 과정에서 부당 청구 개연성이 높은 기관 - 내부종사자의 신고 - 자료 제출 요구에도 불구하고 제출하지 않는 경우
심평원	- 심사 평가과정에서 부당청구가 의심되는 경우 - 자료 제출 요구에도 불구하고 제출하지 않는 경우 - 심사 및 평가상 문제가 있어 개선을 요구하였으나 개선을 하지 않은 경우
대외기관에서 조사가 의뢰된 기관	검찰, 경찰, 감사원, 국민권익위원회 등에서 현지조사 의뢰한 경우
민원제보기관	구체적 사례와 증거를 제시하여 부당청구 개연성이 높은 경우
부당청구감지시스템을 활용하여 부당청구 개연성이 높아 현지조사가 필요하다고 판단된 경우	
자율개선통보를 하였으나 개선하지 않은 기관 중 부당청구 개연성이 높아 현지조사가 필요하다고 판단된 경우	
본인부담금 과다징수가 많이 발생한 기관 중 조사가 필요하다고 판단되는 요양기관	
연간급여일수 통보, 의료급여 사례관리 및 진료내용문의 과정에서 부당청구 개연성이 높게 나타난 경우	

보건복지부 현지조사의 경우 사전통지없이 오는 것이 일반적이며 현지조사 중에 필요하다고 판단되는 경우 그 자리에서 수진자 조회를 실시하게 되므로, 자료관리 등 조사에 평상시부터 대비하여야 합니다. 현지조사를 할 때 필요하다면 법률 및 회계전문가의 입회 또는 의견진술에 대한 조력을 받을 수 있습니다.

그렇다면 혹시 모를 현지조사에 대비해 주의할 것은 무엇일까요?[96]

첫째, 앞서 말씀을 드린 것과 같이 비보험진료를 한 후 보험진료 범위에 해당하는 것이 일부 포함되었다고 하더라도 이에 대하여 건강보험급여를 청구하시면 거짓청구로 인정되니 그렇게 해서는 안 됩니다.

둘째, 절대로 실제 내원하지 않은 환자를 내원한 것으로 청구하는 것도 안 됩니다.

셋째, 진찰료만 청구하는 경우 심평원의 거짓청구 요주의 의료기관이 될 수 있기 때문에 진찰료만 청구하는 비율이 너무 높지 않도록 하시기 바랍니다. 만약 진찰료만 청구하는 경우 환자상태 등에 대하여 의무기록에 꼼꼼히 기록하시기 바랍니다.

넷째, 방사선 영상촬영을 실시한 후 판독소견서를 반드시 작성하고 비치해야 합니다. 방사선 단순영상진단료에는 판독료 30%, 촬영료 70%가 포함되어 있어 판독소견서를 작성 및 비치하지 않고 단순영상진단료를 100% 청구하게 되면 30%의 판독료가 부당청구로 인정됩니다. 따라서 영상촬영을 실시했다면 의무기록이라도 간단하게 판독소견을 작성하시기 바랍니다.

다섯째, 본인부담금 수납대장을 꼭 작성해야 합니다. 현지조사시 본인부담금 수납대장을 요구하는데 작성하지 않거나 제출을 거부하면 영업정지 1년의 행정처분을 받습니다. 본인부담금 수납대장은 전자서명하여 전자문서로 작성 및 보관할 수 있고, 종이로 작성하는 경우 인터넷에서 '국민건강보험 요양급여의 기준에 관한 규칙'으로 검색하여 별지 13호 서식을 받아 작성하시기 바랍니다.

여섯째, 실무상 가장 중요한 것은 현지조사관이 현지조사 후에 자신이 확인한 내용에 대하여 처분대상자인 의료기관의 장에게 사실확인서나 자인서를 작성하라고 서면을 주는 경우가 있는데 이는 차후 결정적인 증거가 되므로 무조건 서명하지 말고 구체적인 내용을 확인하고 적극적으로 의견을 제시하여야 합니다. 만약 현지조사관이 작성한 사실확인서의 내용에 동의하지 않거나 잘못되었다고 생각하면 적극적으로 잘못된 것임을 논리적으로 입증하여야 합니다. 그래도 사실확인서를 변경하지 않으면 '동의할 수 없으며 행정소송으로 갈음하겠다'는 의사를 표시하는 것이 좋겠습니다. 이렇게 사실확인서를 거부하면 보통 6개월 이내에 보건소나 복지부에서 사전처분 예정통지서를 의사 또는 해당 의료기관에 발송하게 됩니다. 사전처분 예정통지서는 불이익을 주는 행정처분이 있기 전에 이해당사자에게 의견을 구하는 것이므로 이 때에는 문제된 행위가 위법하지 않다는 법적인 소견서를 증거와 함께 제출해야 합니다.

행정소송을 제기하기로 하는 경우에는 실익을 반드시 검토하여야 하며 집행정지 결정시 집행정지기간을 정확히 확인할 필요가 있습니다. 또한 부당이득금 환수, 업무정지, 자격정지처분은 각각 별개의 처분으로서 함께 발생되는 것이라는 것을 알아야 합니다. 만약 형사고발을 당하는 경우 가급적 보건소 단계에서 민원을 취하하도록 유도하고 경찰의 초기수사단계에서부터 적극적인 대응이 필요합니다. 참고로 검찰에서 기소유예를 받은 경우[97] 괜찮다고 생각하시는 분이 있을 수 있지만 기소유예나 약식기소는 무혐의처분[98]이 아니므로 행정당국으로부터 행정처분을 받게 됩니다. 따라서 검찰에서 약식기소[99]를 하겠다고 결정된 경우, 이에 불복한다면 약식명령장을 고지받은 날로부터 7일 이내 정식재판을 청구해야 합니다.

주의할 것은 만약 피고인이 보건복지부의 행정처분에 대하여 행정소송을 내어 1심에서 승소하였더라도 보건복지부는 거의 대부분 항소 및 상고를 하기 때문에 결국 대법원까지 가는 경우가 많습니다. 또한 보건복지부의 행정처분에 대하여 '재량권 남용'[100] 으로 소송을 진행하는 경우 처분대상자가 승소하더라고 복지부는 같은 사건에 대하여 다시 재처분을 할 수 있습니다. 예를 들어 환자 유인으로 2개월의 면허정지처분을 한 경우 이러한 처분에 대하여 재판을 통해 '재량권남용'으로 승소하더라도 복지부는 다시 2개월보다 적은 기간으로 재처분을 할 수 있다는 것입니다.

참고1) 의료관련 불법행위에 대한 행정처분 시효

의료와 관련된 불법행위에 대한 행정처분에 시효가 있을까요? 예를 들어 8년 전 의사 A가 리베이트를 받은 사실이 최근에 검찰에 의해 고소되어 벌금형이 확정되었다면 이로 인하여 행정처분을 받을 수 있을까요?

2015년 이전에는 위법행위에 대한 행정처분 시효가 없었습니다. 즉, 불법행위가 발생한 지 10년이 지났더라도 이러한 불법행위에 대한 행정처벌을 받을 수 있습니다. 하지만 2016년 개정된 의료법에서 사유가 발생한 날부터 5년(의료인이 아닌 자로 하여금 의료행위를 하게 하거나 부정한 방법으로 진료비를 거짓 청구한 경우는 7년)이라는 행정처분시효를 만들어 이 시효가 지나면 의료와 관련된 불법행위에 대한 행정처분을 받지 않습니다. 단, 공소가 제기된 경우 공소가 제기된 날부터 재판이 확정된 날까지의 기간은 이 시효기간에 산입되지 않습니다. 또한 리베이트의 경우 몇 년간 나누어 받았을지라도 리베이트를 받은 행위는 계속된 행위로 평가하기 때문에 리베이트를 받은 마지막 날짜가 시효를 평가하는 날(기산점)로 정해지고, 리베이트 액수도 개개의 수수액이 아니라 전체액수로 평가됩니다.[101]

참고2) 임의비급여란

비급여는 크게 임의비급여와 법정비급여로 나눌 수 있습니다. 법정비급여(인정비급여)란 국가에서 치료가 필요하다는 것을 인정하지만 건강보험공단 재정상 비용이나 기타 사유로 인해 환자본인이 모든 금액을 부담하는 항목을 말하는 것으로 대표적으로 MRI, 미용목적의 성형수술, 건강검진 등이 있습니다. 이에 비하여 임의비급여란 국민건강보험법령의 규정에 의해 명시적으로 인정된 요양급여와 법정비급여에 해당하지 않는 것으로 환자의 요구 또는 의사의 진료상 필요에 따라 비용 전액을 환자에게 청구하는 것을 말합니다.

법정비급여는 법적으로 아무런 문제가 없습니다. 정부에서 비급여항목으로 지정하고 이 금액을 환자에게 모두 부담시켜도 문제없다고 인정했기 때문입니다. 하지만 임의비급여는 다릅니다. 이러한 임의비급여 진료행위는 원칙적으로 '속임수 기타 부당한 방법으로 가입자 등으로부터 요양급여비용을 받거나 가입자 등에게 이를 부담하게 한 때'로 위법으로 판단되어 처벌을 받을 수 있습니다. 예외적으로 국민건강보험제도 내로 편입시킬 절차가 없거나 시급한 경우, 의학적으로 안전하고 유효할 뿐 아니라 인정기준을 벗어나 진료해야 할 의학적 필요성을 갖추었고, 환자에게 내용과 비용을 충분히 설명해 동의를 받았을 경우에만 임의비급여 진료를 한 후 환자에게 진료비용을 청구하는 경우에는 합법적이라고 한 바 있습니다.[102] 하지만 이러한 임의비급여 진료행위가 부당하지 않다고 하는 사정은 해당요양기관이 증명해야 합니다. 특히, 보험에서 정한 사용횟수를 초과해서 사용하면서 초과비용을 환자에게 부담시키거나, 급여대상 진료를 하면서 삭감될 것을 우려하여 이 금액을 환자에게 부담시키는 경우에는 구제받기 매우 어렵습니다.

만약 어쩔 수 없이 임의비급여로 치료를 한 상황이 있다면 환자와 보호자에게 상황을 충분히 설명하시고 임의비급여에 대한 동의서를 만들어 서명을 받아 놓으시는 것이 좋겠습니다.

참고3) 전화진찰과 진료비 요양급여청구

2021년 법개정을 통해 감염병 경보가 '심각'단계 이상일 때 한시적으로 전화나 인터넷과 같은 정보통신기술을 통한 비대면진료를 허용하고 있습니다. 하지만 감염병 경보가 '심각' 단계에서 벗어나면 이전과 같이 비대면진료가 금지됩니다.

그렇다면 감염병 경보가 '심각'이 아닌 상황에서 이전에 1회 이상 진료를 받고 약처방을 받은 적이 있는 환자들을 전화로 문진한 다음 처방전을 작성하여 약사나 환자에게 직접 교부하는 행위는 불법적인 행위일까요? 이런 행위 자체가 우리나라에서 금하고 있는 비대면진료이기 때문에 불법이라고 생각하는 사람도 있고 이런 의료행위는 대면진료만 하지 않았을 뿐으로 전화를 통해 충분히 환자상태를 파악할 수 있기 때문에 환자의 편의를 위해서 시행하는 의료행위로 문제없다고 생각하는 사람도 있을 수 있습니다. 최근에 이와 관련된 사례가 있어 소개하자면 다음과 같습니다.

산부인과 전문의 A는 자신에게 과거에 1회 이상 진료를 받고 살 빼는 약처방을 받은 환자들을 전화진료하고 작성된 처방전을 약사에게 교부하거나 환자에게 교부하다가 검찰에 적발되어 의료법 위반으로 기소한 사건이 있었습니다. 제1심과 제2심에서는 산부인과 의사 B는 직접 진찰하지 않고 환자에게 처방전을 발행한 것은 의료법을 위반하였다고 하여 벌금을 선고하였습니다. 헌법재판소 역시 해당 직접 진료 규정은 헌법에 합치된다고 판단하였습니다.[103] 하지만 대법원의 의견은 달랐습니다. 대법원은 의료법에서 규정한 '직접 진찰한' 의사가 아니면 처방전 등을 작성하여 환자에게 교부하지 못한다고 규정한 조항은 스스로 진찰하지 않고 처방전을 발급하는 행위를 금지하는 규정일 뿐 대면진찰을 하지 않았거나 충분한 진찰을 하지 않은 상태에서 처방전을 발급하는 행위 모두를 금지하는 조항은 아니기 때문에 전화진찰을 하였다는 사정만으로 자신이 진찰하거나 직접진찰을 한 것이 아니라고 볼 수는 없고, 직접진찰은 처방전 등의 발급주제를 제한한 규정으로 진찰방식의 한계나 범위를 규정한 것은 아니라고 하면서 피고인에 대한 유죄부분을 파기환송하였습니다.[104)]

다른 사례는 더 흥미롭습니다. 의사 B가 의료기관에 없는 상황에서 기존에 진료를 받아오던 환자가 내원하자 의사 B는 간호조무사에게 전화하여 이전에 처방내용과 동일하게 처방을 하라는 지시를 하였고, 이에 따라 간호조무사가 처방전을 출력하여 환자에게 교부하다 적발된 사건에서, 의사 A는 '직접 진찰' 위반으로 기소되어 벌금형의 선고유예 판결을 받았습니다. 다만 간호조무사가 의사의 지시를 받아 처방전을 출력하여 환자에게 교부한 행위는 면허 외 의료행위에 해당하지 않는다고 판결하였습니다.

이와 달리 의사 C가 이전에 환자를 대면하여 진찰한 적이 한번도 없고 전화통화 당시 환자의 특성을 알고 있지 않은 상태에서 전화통화만으로 플루틴캡슐 등 전문의약품을 처방한 처방전을 작성하여 교부한 것이 적발되어 검찰에 의해 기소된 사건이 있었는데 대법원은 의사 D는 환자를 직접 진찰하지 않은 것으로 판단하였습니다.[105)]

생각을 좀 더 확장시켜 볼까요? 그렇다면 의사가 전화로 환자를 진찰한 후에 국민건강보험에 진료비를 청구하는 것이 가능할까요? 최근에 이에 대한 대법원 판결이 있었습니다. 의사 D는 자신이 운영하는 정신과 의원에서 전화통화로 환자를 진료하였지만 마치 내원해 진찰한 것처럼 국민건강보험에 요양급여비용을 청구한 것이 적발되어 기소된 사건에서 대법원은 의료법이 금지하는 것은 스스로 진찰하지 않고 처방전을 발급하는 행위를 금지하는 것으로 대면진찰을 하지 않은 상태에서 처방전을 발급하는 행위모두를 금지하는 것은 아니라고 하며 전화진찰도 직접 진찰에 해당한다고 하였습니다. 하지만 의사 D가 전화로 진찰을 하였지만 내원하여 진찰을 한 것처럼 요양급여비용을 청구한 것은 사기죄에 해당한다고 판결하였습니다.[106] 즉 보건복지부장관이 고시한 국민건강보험의 요양급여대상은 내원하여 대면하여 시행한 진찰만이 포함되기 때문에 전화진찰이나 이를 통한 약제비지급은 요양급여대상으로 정하고 있지 않기 때문에 전화진찰을 마치 직접 병원에 내원하여 진찰한 것처럼 요양급여비용을 청구하는 것은 일종의 기망행위라고 하면서 의사의 사기죄를 인정한 것입니다.

우리나라 원격의료 중에서 원격자문 외에는 원격진료나 원격모니터링이 금지되고 있지만 대법원 판례를 보면 마치 원격진료가 허용이 되는 것처럼 보일 수도 있다라는 문제점이 있었습니다. 이러한 인식이 문제가 되자 검찰은 전화진료의 위법성에 대하여 기존의 '직접 진찰'을 적용하는 대신 '의료기관 내에서 의료업을 해야 한다는' 조항을 적용하기 시작하였습니다. 최근 한의사가 전화진찰을 하고 한약을 제조해 택배로 보내준 사건에서 대법원은 '의료기관이 의료기관 내에서 의료업을 하도록 정한 것은 의료질서가 문란하게 되고 보건위생에 심각한 위험이 초래되는 것을 사전에 방지하고자 하는 것으로 전화로 원격지에 있는 환자에게 의료행위를 하는 경우 환자를 직접 진찰하는 의료서비스와 동일한 수준의 의료서비스를 기대할 수 없고 이로 인하여 보건위생에 심각한 위협이 될 수 있다'고 하면서 의료인이 전화 등을 통해 원격지에 있는 환자를 진료하는 행위는 특별한 사정이 없는 한 의료법 위반행위라는 판결이 있었습니다(대법원 2020.11.5. 선고 2015도13830판결).

정리하면 현재 원격자문을 제외하고 원격진료는 원칙적으로 허용되고 있지 않습니다. 단지 코로나19 대유행으로 인하여 한시적으로 허용되고 있습니다. 이전 사례들을 보면 약만 받는 재진환자의 경우 부득이하게 전화나 화상으로 의사가 환자를 진료하고 의사가 직접 혹은 간호사/간호조무사가 대신하여 처방전을 발행하는 것은 허용되는 것처럼 보이지만 최근 법적용을 다르게 하면서 특별한 사정이 없는 한 전화진료는 위법한 행위로 인정받을 가능성이 높아졌습니다. 주의할 것은 만약 전화진료를 통해 처방전을 발급하였다면 이에 대한 비용을 건강보험공단에 건강급여를 청구하는 것은 사기에 해당하기 때문에 어쩔 수 없이 전화진료를 시행하더라도 이에 관한 진료비를 건강보험공단에 절대로 청구해서는 안 된다는 것을 알아두어야 하겠습니다.

참고4) 간호조무사의 간호보조 및 진료보조행위의 한계

현재 개인의원급 의료기관에서 임금과 관련된 이유로 간호사 대신 간호조무사를 고용하고 이들에게 간호사와 같은 업무를 하도록 지시하는 경우가 많습니다. 의료법상 간호조무사는 의료인에 해당되지 않으며 간호업무보조가 이들의 직무이지만 의원급 의료기관에 한하여 진료보조업무[107]에 종사할 수 있도록 되어 있습니다. 하지만 간호조무사의 '진료보조' 행위가 어디까지인지가 법에서는 규정하고 있지 않습니다. 다만 대법원 판례 및 보건복지부 유권해석에 따르면 다른 면허자의 업무영역에 속하지 않는 업무로서 의사 등의 구체적인 지시나 지도를 받아 행할 수 있는 의료행위로 간단한 문진, 활력징후측정, 혈당측정, 채혈 등 진단보호행위, 피하/근육/혈관 등 주사행위, 수술실에서 마취보조/수술진행보조, 병동진료실에서 소독/마취/소변로확보/관장/깁스 등 치료보조행위, 입원실이 있는 의료기관에서 조제/투약 등을 돕는 약무보조행위 등으로 예시하고 있습니다.[108] 하지만 이러한 행위들을 의사의 지시나 감독없이 독단적으로 수행하는 것은 무면허의료행위에 해당합니다.

주의할 것은 심전도검사는 의료법에 의하여 의사가 직접 수행하거나 의사의 지시 감독 아래서 임상병리사만이 할 수 있게 되어 있으므로 만약 간호조무사로 하여금 환자 몸에 패치를 부착하거나 작동버튼을 누르거나 하는 경우 무면허 의료행위에 해당합니다. 마찬가지로 간호조무사에게 물리치료를 지시하거나 방사선촬영을 지시하는 경우도 무면허 의료행위에 해당합니다.

참고5) 의사의 비밀유지 의무

의사의 비밀유지의무에 대하여 앞에서 설명하였습니다. 이런 비밀유지의무에 대한 사례를 보면 좀 더 이해하기 쉬워 소개하면 다음과 같습니다.

연예인 L씨는 운동과 식이요법만으로 30 kg 이상의 체중을 감량하는데 성공하였다고 방송에서 밝혔고 이 방법을 다이어트 비디오 등을 만들어 판매하였습니다. 하지만 강남의 성형외과 의사인 K씨는 사실 L씨가 체중감량에 성공한 것은 다이어트를 통한 것이 아니라 전신지방흡입 수술을 여러 번 받아 체중감량에 성공한 것이라고 언론에 이야기하였습니다. 이에 연예인 L씨는 성형외과 의사 K씨를 상대로 의사의 비밀유지 위반으로 손해배상소송을 제기하였습니다. 이 소송에서 성형외과 의사 K는 연예인 L씨가 지방흡입수술을 받았다는 사실을 숨기고 다이어트 비디오를 3만 장이나 판 것은 소비자를 우롱한 일종의 사기행각으로 자신의 행위는 유명인사의 언동이 부도덕적인 행위임을 알려 시민의 알권리를 충족시키고 사기를 당하지 않게 하려는 공익상 이유이기 때문에 의사의 비밀유지위반의 예외에 해당함을 주장하였습니다. 법원은 성형외과 의사 K가 주장한 공익은 의사가 관여할 바가 아니고, 개개의 구체적 환자에 대한 비밀을 지키는 게 의사의 의무라는 취지에서, '의사는 환자를 치료하는 과정에서 알게 된 비밀을 누설할 수 없음에도 피고들은 이를 공개, 환자의 비밀을 보호해야 할 책임을 다하지 않았다'며 L씨의 손을 들어주었습니다.

연예인 S씨가 복강경으로 위장관 유착박리수술을 받은 이후 범발성 복막염이 발생하였고 이로 인한 복통이 있었지만 수술을 집도한 의사는 이를 진단하지 못하고 결국 합병증인 심낭압전과 이에 따른 허혈성 뇌손상으로 사망하였는데 집도의는 국내 의사들이 회원으로 가입되어 있는 한 커뮤니티 사이트게시판에 '의료계 해명

자료'라는 제목으로 이 사건과 관련된 수술과 과거수술이력, 관련사진과 같은 망인의 개인정보를 임의로 게시하였습니다. 유족들은 이 의사를 의사의 비밀유지위반으로 법원에 고소하였습니다. 법원은 당사자가 사망하였다고 하더라도 의료인은 망인의 의료정보와 같은 비밀스러운 생활영역이 보호되어야 한다는 이유로 의사의 유죄를 인정하였습니다.

1976년 미국의 '테라소프 판결'은 의료인의 비밀유지의무가 갖는 딜레마 상황을 더욱 명백하게 보여주고 있습니다. 캘리포니아 대학병원의 한 심리상담사는 병원에서 치료 중이던 한 남학생으로부터 "변심한 애인 테라소프를 죽이겠다."는 말을 듣고 이를 병원에 보고하였습니다. 병원은 이 보고를 묵살하고 아무런 조치를 취하지 않은 채 남학생을 퇴원시켰고 결국 테라소프는 이 남성에 의해 살해되었습니다. 이에 가족들은 병원을 상대로 손해배상소송을 제기하였습니다. 법원은 '어떤 사람에게 사망과 같은 중대한 신체적 손상을 가져올 수 있는 경우와 같이 중요한 공익상의 이유가 있다면 의사는 환자의 비밀을 공개하고 적절한 조치를 취할 의무가 있다'고 하며 병원에 배상을 명령했습니다. 이 판결은 '특정한 타인에게 위험이 발생할 합리적 예견 가능성이 명백한 경우'에 한하여 의료인의 환자에 대한 비밀유지의무의 예외를 인정받을 수 있다는 것을 보여주는 것이라 할 수 있습니다.

위의 판례를 종합한다면 진료과정에서 환자가 살인이나 성폭행을 할 계획이 있다는 것을 알았다면 이는 '제3자의 건강과 안전에 직접적으로 피해가 갈 것이 명백한 공익상의 이유'로 인정받을 가능성이 크고 따라서 후자의 경우에 한하여 의료인은 비밀유지의무를 위반하고 경찰에게 신고할 수 있겠습니다. 하지만 진료과정에서 과거에 살인을 청부받아 살인한 적이 있다거나 청소년을 성폭행한 적이 있다는 사실을 알았다면 이는 과거의 사실로서 제3자의 건강과 안전에 직접적으로 피해가 갈 가능성이 낮기 때문에 비밀유지의무를 지켜야 할 것으로 생각합니다. 의사는 노숙자든, 전직 대통령이든, 대기업대표 등 그 사회적 지위에 상관없이 진료상 비밀인 환자의 개인의료정보를 지켜주어야 합니다. 의료인은 국민의 알권리를 보호하는 의무가 우선이 아닌 개개인의 구체적 환자에 대한 비밀보호라는 의무를 지니고 있다는 사실을 알아두어야 하겠습니다.

참고6) 응급환자 상급병원 전원 시 의사의 책임과 의무

의원에서 환자를 진료하다 보면 자신의 진료과목에 상관없는 응급환자를 볼 기회가 있습니다. 이런 응급환자를 의원급 의료기관에서 치료한다는 것은 불가능하기 때문에 가급적 빠른 시간 안에 인근 상급병원으로 전원하여야 합니다. 하지만 상당수의 개원가 의사들은 이러한 응급환자를 상급병원에 전원시킬 때 요구되는 의사의 의무와 책임을 잘 알지 못하는 경우가 많습니다. 최근 이에 관련된 사건과 관련한 판결이 있어 소개하면 다음과 같습니다.

41세 남자환자 A는 구토, 오심, 전신통증, 어지럼증을 주소로 인근 B소화기내과 의원에 방문하였고 의사 C는 환자 A에게 오심방지약(metoclopromide), 비타민이 포함된 수액을 처방하였습니다. 환자 A는 수액을 맞고 있던 중 갑자기 가슴통증과 어지럼증을 호소하였고 의사 C가 시행한 심전도상 급성심근경색이 의심되었습니다. 환자를 이송하기 위해 의사 C는 카카오톡으로 택시를 불러 환자와 보호자만 탑승시켜 인근 대학병원에 도착하였습니다. 하지만 환자와 보호자는 택시에서 내리고 바로 응급실로 가지 않고 병원 내 편의점에서 물을 사고 나오다가 갑자기 심정지가 발생하였고 5분 후에 응급실로 옮겨져 심폐소생술 및 관상동맥조영술을 시행하였으나 사망하였습니다. 관상동맥 조영술 상 우관상동맥이 완전히 막혀있어 급성심근경색 및 심정지로 사망하였다는 것을 확인하였습니다. 환자보호자는 의사 A를 검찰에 고소하였습니다.

위의 사례에서 쟁점이 되었던 것은 환자 A가 응급환자인지 여부와 함께 환자 A를 택시로 이송한 것과 인근 대학병원으로 이송할 때 환자와 보호자만 택시에 태워 보낸 것이었습니다.

첫째, 환자 A가 응급환자인지 여부는 법률을 들여다보면 알 수 있습니다. 응급의료에 관한 법률(이하 응급의료법)에서는 응급환자를 신속한 치료가 필요한 환자로 규정하고 있고 보건복지부가 발행한 안전한 병원간 전원을 위한 응급환자 이송지침에 따르면 중증응급환자란 신속한 치료가 필요한 환자로서 (1) 뇌출혈 수술, (2) 뇌경색 재관류, (3) 심근경색 재관류, (4) 복부손상 수술, (5) 사지접합수술, (6) 응급내시경, (7) 응급투석, (8) 조산산모, (9) 신생아, (10) 중증화상, (11) 정신질환자로 규정하고 있습니다. 환자 A는 급성심근경색에 해당하기 때문에 법령에서 정하고 있는 응급환자라고 할 수 있습니다.

둘째, 의사 C가 환자 A를 택시로 이송한 것에 대하여 의사 C는 개인적인 경험으로 119에 구급차를 요청하면 개인병원에는 오지 않거나 매우 늦게 도착하는 경우가 많고, 사설구급차는 응급구조사도 없고 장비도 열악할 뿐 아니라 요청하고 도착하는데 수십 분 이상이 걸릴 것으로 생각되어 택시를 불렀다고 주장하였습니다. 이에 비하여 검찰은 응급환자를 구급차가 아닌 택시에 태워 전원한 것은 위법한 행위라고 주장하였습니다.

마지막으로 택시로 상급병원에 이송할 때 의료진이 동승하지 않고 보낸 것에 대하여 의사 C는 당시 수면내시경을 시행한 수면마취환자가 있어 혹시 무호흡상태가 발생하는지 관찰하여야 하였기 때문에 자신은 의원을 벗어날 수 없는 상태였고 환자가 정신은 멀쩡한 상태로 스스로 움직여 택시를 탈 수 있었기 때문에 의료진의 동승이 반드시 필요한 상황은 아니었다고 주장하였습니다. 검찰은 환자가 이송과정에서 있을 수 있는 치명적인 부정맥으로 인한 심정지과 같은 응급상황이 발생할 가능성을 잘 알고 있었음에도 불구하고 환자 및 보호자만 택시에 태워 보낸 것은 위법한 행위라고 주장하였습니다.

법원은 상급병원이송에 119 구급차대신 택시를 이용한 것은 문제삼지 않았습니다. 하지만 환자 A가 택시에 스스로 탑승하는 등 의식이 있었다고 하더라도 의사 C는 환자 A의 이송과정에서 있을 수 있는 치명적인 부정맥으로 인한 심정지과 같은 응급상황을 예상할 수 있음에도 불구하고 택시에 본인 혹은 간호사를 동반하지 않고 환자 A와 보호자만 태워 보냈고 이와 같은 과실이 피해자의 사망결과에 대한 하나의 원인으로 생각된다고 하면서 의사 C에게 금고 1년 3월 집행유예 2년을 선고하였습니다[부산지방법원 2020.2.3. 선고 2019고단 2637, 4359(병합) 판결].

의원에서 응급환자가 발생하였을 때 해당 환자를 상급병원에 인계하기까지의 모든 책임이 환자를 전원하는 의료기관에 있기 때문에 환자가 응급환자로 판단되는 경우 전원의뢰서만 작성하여 빨리 큰 병원에 가라고만 해서는 안 됩니다. 만약 환자가 응급환자로서 이송 도중에 응급상황이 발생할 가능성이 있다고 생각되면 우선 119에 구급차를 요청하는 것이 좋습니다. 앞서 말한 바와 같이 119 구급차의 경우 응급구조사가 항시 탑승하고 있고 응급상황이 발생하는 경우 심폐소생술을 위한 여러 기구들이 탑재되어 있기 대문입니다. 또한 현재 119법 시행령에서 의원급 의료기관에서 발생한 응급환자 이송의 경우 의사가 동승한다면 119 구급차의 협조를 받을 수 있습니다. 만약 119구급차의 협조가 어렵거나 시간이 너무 오래 걸린다고 생각되면(판단의 근거가 되는 객관적인 사실이 있으면 더 좋습니다) 사설구급차 혹은 자신의 자가용이나 택시를 이용해서 환자를 상급병원에 이송할 수도 있습니다. 가장 중요한 것은 응급환자를 상급병원에 이송할 때 아무리 기다리는 외래환자가 있더라도 반드시 의사가 함께 가는 것입니다. 전원을 하다가 환자의 상황이 악화되거나 사망하는 경우 전원하는 동안 의료진이 함께 탑승하지 않았을 경우 의뢰하는 의사의 책임을 물을 수 있기 때문입니다. 정리하면 현재 법에서는 환자의 생명은 어느 무엇보다 소중하다고 여기며 의사들은 이를 행동에 옮기도록 요구하고 있다는 것을 기억할 필요가 있겠습니다.

참고7) 1인 의료인의 의료기관 복수개설금지

현재 1인의 의료인이 의료기관을 두개 이상 운영하는 것이 금지되고 있습니다. 헌법재판소는 복수개설금지조항에 대하여 '1인의 의료인이 주도적인 지위에서 여러 개의 의료기관을 지배하거나 관리하는 것은 의료행위에 외부적인 요인을 개입하게 하고, 의료기관의 운영주체와 실제의료행위를 하는 의료인을 분리시켜 지나친 영리행위를 추구하여 의료의 공공성을 훼손할 우려가 크다'고 하면서 '이는 우리나라의 취약한 공공의료 및 의료인이 여러 의료기관을 운영할 때 발생하는 국민보건 전반에 미치는 영향과 함께 국가가 국민의 건강을 보호하고 적정한 의료급여를 보장해야 하는 사회국가적인 의무를 고려할 때 과잉금지원칙에 반한다고 할 수 없다'고 하면서 합헌결정을 내렸습니다[헌법재판소 2019.8.29. 선고 2014헌바212, 2014헌가15, 2015헌마561, 2016헌바21(병합) 전원재판부결정].

1인의 의료인이 2개 이상의 의료기관을 설립하여 운영하는 것을 금지하고 있는 사실은 이제 알 수 있습니다. 하지만 1개 대학이 여러 대학병원을 가지거나 1개 의료법인이 여러 개의 종합병원을 설립하여 운영하는 것을 볼 수 있습니다. 이러한 것은 문제가 되지 않을까요? 보건복지부는 의료인에 대한 1인 1개소법에 의료법인과 대학과 같은 비영리법인은 해당하지 않기 때문에 여러 병원을 운영해도 문제가 되지 않는다고 유권해석을 하였습니다.[109]

그렇다면 의료인이 여러 병원에서 일하는 것은 문제가 없을까요? 결론적으로 말씀드리면 의료인의 경우 2009년 12월부터 신성장동력 확충을 위한 규제개혁추진의 일환으로, 등록된 의료기관의 장의 허가를 받는 다면 복수의 의료기관에서 근무하는 것이 허용되고 있습니다. 단, 의료인이 복수의 의료기관에서 진료를 한 경우 실시한 진료행위에 대하여 건강보험공단에서 요양급여비용을 인정하며 그 비용은 진료가 이루어진 해당 요양기관에서 청구해야 합니다. 하지만 의료기관 개설자 및 공동개설자, 수련중인 전공의, 공중보건의사의 경우에는 겸직이 금지됩니다.

예제 의사 A는 자신이 개설한 의원이 운영난에 시달리자 자신이 아닌 지인들의 이름으로 실제 진료하지 않았지만 마치 진료한 것처럼 진료기록부를 작성하였고, 실제로 내원한 환자들에 대해서도 실제 내원일보다 많이 진료한 것처럼 진료기록부 및 진료비 수납대장을 허위로 작성하였고, 이 작성한 자료를 국민건강보험공단에 요양급여비용을 청구하여 23개월간 1,100여 건 1,400만 원을 지급받았습니다. 같은 기간 동안 A가 개설한 의료기관이 국민건강보험공단에서 지급받은 총 요양급여비는 3억 5천만 원이었습니다. 만약 이러한 사실이 행정당국에 적발되었다면 A가 받는 행정처분은 무엇일까요?

정답 A는 진료비 거짓청구를 이유로 면허정지 6개월(월평균 허위청구금액 1,400만 원/23개월 = 61만 원, 허위청구비율 1,400만 원/35,000만 원 = 4%)의 처분을 받게 됩니다. 이러한 거짓청구의 경우 해당의원급 의료기관은 업무정지처분과 함께 부당이익금환수, 과징금 및 필요한 경우 형사고발이 될 수 있습니다.

월평균 부담금액	거짓청구비율					
의료기관	0.5-1% 미만	1-2% 미만	2-3% 미만	3-4% 미만	4-5% 미만	5% 이상
12만 원 미만	-	-	1개월	2개월	3개월	4개월
12-20만 원 미만	-	1개월	2개월	3개월	4개월	5개월
20-40만 원 미만	1개월	2개월	3개월	4개월	5개월	6개월
40-160만 원 미만	2개월	3개월	4개월	5개월	6개월	7개월
160-700만 원 미만	3개월	4개월	5개월	6개월	7개월	8개월
700-2,500만 원 미만	4개월	5개월	6개월	7개월	8개월	9개월
2,500만 원 이상	5개월	6개월	7개월	8개월	9개월	10개월

예제 최근 B 제약회사는 의사 A에게 B 제약회사가 출시한 C의약품을 처방해줄 것을 부탁하면서 대가로 A가 개설한 의료기관에 B 제약회사가 공급한 총 15회의 의약품 값에 대하여 1,100만 원의 약 30%에 해당하는 330만 원을 할인해 주었습니다. A는 의약품 구매대금의 외상 선할인이 불법적인 리베이트에 해당된다는 이유로 검찰에서 수사를 받았고 형사상 기소유예의 처분으로 종결되었습니다. A가 받는 행정처분은 무엇일까요?

정답 형법상 기소유예 처분이란 위법한 행위는 맞지만 그 정도가 중하지 않아 기소를 하지 않는다는 것으로 기소유예처분을 받은 행위는 위법한 행위라는 것은 인정되기 때문에 행정처분의 대상이 됩니다. A는 부당한 경제적 이익을 받음을 처분사유로 자격정지 2개월의 처분을 받을 수 있습니다. 다만 검찰의 기소유예처분을 받거나 법원에서 선고유예판결을 받는다면 일정범위 내에서 처벌이 감경될 수 있습니다.

수수액	1차 위반	2차 위반	3차 위반
300만 원 미만	경고	자격정지 1개월	자격정지 3개월
300만 원 이상- 500만 원 미만	자격정지 2개월	자격정지 4개월	자격정지 6개월
500만 원 이상-1,000만 원 미만	자격정지 4개월	자격정지 6개월	자격정지 8개월
1,000만 원 이상-1,500만 원 미만	자격정지 6개월	자격정지 8개월	자격정지 12개월
1,500만 원 이상-2,000만 원 미만	자격정지 8개월	자격정지 10개월	자격정지 12개월
2,000만 원 이상-2,500만 원 미만	자격정지 10개월	자격정지 12개월	자격정지 12개월
2,500만 원 이상	자격정지 12개월	자격정지 12개월	자격정지 12개월

기소유예 처분이란 피의사실(죄)은 인정되지만 재판에 넘겨 처벌할 가치가 없다고 판단될 때 검사의 재량으로 피의자를 형사재판에 넘기지 않고 넘어가는, 즉 죄가 있다는 점만 주지시키는 불기소처분의 일종으로 기소유예처분을 받으면 형사재판을 받지 않고 전과도 생기지 않지만 죄가 인정되었기 때문에 이에 따른 행정처분을 받게 되는 것입니다. 이에 비하여 선고유예란 형사재판에서 형을 선고하여야 할 경우 그 선고를 유예해 두었다가 일정기간이 경과하면 면소된 것으로 보도록 하는 제도로 선고자체를 유예한다는 점에서 형의 선고는 있었으나 그 집행을 유예할 뿐인 집행유예와 구별이 됩니다. 참고로 선고유예는 1년 이하의 징역, 금고, 자격정지 또는 벌금형을 선고하는 경우 다시 범행을 저지르지 않으리라는 사정이 현저하게 기대되는 경우에 시행하는 제도로 2년이 경과하는 동안 문제가 발생하지 않는 경우 면소된 것으로 간주합니다.

예제 의사 A는 제약회사 지점장으로부터 제약회사에서 제조, 판매하는 의약품에 대한 채택, 처방유도 등 판매촉진을 목적으로 현금 500만 원을 받았고 이것이 발각되어 의료법위반혐의로 형사상 벌금 500만 원 및 추징금 500만 원을 선고를 받고 확정되었습니다. 이에 대하여 어떤 행정처분을 받을까요?

정답 A는 부당한 경제적 이익 등을 취득함을 처분사유로 현행 의료관계 행정처분의 수수액 기준에 따라 자격정지 4개월의 처분을 받을 수 있습니다.

벌금은 형사소송법상 형벌의 일종으로 죗값을 돈으로 치르는 것으로 만약 이를 내지 못하면 노역장에 유치되어 이를 갚아야 합니다. 이와 달리 추징금은 범죄행위로 얻은 부당한 이익에 대한 반환(몰수)이지만 이를 내지 못한다고 해서 구속되거나 노역장 유치는 하지 않습니다.

예제 의사 A는 의약품 판매촉진의 대가로 2천만 원을 받았습니다. 이에 법원은 A에게 징역 1년에 집행유예 2년, 사회봉사 80시간, 1억 2천만 원을 추징하였습니다. 이에 행정기관은 의사 A에 대하여 처분기준에 의한 자격정지 10개월 대신 면허취소처분을 했습니다. 이러한 처분은 합당한가요?

정답 현재 행정처벌에 따르면 리베이트의 액수에 따라 자격정지 12개월까지 할 수 있습니다. 하지만 행정기관은 리베이트에 대하여 점점 엄격하게 처벌하고 있습니다. 의료법 8조에는 의료인 결격사유로 정신질환자, 마약/대마/향정신성의약품 중독자, 피성년후견인/피한정후견인, 의료관련법령을 위반하여 금고이상의 형을 선고받은 자로 되어 있습니다. 이 규정에 의하여 행정기관은 면허취소의 행정벌을 내린 것입니다. 최근에 이 사건에 대한 법원의 판결이 있었는데 리베이트로 인하여 금고 이상의 형을 받은 의사는 면허취소가 정당하다고 판결한 바 있습니다. 법원은 벌금형을 초과하는 중한 형사처벌을 받은 것은 해당의료인에 대한 국민의 신뢰를 손상시키고 의료인에 대한 신뢰를 떨어뜨려 공익을 해하는 결과를 초래하고, 의료인에게 요구되는 높은 수준의 윤리의무에도 반하기 때문에 문제되지 않는다고 하였습니다.[110]

예제 의사 A는 예비군 훈련 동안 자신이 개설한 의원을 3일간 비우면서 그 기간 동안 간호조무사 B로 하여금 이전과 동일한 질병으로 내원한 환자들에게 같은 내용의 처방전을 발급하도록 지시하였고 B는 3일 동안 70명의 환자들에게 처방전을 작성하여 발급하였습니다. 하지만 이러한 행동이 행정기관에 발각되어 A는 형사상 검찰로부터 기소유예처분을 받았습니다. 이에 대한 행정처분은 어떻게 될까요?

정답 A는 간호보조사에게 면허 외 의료행위를 하게 함을 처분사유로 자격정지 3개월 이내의 자격정지 처분을 받을 수 있습니다.

예제 의사 A는 자신의 의원의 운영을 전담하는 사무장 B를 채용하였습니다. 의사 A가 내원한 환자 C에 대한 손가락 봉합수술을 마칠 때 응급환자가 내원하였고 A는 응급환자에 대한 치료를 위하여 사무장 B에게 환부주위를 세척하고 나아가 손가락에 부목을 대고 붕대를 감도록 지시하였습니다. A의 이러한 지시에 대하여 검찰로부터 비의료인에 대한 무면허의료행위 지시로 형사상 기소유예의 처분을 받았습니다. A가 받는 행정처분은 무엇일까요?

정답 A는 의료인이 아닌 자로 하여금 의료행위를 하게 함을 처분사유로 자격정지 3개월 이내의 자격정지 처분을 받을 수 있습니다.

2020년 법이 개정되어 의료인이 아닌 자가 의료행위를 하거나 의료인이 면허사항 이외의 의료행위를 함은 물론 의료인이 아닌 자에게 의료행위를 하게 하거나 의료인에게 면허사항 외의 의료행위를 하게 할 경우 5년 이하의 징역이나 5천만 원 이하의 벌금과 해당 의료인은 3개월의 자격정지의 행정처분을 받습니다. 만약 사람의 생명 혹은 신체에 중대한 위해를 발생할 우려가 있는 수혈, 수술, 전신마취를 하게 하는 경우 의사면허를 취소할 수 있도록 벌칙조항이 강화되었습니다.

위반사항	처분
의료인이 아닌 자가 의료행위를 한 경우(행위당사자)	형벌: 5년 이하의 징역 혹은 5천만 원 이하의 벌금
의료기사 아닌 자에게 의료기사의 업무를 하게 하거나 의료기사에게 그 업무의 범위를 벗어나게 한 경우	형벌: 5년 이하의 징역 혹은 5천만 원 이하의 벌금
	행정처분: 자격정지 3개월
의료기사가 아닌 자에게 의료기사의 업무를 하게 하거나 업무 외 의료행위를 하게 하여 사람의 생명 혹은 신체에 중대한 위해를 발생할 우려가 있는 수혈, 수술, 전신마취를 하게 하는 경우	형벌: 5년 이하의 징역 혹은 5천만 원 이하의 벌금
	행정처분: 면허취소

예제 의사 A는 개업하면서 물리치료사 B를 고용하여 전기치료, 마사지 등을 시행하게 하였습니다. 그러던 중 B가 개인적 사정으로 휴가를 가자 대체인력을 구하기 어려웠던 의사 A는 물리치료를 본인이 직접 실시하였습니다. 하지만 환자 여러 명이 동시에 내원하여 대기시간이 길어지자 일부 경증환자를 물리치료사의 면허가 없는 직원 C로 하여금 간단한 온열치료를 수행하도록 지시하였습니다. 이것이 행정기관에 발각되었을 경우 받을 행정처분은 무엇일까요?

정답 A는 의료기사가 아닌 자로 하여금 의료기사의 업무를 하게 함을 처분사유로 하여 자격정지 3개월 이내의 처분을 받을 수 있습니다.

예제 개원한 의사 A는 평일 오전 9시부터 오후 9시까지 근무하였고 토요일은 오전 9시부터 오후 3시까지 일하였습니다. 근로시간 주 40시간을 맞추기 위하여 자신이 고용한 방사선사 B는 평일에 하루 쉬게 하였습니다. 하지만 방사선사 B가 근무하지 않는 날에는 방사선사가 아닌 임상병리사 C에게 방사선촬영을 하도록 지시하였습니다. 하지만 행정기관의 행정조사에 이 사실이 발각되었습니다. 의사 A가 받게 될 행정처분은 무엇일까요?

정답 A는 의료기사가 아닌 자로 하여금 의료기사의 업무를 하게 함을 처분사유로 하여 자격정지 3개월의 자격정지 처분을 받을 수 있습니다.

예제 개원한 의사 A는 간호조무사 B로 하여금 심전도검사를 하기 위하여 환자의 몸에 패치를 부착하게 한 후에 작동버튼을 눌러 검사결과를 출력하도록 지시하였습니다. 이러한 사실이 행정기관에 발각이 경우 받게 될 행정처분은 무엇일까요?

정답 A는 의료기사가 아닌 자로 하여금 의료기사의 업무를 하게 함으로 인한 무면허 의료행위를 처분사유로 하여 자격정지 3개월 이내의 행정처분처분을 받을 수 있습니다.

심전도검사는 의료법에 의하여 의사가 직접 수행하거나 의사의 지시감독 아래서 임상병리사만이 할 수 있게 되어 있으므로 만약 간호조무사로 하여금 환자 몸에 패치를 부착하거나 작동버튼을 누르거나 하는 경우 무면허 의료행위에 해당합니다. 마찬가지로 간호조무사에게 물리치료를 지시하거나 방사선촬영을 지시하는 경우도 무면허 의료행위에 해당합니다.

의료법상 간호조무사는 의료인에 해당되지 않으며 간호업무보조와 의원급 의료기관에 한하여 진료보조업무[112]에 종사할 수 있도록 되어 있습니다. 하지만 간호조무사의 '진료보조' 행위가 어디까지인지가 법에서는 규정하고 있지 않습니다. 다만 대법원 판례 및 보건복지부 유권해석에 따르면 다른 면허자의 업무영역에 속하지 않는 업무로서 의사 등의 구체적인 지시나 지도를 받아 행할 수 있는 의료행위로 간단한 문진, 활력징후측정, 혈당측정, 채혈 등 진단보호행위, 피하/근육/혈관 등 주사행위, 수술실에서 마취보조/수술진행보조, 병동진료실에서 소독/마취/소변로 확보/관장/깁스 등 치료보조행위, 입원실이 있는 의료기관에서 조제/투약 등을 돕는 약무보조행위 등으로 예시하고 있습니다.[113] 하지만 이러한 행위들을 의사의 지시나 감독없이 독단적으로 수행하는 것은 무면허의료행위에 해당합니다.

예제 의사 A는 의사 B가 원장으로 있는 병원에 근무하면서 매월 1,000만 원의 월급을 지급받기로 하고 입사하였습니다. 하지만 2개월 지내다 보니 실제 병원을 소유한 것은 사무장인 C였습니다. 이 의료기관이 사무장병원인 것이 적발되어 A는 형사상 벌금 500만 원의 선고유예판결을 확정받았습니다. 이 경우 의사 A가 받게 될 행정처분은 무엇일까요?

정답 A는 의료기관의 개설자가 될 수 없는 자에게 고용되어 의료행위를 함을 처분사유로 자격정지 3개월의 처분을 받을 수 있습니다. 참고로 병원을 실제 운영한 사무장과 의료인은 사무장병원 개설로 인한 의료법위반과 사기죄[또는 특정경제범죄가중처벌 등에 관한 법률위반(사기)]로 형사처벌됩니다. 만약 사무장병원에 고용된 의료인이 금고이상의 형을 선고받으면 의사면허가 취소됩니다. 또한 사무장과 의사는 건강보험공단에서 받은 요양급여를 연대해 반환하라는 요양급여환수처분을 받게 됩니다. 만약 고용된 의사가 사무장병원이라는 것을 몰랐을 경우 형사처벌은 면할 수 있지만 요양급여환수처벌은 피할 수 없습니다.

참고로 사무장병원이라고 하더라도 의사면허를 가진 의사를 고용하고 이들에 의하여 통상적인 의료행위를 하는 것도 문제가 될까요? 대법원은 사무장병원에서 적법한 면허를 가진 의료인이 통상의 의료행위를 하고 요양급여를 받은 경우도 사기죄에 해당한다고 판단하였습니다(대법원 2015.7.9. 선고 2014도11843 판결). 물론 이와 같은 판결에 대하여 국민건강보험재정의 충실이라는 목적만을 위한 과도한 제제라는 비판도 있습니다.

예제 의사 A가 B병원에 고용되어 의료행위를 하던 중 B병원이 사무장병원인 것이 적발되어 의사 A는 징역 10월, 집행유예 2년 선고를 받고 확정되었다면 의사 A에 대한 행정처분은 무엇일까요?

정답 의료법은 의료관련 법령을 위반하여 금고이상의 형을 선고받은 의료인에 대하여 필요적으로 면허를 취소하도록 규정하고 있고, 여기서 금고이상 형의 선고에는 금고 이상의 형을 선고받고 그 집행이 유예된 경우도 포함됩니다. 따라서 A는 금고 이상의 형사판결을 받아 의료인 결격사유에 해당되어 면허취소처분을 받게 됩니다.

예제 **의사인 A는 1년 동안 주 2회 자신의 의원이 아닌 사회복지시설에서 요양 중인 노인을 진료하였고 이러한 행위가 행정기관에 적발되었습니다. 의사 A가 받을 행정처분은 무엇일까요?**

정답 의료기관 이외 장소에서 의료행위를 허용할 경우 비위생적인 진료환경에 의한 감염위험이 크고 장비, 시설, 인력 등의 제약으로 인하여 적절한 치료를 받지 못할 위험성이 매우 크다는 점을 고려하여 의료법에서는 의료기관 외에서 의료행위를 금지하고 있습니다. 따라서 의사 A는 의료기관 외에서 의료업을 한 사유로 자격정지 처분 3개월을 받을 수 있습니다. 유사한 사례로 대학교에서 학생들에게 자궁경부암 백신을 접종하거나 교회에 방문하여 진료한 사례에 대하여 자격정지처분을 한 바 있습니다.

하지만 지속적이고 장기적인 의료서비스가 필요한 환자가 증가하고 있으나 거동이 불편한 환자들의 의료접근성 문제를 해결하기 위하여 거동이 불편하여 의료기관에 내원하기 어렵다고 의사가 판단한 환자를 대상으로 지역 내 의원의 의사가 직접 방문하는 2019년부터 일차의료 방문진료 시범사업이 진행되고 있습니다. 의원급 의료기관 중에서 방문진료를 할 수 있는 의사가 1인 이상인 곳은 신청을 통해 시범사업에 참여할 수 있고, 이 시범사업에 참여한 의료기관은 방문진료 요청을 한 환자를 대상으로 방문진료가 가능하고 의료보험적용도 받을 수 있습니다.

이와 함께 요양원과 같은 노인요양시설의 경우 촉탁의제도가 시행되고 있습니다. 촉탁의 제도란 노인요양시설에 일정한 자격을 갖춘 촉탁의가 월 2회 정기적으로 방문하여 입소자 건강을 돌보는 제도입니다. 하지만 주의할 것은 촉탁의 업무는 '진료'가 아닌 '진찰'로 정의되었기 때문에 처치가 불가능하고 외래나 입원이 필요한 경우 진료를 받도록 조치를 취해야 합니다. 또한 진찰에 대한 급여는 행위별 수가제가 아닌 정액제입니다.

예제 **부원장으로 근무하던 의사 A가 원장 B가 해외여행을 간 상황에서 교통사고 환자에 대한 진료를 마친 후 작성명의자를 원장 B로 하여 진단서를 발급하였습니다. A가 한 행위는 허위진단서 작성에 해당할까요?**

정답 의료법상 금지되는, 진단서를 거짓으로 작성하여 내어주는 행위에는 환자에 대한 병명이나 의학적인 소견 외에도 진단자인 의사의 성명, 면허자격과 같은 작성명의를 허위로 기재하는 것도 포함되기 때문에 A는 허위진단서 작성에 해당되고 자격정지 3개월의 처분을 받을 수 있습니다.

예제 **의사 A는 자신의 의원 인터넷 홈페이지에 성형상담만 받아도 장미꽃과 향수케이스를 준다는 내용의 광고를 개제하였습니다. 이런 광고는 적법한 광고일까요?**

정답 환자유치를 둘러싼 금품수수 등의 비리를 방지하고 의료인간에 과당경쟁으로 인한 폐해를 방지하기 위하여 현재 의료법에서는 의료인 또는 의료기관의 환자 소개, 알선, 유인행위를 금지하고 있습니다. 하지만 의료법에서는 환자유인행위로 볼 수 있는 금품의 기준이나 액수에 대하여 따로 규정하고 있지 않습니다. 다만 판례에서는 경품으로 제공하려던 물건의 경제적 가치가 크고 작음이 환자를 유인하는 행위인지를 판단하는 기준이 될 수 없다고 하면서 위 사례를 영리목적으로 환자를 의료기관이나 의료인에게 소개, 알선, 그 밖에 유인하거나 사주하는 행위로 판단하였습니다.

의료법에서는 예외적으로 외국에 거주하는 외국인환자를 유치하거나 알선하는 행위는 허용되고 있습니다. 이에 의하여 외국인환자 유치를 전문으로 하는 합법적인 의료관광 에이전시가 있고 이러한 에이전시는 외국인환자를 알선한 대가로 해당 의료기관으로부터 해당환자 진료비 총액의 15-20% 정도의 수수료를 받고 있다고 합니다. 하지만 국내에 거주하는 외국인을 유치하거나 알선하는 국내광고나 유치/알선행위는 금지됩니다.

예제 의사 A는 영업사원의 설명만 듣고 구매한 후 약제를 환자들에게 비만치료 목적으로 주사하였는데 나중에 알고 보니 의약품으로 허가받지 않은 주사제였습니다. 의약품으로 허가를 받지 않은 주사제를 환자에게 투여한 의사 A는 행정처분을 받을 수 있을까요?

정답 영업사원으로부터 주사제가 의약품이라는 말을 믿었거나 외관만으로 주사제가 무허가라는 판단을 할 수 없었더라도 주의의무를 소홀히 한 비도덕적인 진료행위로 판단되어 자격정지 3개월 이내의 행정처분을 받을 수 있습니다.

예제 의사 A가 환자의 지방분해흡입시술을 하는 과정에서 환자를 강제로 추행하였고 이것이 발각되어 형사상 징역 6월, 집행유예 1년, 사회봉사 100시간의 유죄판결을 받았습니다. 이 경우 강제추행한 의사는 어떠한 행정처분을 받을까요?

정답 비도덕적 진료행위란 사회통념상 의사에게 기대되는 도덕성과 직업윤리를 훼손하는 행위를 말합니다. 이전에는 비도덕적 진료행위라는 정의가 모호하여 이를 두고 많은 논란이 된 적이 있었지만 2018년 법이 개정되면서 비도덕적 진료행위가 세분화되었고 이에 따른 자격정지도 강화되었습니다. 비도덕적 진료행위와 그 처벌정도를 보면 (1) 진료 중 성범죄를 범한 경우 자격정지 12개월, (2) 처방전 없이 마약 또는 향정신성의약품을 투약하거나 제공한 경우 3개월, (3) 허가나 신고를 받지 않은 의약품을 사용하거나 유효기간이 지난 의약품을 사용한 경우 자격정지 3개월, (4) 낙태를 한 경우 자격정지 1개월, (5) 그 밖의 비도덕적 진료행위를 한 경우 자격정지 1개월로 정해져 있습니다. 참고로 2019년 낙태가 위헌판결을 받아 무효화되어 낙태에 대한 조항은 사문화되었다고 할 수 있습니다. '그 밖의 비도덕적 행위'로는 판례에서는 음주한 상태로 환자를 진료한 경우, 마취 중인 환자에 대한 주의의무를 위반한 경우, 마약진통제를 자기에게 투약한 경우 등이 있습니다.

위 사례의 경우 성범죄를 범하였고 금고 이상의 형사처벌을 받았기 때문에 자격정지 12개월이 아니라 면허취소요건이 됩니다.

비도덕적 진료행위	처벌규정
진료 중 성범죄를 범한 경우	자격정지 12개월
처방전 없이 마약이나 향정신성의약품을 투약한 경우	자격정지 3개월
허가나 신고를 받지 않은 의약품을 사용하거나 유효기간이 지난 의약품을 사용한 경우	자격정지 3개월
낙태를 한 경우*	자격정지 1개월
그 밖의 비도덕적 행위 음주상태로 환자를 진료한 경우 마취 중인 환자에 대한 주의의무를 위반한 경우 마약진통제를 자기에게 투여한 경우	자격정지 1개월

*낙태의 경우 위헌판결로 해당 법률이 무효화되어 이 조항은 사문화된 것으로 보입니다.

예제 의사 A가 몸이 아파 쉬고 있던 중 의사 B의 부탁으로 의료기관 개설명의를 빌려주고 그 대가로 B에게 매월 100만 원을 1년간 받은 것이 발각되어 형사상 벌금 500만 원을 선고 받았습니다. 이 경우 행정처분은 어떨까요?

정답 A는 면허증을 빌려줌을 처분사유로 면허취소의 행정처분을 받을 수 있습니다.

예제 의사 A가 해외학회 참석차 출국하면서 학회기간에 자신이 집도하기로 되어 있었던 3건의 수술을 환자와 보호자 동의를 받지 않은 채 후배 의사에게 넘겼는데 이러한 사실이 행정당국에 적발되었습니다. 이 의사는 어떠한 행정처분을 받을 수 있을까요?

정답 2018년 의료법이 개정되면서 수술 등에 참여한 주된 의사가 변경되었지만 이를 환자에게 알리지 않은 경우 자격정지 6개월의 처분을 받을 수 있습니다. 참고로 일회용 의료용품을 재사용한 것이 발각되는 경우도 자격정지 6개월의 처분을 받을 수 있습니다. 만약 재사용으로 사람의 생명이나 신체에 중대한 위해가 발생한 경우 면허취소의 행정처분을 받을 수 있습니다.

일회용 주사 재사용금지	자격정지 6개월
재사용으로 사람의 생명이나 신체에 중대한 위해발생 시	면허취소
수술에 참여하는 의사를 변경하면서 환자에게 그 내용을 알리지 않은 경우	자격정지 6개월

PART
06
의료사고에
대처하는 법
4 2
3 5 1
7 3 6 8

의료사고에 대처하는 법

의료사고란 의사의 과실여부와 관계없이 환자의 진단, 검사, 치료 등 의료의 모든 과정에서 발생하는 인신사고를 말합니다. 여기서 의료사고라는 단어는 의사의 과실여부와 무관한 가치중립적인 개념으로 의료사고가 있다고 해서 반드시 의사의 과실이 있다고 말할 수는 없습니다. 이에 비하여 의료과실이란 의료진이 환자를 진료하면서 의료진이 이에 따른 업무상 주의의무를 게을리하여(과실로 인하여) 환자의 신체나 생명의 악화를 초래한 경우를 말합니다. 하지만 과실이 있다고 해도 모두 문제가 되는 것은 아니며 과실로 인하여 환자상태가 악화된 결과를 초래해야 합니다.

의료과오소송 경향

1999년 미국에서는 매년 환자 약 4만 4천-9만 8천여 명이 충분히 피할 수 있는 의료과오로 목숨을 잃는다고 추산하였습니다. 한국의료분쟁조정중재원(이하 의료중재원)의 통계에 따르면 2016년부터 2020년 의료사고 누적 조정상담건수는

약 28만여 건으로 연평균 4.9% 증가하였다고 합니다. 의료분쟁조정신청도 연평균 3.8% 증가하여 2016-2020년 누적 1만 2천여 건이었고 의료사고 상담건수도 매년 11.1% 증가하고 있습니다. 의료소송건수도 1989년 69건이었던 것이 1998년 500건 이상이었고 2012년에는 1,008건, 2017년 1심기준 민사 1,885건 형사 1,008건으로 점차적으로 증가하는 추세입니다. 앞으로 의료에 대한 국민의식수준이 높아지고 의료기관 이용률이 증가함에 따라 앞으로도 더 늘어날 것으로 보입니다. 그렇다면 어떤 과가 많을까요? 2018년 의료중재원의 자료에 의하면 정형외과가 21.9%로 가장 많았고 이어서 내과 12.9%, 치과 12.9%, 성형외과 6.6%, 산부인과 5.9%, 외과 5.9% 순이었습니다. 또한 의료분쟁 합의 및 조정/중재 배상금액은 2016년의 57억 원에 비하여 2017년 71억 원으로 지속적으로 늘어나고 있으며 1억 원 이상 고액배상 금액건도 2016년 5건에 비하여 2017년 10건으로 늘어나고 있습니다.[114]

의료사고의 특징과 입증책임전환

의료사고의 특징

의료소송의 가장 큰 특징중의 하나는 재판기간(심리기간)이 길어서 1심재판의 경우 평균 26개월, 2심판결에는 평균 1.3년으로 일반소송보다 길었습니다. 또한 환자가 승소하는 경우가 일반소송에 비해 낮습니다. 예를 들어 2008년 민사 1심소송에서 일반민사사건 인용률(전부승소, 일부승소, 화해[115] 및 조정, 인낙[116] 포함)이 73%인데 비하여 의료소송의 인용률은 59.8%이었습니다. 의료중재원이 2018년 통계연보에서 대법원 '사법연감'을 토대로 분석한 자료에 따르면 2017년 전국법원에 접수된 의뢰사고 손해배상청구소송 총 955건에서 의료진의 책임을 일부 인정하는 원고 일부승소는 20%, 의료진의 책임을 전부 인정하는 전부승소는 1.2%에 불과하였습니다. 이와 같이 의료소송에서 환자 측이 승리할 확률이 낮은 이유는 환자 측에서 의료인의 과실을 찾아 입증해야 하지만 의료행위가 수술실 등 비공개적인 공간에서 이루어지고, 의학지식자체가 전문성을 요구하므로 환자들의 의료과실을 입증하는 것이 어렵고, 또한 많은 의료행위가 의료인의 재량으로 인정되는 등 의료행위자체가 일정한 위험을 가지고 있기 때문입니다.[117] 또한 의사측의 명백한 과실이 인정되어도 의사책임을 제한하는 경우가 많아 환자 측이 전부승소를 하기 어려운 것도 사실입니다.

② 의료과오 민사소송과 형사소송

우리나라 의료분쟁의 또 하나의 특징중의 하나가 민사절차보다는 수사기관에 의지하려는 경향이 강하여 민사소송전에 형사고소를 하는 비율이 상대적으로 높고 실제로 업무상 과실치상 및 과실치사로 형사처벌을 받는 경우도 증가하고 있습니다. 이와 같이 환자 측이 민사소송에 앞서 형사소송을 시행하는 이유로는 민사소송을 제기할 때 변호사선임비, 인지대[118], 의료감정[119] 및 검증비용, 증인여비[120] 등 비용이 많이 들어가며 승소할 확률도 높지 않지만 형사소송의 경우 비용이 들지 않고, 형사소송에서 이기는 경우 형사판결 자체가 유력한 증거가 되어 민사소송에서도 유리하기 때문입니다. 이와 더불어 의료사고가 발생한 많은 경우에 해당 의사와 감정대립으로 인하여 경제적 보상보다는 신체적 처벌을 받게 하려고 하는 보복감정을 가지는 경우도 있고 의료소송을 진행하려고 하더라도 환자에 관한 자세한 정보에 접근하기 곤란한 경우가 있어 이러한 문제를 수사기관을 통해 진료기록부를 확보하고자 하는 것도 이유입니다.

의료과실인정기준

의료사고가 발생한 경우 해당 의료인의 의료과실이 있었음이 객관적으로 인정이 되는 경우에만 법적책임을 지게 됩니다. 즉, 의사가 진찰이나 치료 등의 의료행위에서 환자위험을 예방하기 위하여 최선의 조치를 취할 주의의무를 게을리하여 환자의 생명이나 신체에 피해를 입히거나 사전에 이러한 사실을 충분히 알리지 않았을 경우에 한하여 의료과실이 인정되는 것입니다. 이러한 주의의무의 정도는 일반적인 의학수준과 의료환경 및 조건, 의료행위의 특수성을 고려하여 판단하게 됩니다. 통상적으로 의사로서 선택할 수 있는 재량에 속하거나, 보통 의사로서 피하기 어려운 오진범위에 속하거나, 진료방법이 결과적으로 효과적인 경우나 환자에게 무해한 경우에는 과실이 인정되지 않습니다.

설명의무와 입증책임전환

설명의무란 인간은 누구나 자율적인 자기결정으로 자신에 대한 침습행위를 허용한 경우에만 의료행위가 정당성을 가진다는 전제하에 의사는 의료행위 전에 환자에게 진단결과나 치료방법, 예후, 부작용 등을 충분히 설명해야 한다는 것입니다. 특히 의료행위는 잘못될 수 있다는 위험성이 항상 존재하기 때문에 이러한 설명의무가 더욱 강조되고 있습니다.

법원이 의료사고에 대한 과실판단을 하는 일반적인 기준으로 의료진의 과실여부와 설명의무 위반을 중점적으로 살피고 있습니다. 최근에는 환자 측에서 부담하는 입증책임부담을 완화시키거나 임증책임을 의료진에게 돌리는 경우가 많은데 앞서 말한 바와 같이 환자 측이 의사의 과실과 손해발생 간의 인과관계를 입증하기 매우 어렵기 때문입니다. 하지만 그렇다고 환자 측에게 모두 유리한 것은 아닙니다. 최근 의료소송에서 의사과실과 손해발생에 고도의 개연성을 요구하는 경우가 많고, 환자 측의 과실상계비율을 높이고 있기 때문에 환자 측에서 이기더라도 적은 위자료밖에 받지 못하는 경우가 많습니다.

대체적 분쟁해결제도

앞서 이야기한 바와 같이 민사소송은 법원에서 판결을 받아 과실여부 및 피해액을 결정하는 전통적이고 잘 알려진 방법이지만 많은 비용과 시간이 걸리고 당사자 감정대립이 격화될 뿐이나 승소 혹은 패소라는 이분법적인 특징으로 인하여 분쟁을 해결한 이후에도 후유증이 남는다는 단점이 있습니다. 이에 대한 대안으로 제시되고 있는 것이 바로 대체적 분쟁해결제도(alternative dispute resolution, ADR)입니다. 대체적 분쟁해결제도란 법원을 통한 분쟁해결에서 벗어나 소송이 아닌 다른 방식으로 제3자의 관여하여 조정/중재를 통해 분쟁을 해결하는 것을 말합니다. 이와 같은 대체적 분쟁해결제도는 소송보다 결론에 이르는 시간과 비용이 훨씬 적게 듭니다. 예를 들어 의료중재원의 조정부의 경우 조정절차가 개신된 날로부터 90일 이내(1회에 한하여 30일까지 연장가능)에 조정결정을 하도록 정하고 있습니다. 2018년 평균사건 처리기간은 102.7일로 민사소송보다 짧습니다. 또한 의료중재원의 조정중재 이용수수료는 법원 소송수수료의 1/10수준입니다. 예를 들어 기본적인 중재원의 조정중재 수수료는 22,000원으로 청구금액이 500만 원을 초과하는 경우 1만 원당 10원(5,000만 원 이하)에서 20원(5,000만 원 초과)을 가산합니다. 이에 비하여 민사소송의 경우 변호사선임비, 송달비용, 인지세, 감정료를 포함하면 소송한 건에 1,000만 원 이상의 비용이 들어가게 됩니다.[121] 또한 1심에 불복하여 2심, 3심까지 가는 경우 각각의 건에 대하여 변호사선임비, 송달비용, 인지세가 들게 됩니다.

① 조정과 중재

의료와 관련된 대체적 분쟁해결제도에는 크게 한국소비자원과 의료중재원이 있습니다. 우선 대체적 분쟁해결제도를 이해하기 위해서는 법률적 용어인 조정과 중재의 뜻을 알 필요가 있습니다. 조정이란 의료분쟁이 발생하면 이 사건에 대하여 제3자인 한국소비자원 또는 의료중재원이 사실관계를 조사하여 검토한 후에 이에 대한 해결책을 제시하고 그 조정한 내용에 대하여 피고자(병원 측)와 원고자 당사자(환자 측) 쌍방이 동의하면 그 효력이 발생하는 것을 말하며 양측에서 동의한 경우 재판상 화해[122]와 동일한 효력을 가지게 됩니다. 이에 비하여 중재란 제3자인 의료중재원이 사실관계를 확인하고 검토한 후에 해결책을 제시하게 되면 양 당사자의 동의 없이 효력이 발생하게 되며 재판상 확정판결과 동일한 효력을 지니게 됩니다.

② 한국소비자원

한국소비자원은 소비자권익을 증진하고 소비생활향상을 도모하여 국민경제발전에 이바지하기 위하여 국가에서 설립한 전문기관으로, 소비자(환자 측)가 한국소비자원에 인터넷, 전화 및 우편으로 의료사고 구제신청을 하면 한국소비자원장은 합의를 권고하고, 합의되지 않는 경우 한국소비자원 소비자분쟁조정위원회에 분쟁조정을 신청하게 됩니다. 소비자분쟁조정위원회는 의료분쟁의 사실관계를 조사하고 검토한 후에 분쟁조정내용을 당사자에게 통지하면 환자 측과 의사측은 통지를 받은 날부터 15일 이내 분쟁조정내용에 대하여 수락여부를 통보하여야 합니다. 만약 양측이 모두 조정결정을 수락하면 조정위원회는 조정조서를 작성하게 됩니다. 이때 작성된 조정조서는 재판상 화해와 동일한 효력을 지니게 됩니다. 만약 의사측이나 환자 측 중에서 한쪽이라도 조정결정을 수락하지 않으면 한국소비자원의 조정결정은 무효가 됩니다. 이러한 경우에 원고(환자 측)는 민사소송이나 의료중재원 등 다른 절차적인 방법을 찾거나 중단하게 됩니다.

의사측에서 가장 주의할 것은 한국소비자원의 분쟁조정내용에 대하여 '의사표시가 없는 경우' 즉 한국소비자원에서 조정조서가 송달되었을 때 15일 내에 '조서내용에 대하여 합의하지 않는다'라는 의사표시를 한국소비자원에 보내지 않으면 조서내용을 수락한 것으로 '간주'된다는 것입니다(표 5-25 참조). 참고로 2018년 한국소비자원에 의료분쟁 조정신청사건은 총 554건으로 이 중에서 소비자분쟁조정위원회에 정식으로 상정된 250건을 기준으로 조정성립이 된 건수는 59.2%인 148건, 불성립이 된 경우는 40.2%인 102건이었습니다.

 한국의료분쟁조정중재원(의료중재원)

의료중재원이란 2012년 설립되어, 의료분쟁이 발생하였을 때 중립적으로 신속하고 공정하게 판정하고 적정한 배상이 이루어질 수 있게 만들어진 국가기관입니다. 의료사고 분쟁당사자는 의료중재원을 방문하거나 전화 또는 인터넷을 통해 상담을 받은 후 조정 또는 중재신청을 하게 됩니다. 만약 분쟁당사자(환자 측)가 의료중재원에 조정신청을 하면 의료중재원은 피신청인(의료진 또는 병원)에게 조정신청서를 송달하고 피신청인(의료진 또는 병원)이 조정에 응하고자 하는 의사를 중재원에 통지하면 조정절차가 시작이 됩니다. 하지만 피신청인(의료진 또는 병원)이 14일 이내 조정절차에 대한 의사통지를 하지 않으면 조정신청이 각하되어 의료중재원은 이 사건에 대한 조정을 하지 않게 됩니다. 이런 경우 신청인(환자 측)은 한국소비자원이나 민사소송 등 다른 절차적인 방법을 찾아야 합니다.

만약 양측 모두 조정에 응하는 의사통지를 하면 중재원내 조정부에서는 의료분쟁 사실관계를 파악하여 90일 이내 조정결정을 하고, 조정결정서를 양측에 송달하고 받은 날로부터 15일 이내 동의여부를 통보하게 됩니다. 만약 의료중재원의 조정결정에 대하여 의사측과 환자 측이 모두 동의한 경우에는 이 조정조서는 재판상화해와 동일한 효력을 가지게 됩니다. 환자 측이나 의사측 중에서 한쪽이라도 의료중재원의 조정내용에 수락하지 않는 경우 조정결정은 무효가 됩니다. 이러한 경우에 원고(환자 측)는 민사소송이나 의료중재원 등 다른 절차적인 방법을 찾거나 중단하게 됩니다. 중재원에서는 중재도 시행하고 있는데 만약 양측에서 의료분쟁 사실관계를 파악하기 전에 중재원의 중재결정에 따르기로 서면으로 합의하면 중재방법으로 시행되며 중재판정이 이루어지면 재판상확정판결과 동일한 효력을 가지며 단심으로 종결되고 중재판정에 불복할 수 없습니다.

의료중재원의 대불제도

만약 조정이나 중재로 인하여 손해배상금이 확정되었음에도 받지 못하는 경우 신청인이 중재원에 미지급금에 대한 대불(대신지급)을 청구하면 먼저 지급을 받을 수 있습니다. 미리 지급한 금액은 나중에 중재원이 피신청인(의사측)에 대하여 구상권[123]을 청구하게 됩니다.

의료사고 분쟁조정 강제개시제도 – 신해철법

2017년부터 사망이나 1개월 이상의 의식불명, 장애 1등급 중 하나라도 해당되는 중대한 의료사고가 발생하였을 경우에 피해자나 가족이 의료중재원에 조정신청을 하면 의사측의 동의가 없어도 조정절차를 자동으로 개시하도록 하는 소위 신해철법이 시행되고 있습니다.

하지만 2017년부터 2020년까지 의료중재원의 자료에 따르면 자동개시는 평균 500여 건에 불과하였습니다. 이에 2022년 국회는 모든 의료분쟁에서 의사측의 참여의사와 상관없이 조정신청에 따라 바로 조정절차가 개시되도록 하는 신해철법 강화법을 발의한 상태입니다.[124)]

표 6-1는 각 기관별 소송방법의 특징에 대하여 다시 한번 표로 정리하였습니다.

표 6-1. 대체적 분쟁해결제도 기관과 특징

기관	특징
한국소비자원	한국소비자원 소비자분쟁조정위원회의 조정조서가 송달되었을 때 15일 이내 이에 대한 의사통지를 하지 않으면 이 조정조서를 수락한 것으로 간주
한국의료분쟁조정중재원 (의료중재원)	한국의료분쟁조정중재원에서 조정신청서를 송달 받고 14일 이내 의사통지를 하지 않으면' '조정신청이 각하'되게 되어 중재원은 조정을 하지 않음 하지만 사망이나 1개월 이상 의식불명, 혹은 장애등급 1등급 판정을 받게 되는 경우에 한하여 피해자나 가족이 중재원에 조정신청을 하면 의사나 병원의 동의 없이 분쟁조정이 개시됨

의사의 입장에서 본 의료분쟁 해결절차

의료사고가 발생하였을 때 의사의 입장에서 의료과오에 의한 것이지 아닌지 판단하기가 쉽지는 않습니다. 사람들은 자신이 유리하다고 생각하는 경향이 있고 주위의 의사들도 사고당사자를 위로하면서 유리한 측면만 이야기하는 경우가 많습니다. 또한 의료분쟁이 발생하면 어떻게 하던지 사건을 빨리 해결하려고 병원이나 의사의 잘못이 없어도 금전적인 보상을 하기도 합니다.

개인적으로는 의료분쟁이 발생하였고 이로 인하여 환자 측에서 소송을 제기하거나 제기할 가능성이 높다고 생각하시면 우선 변호사와 상의하는 것이 좋겠습니다. 변호사 사무실에 가서 변호사와 상담만 하는 경우 큰 비용이 들지 않습니다. 만약 의료배상보험에 가입한 경우 보험사의 고문변호사나 손해사정사에게 물어볼 수도 있습니다. 그 다음은 상대방(환자 측)이 원하는 것이 무엇인지 파악하는 것이 필요합니다. 환자 측에서는 감정적으로 자신이 억울하다는 것을 인정받기 원하는 경우도 있고, 금전적인 보상을 원하는 경우도 있습니다. 환자 측이 원하는 것이 무엇인지 정확하게 알아야 합의가 가능해지기 때문입니다.

만약 소송까지 이르지 않고 합의를 하는 경우 가급적 합의문을 작성하는 것이 좋습니다. 합의문 자체가 법적인 효력은 없기 때문에 합의한 이후에 환자 측에서 다시 소송을 제기하거나 형사고소를 할 수도 있지만 합의문을 작성함으로써 이해당사자는 사건이 종결되었다는 느낌을 받게 되기 때문입니다. 합의서를 작성할 때에는 환자본인, 배우자, 자녀를 포함시키도록 하고, 만약 환자가 미혼인 경우 부모나 형제를 포함시키는 것이 좋습니다. 사건내용은 분쟁쟁점을 구체적으로 정확히 기술하는 것이 좋은데 이러한 방법을 통해 환자 측의 마음이 변하여 소송을 추후에 다시 한다고 하더라도 대비할 수 있기 때문입니다. 주의할 것은 환자 측과 합의를 하더라도 나중에 의료사고로 인하여 예상치 못한 후유장애가 발생한 경우 그 손해에 대하여는 이전 합의의 효력이 미치지 않기 때문에 추가적인 보상을 해 주어야 합니다. 만약 의료사고에 대한 보상금액과 범위가 큰 경우 합의를 하더라도 추후에 발생할 문제를 가만한다면 가급적 변호사의 도움을 받아 합의서를 작성하는 것이 좋겠습니다.

참고로 의료사고로 환자가 사망한 경우 유가족과 합의 후에 환자 측에서 민간손해보험을 가입했다고 하면서 재해사실확인서와 같은 증명서를 요구하는 경우가 있는데 이런 경우에 협조하시는 것이 좋습니다. 환자 측에서 민간손해보험을 가입했다는 사실을 사전에 인지하면 이를 통해 환자 측과 합의를 좀 더 쉽게 이끌 수도 있기 때문입니다.

의료사고배상책임보험과 변호사선임

의료사고배상책임보험

의료사고에 대비하는 보험으로 보험회사에서는 의료사고배상책임보험(이하 배상책임보험)을, 의사협회 의료배상공제조합에서는 배상공제를 개발하여 판매하고 있습니다. 이러한 배상책임보험은 의사 등 의료인이 수행하는 의료행위와 관련하여 과실로 타인의 신체에 장해를 입히거나 사망에 이르게 한 경우를 담보하는 보험으로 의료사고비용과 해당보험회사에서 고용한 변호사와 상담할 수 있고 변호사를 선임하는 경우 선임비용도 보상받을 수 있기 때문에 의료분쟁사건을 처리하는 방법에 대한 노하우가 없거나 갑작스러운 고액의 손해배상으로 재정이 불안정해지는 의원급 의료기관이나 중소병원에서는 배상책임보험가입의 필요성이 클 것으로 생각됩니다. 하지만 이러한 보험은 단점도 있습니다. 예를 들어 의료기관은 납입보험료 및 자기부담금 조정을 통해 하나의 청구당 보상한도액과 총보상한도액을 설정하여야 하는데 보험료가 높을수록 보상한도액이 높아지게 됩니다. 일반적으로 위험한 진료행위를 하는 곳일수록 보험료가 높고 의료사고가 발생하게 되면 보험료가 크게 올라가게 됩니다. 또한 배상책임보험이나 공제에 가입하여도 일정액 이하 사건의 경우에는 보험에 가입하였더라도 자기부담으로 한다는 면책금(자기부담금)조항[125]이 있는 경우가 많고, 실제 의료사고 발생시 환자 측의 요구액과 보험사의 지급액이 다를 경우 이러한 차액을 어떻게 처리할지에 대한 문제도 해결이 되지 않았습니다. 또한 보험사나 조합의 동의를 거치지 않고 병원에서 미리 보상금을 지급하였을 경우 지급한 금액과 보험사가 산출한 예상 지급액과의 차이가 있을 때 이 금액을 보상하지 않습니다.

변호사를 선임할 때 주의할 점

만약 소송에 들어가 변호사를 선임하기로 결정하였으면 우선 소송위임장을 변호사에게 제출하여 변호사가 첫 변론기일 이전에 답변서를 제출하도록 해야 합니다. 소송위임을 결정하면 의료분쟁이 발생한 사건개요를 변호사에게 설명하고 소송에 참고가 될 수 있는 내용이나 증거자료를 주어야 합니다. 많은 의사들이 비싼 비용을 주고 변호사를 선임하였으니 변호사가 알아서 할 것으로 생각하는 경향이 있는데 그렇지 않습니다. 대부분의 변호사가 의사가 아니고 의사변호사를 고용한다고 하더라도 의사변호사가 의료관련 모든 분야를 알지 못하기 때문에 담당 변호사에게 의료분쟁이 발생한 사건개요를 쉽고 자세하고 설명을 해야 변호사가 소송에 필요한 준비서면을 꼼꼼하게 준비할 수 있습니다. 또한 재판을 준비할 때 변호사에게 모두 맡기지 말고 재판에서 쟁점사항이 될 수 있는 쟁점을 함께 정리하고 진료기록부도 함께 검토하며, 필요하다면 자신에게 유리한 자료나 논문을 첨부하여 제출하여야 합니다. 참고로 외국문헌인 경우에는 판사나 변호사가 잘 이해할 수 없거나 볼 시간이 없기 때문에 번역문을 첨부하여야 합니다.

변호사를 고용하는 경우 소송을 시작할 때 선임비용(착수금)과 승소하는 경우 성공보수금(승리수당)이라는 비용이 들게 됩니다. 착수금은 약 최소 330~550만 원 정도가 일반적으로 소송액(소가)이 크거나 소송이 복잡하면 복잡할수록 커지게 됩니다. 또한 승소하였을 경우 이익이 발생한 범위내에서 승리수당을 추가로 지불해야 하는 경우가 많습니다(2021년부터 개정된 법률에 의하여 형사소송에 한하여 변호사가 승리수당을 받지 못하도록 강제하였습니다). 만약 1심에서 패소하였을 경우 패소한 이유를 확인하고 억울하다고 생각하시면 고등법원(또는 지방법원 항소부)에 항소하거나, 대법원에 상고하게 됩니다. 항소기간은 민사소송의 경우 판결문 송달일로부터 14일, 형사소송의 경우 판결 선고일로부터 7일 이내에 하여야 하기 때문에 항소나 상고를 고려한다면 이 기간을 놓치지 않도록 주의하여야 합니다. 참고로 변호사 선임비용은 1심, 2심, 3심 각각 지불하여야 하는 것이 원칙입니다. 만약 재판을 진행할 때 선임한 변호사가 마음에 들지 않다고 하여 변호사를 바꾸는 경우에는 변호사의 귀책사유가 있거나 기록을 검토하는 등 착수하기 이전을 제외하고는 지불한 착수금의 경우 거의 환불을 받을 수 없음을 아시는 것이 좋겠습니다.

의료사고의 예방을 위한 제언

의료사고의 예방을 위해 변호사가 추천한 내용은 다음과 같습니다.

첫째, 자신의 의학지식을 끊임없이 업데이트 시키는 것이 중요합니다. 의학기술은 빠르게 발달하고 있기 때문에 법원에서도 의료행위 당시의 의학교과서가 의료과실의 중요한 판단근거로 하고 있습니다. 따라서 최신 의학지식의 흐름과 경향을 알고 있는 것이 중요합니다. 합리적인 이유없이 과거의 치료 및 진단방법 사용으로 인하여 적절한 진단 및 치료가 되지 않을 경우 의료과실로 인정받을 수도 있습니다.

둘째, 환자와의 신뢰관계를 유지하는 것이 중요합니다. 최근에 환자와의 관계가 환자가 모든 것을 의사에게 맡기는 형태에서 상호간 계약의 형태로 점차 바뀌고 있지만 환자입장에서는 의료진에 대한 신뢰가 없다면 자신이나 가족의 소중한 신체나 생명을 맡길 수 없습니다. 따라서 의사는 치료방법과 예후에 대하여 환자 및 그 가족과의 충분한 대화를 통해 신뢰관계를 형성하여야 합니다.

셋째, 병의원의 의료시설과 의사 자신의 의료지식 등에 비추어 감당할 수 없는 의료행위는 가급적 하지 않는 것이 좋습니다. 특히 의료는 전문과목별로 세분화되어 있고 전문과목을 벗어난 의료행위는 보호자들도 인터넷을 통해 쉽게 확인이 가능하기 때문에 자신이 없는 의료행위는 하지 않는 것이 좋습니다. 만약 장기간 치료를 요하거나 응급상황이 발생할 가능성이 높은 의료행위의 경우 상급병원으로의 전원을 고려하시는 것이 좋습니다.

넷째, 의료행위는 주사나 약물투여, 처치할 때 사소한 부주의로 인한 큰 문제가 발생할 수 있으므로 언제나 응급상황이나 예측하지 못한 돌발상황에 대하여 준비하여야 합니다. 최근 약물에 의한 알러지 및 아나필락시스가 있는 환자가 늘고 있기 때문에 응급상황에 대비한 필수장비는 자신의 의료기관에 구비하는 것이 좋겠습니다.

다섯째, 법원은 환자에게 검사 및 수술, 시술에 대한 부작용이나 합병증에 대하여 자세한 설명을 하지 않고 의료행위를 하다가 사망과 같은 중대한 부작용이나 합병증이 발생하는 경우 설명의무위반으로 인한 불법행위로 인정하고 있습니다. 따라서 중대한 합병증이나 부작용이 발생할 가능성이 있는 경우 사전에 자세히 설명하여 환자 스스로가 자기결정권을 행사할 수 있도록 하여야 합니다. 수술이나 시술에 대한 설명은 원칙적으로 환자본인에게 하여야 하고 그렇지 않을 경우 어쩔 수 없다면 가족과 같은 대리인에게 할 수도 있습니다. 주의할 것은 이러한 설명은 환자의 지적수준을 감안하여 알아듣기 쉽도록 이야기해야 합니다. 또한 설명은 구두로도 가능은 하지만 추후 분쟁을 대비한다면 이를 진료기록에 기재하고 환자의 확인(서명)을 받는 것이 좋습니다. 또한 동의서에 단순히 환자의 서명만 받지 말고 설명하면서 문장에 줄을 긋든지, 동그라미를 치던지, 그림을 그리는 등 정말로 설명을 하였다는 근거를 남기는 것이 좋습니다.126)

여섯째, 진료기록은 의료분쟁에서 가장 중요한 증거자료로 사용되기 때문에 가능한 세밀하게 작성하는 것이 좋습니다. 만약 분쟁이 발생하고나서 일정기간이 지나서 이미 작성한 의무기록을 수정하였을 경우 의료진이 현재의 의무기록이 자신에게 불리하다고 생각되어 수정한 것으로 판단되어 법원판결에서 매우 불리하게 작용할 수 있습니다. 특히 환자 측이 의무기록을 복사한 이후에 의무기록을 수정하는 것은 매우 주의하여야 합니다.

일곱째, 의사는 언제나 오진가능성이 있다는 것을 의사는 물론 환자 및 보호자들도 잘 알고 있지만 의료사고가 발생하는 경우에는 환자 및 보호자들은 이런 의사들의 오진가능성을 부정하는 경우가 많습니다. 따라서 예측하지 않는 결과를 초래할 가능성이 있거나 정확한 진단이 불가능할 경우 이와 같은 사실을 환자에게 설명하고 이러한 내용을 의무기록에 기재하는 것이 좋습니다. 또한 외래서 혈액검사나 내시경을 시행 후 환자가 다시 내원하지 않는 경우에도 혈액소견이나 내시경소견이 유의하게 이상소견이 있는 경우 반드시 전화 등의 유선상으로 결과를 환자에게 통보하는 것이 좋습니다.

의료사고에 대한 일반적인 대처방법

첫째, 환자들이 의료과실을 주장하는 경우, 해당 환자의 진료기록에서 당시 상황에 대하여 제대로 기재하지 않은 내용이 있는지 확인하는 것이 필요합니다. 시간에 쫓겨 행하고도 기재하지 않은 의료처치가 있거나 상세하게 기재하지 않는 경우에는 의료사고 직후 시간을 들여 진료기록을 상세하게 기록하시는 것이 좋습니다. 단, 환자 측에서 사고직후 의무기록을 이미 확보하였고 이후 어느정도 시간이 지나 그 내용을 수정하는 경우 이 수정가능성에 대하여 의문을 제기할 수 있기 때문에 전후 사정을 정확하게 고려하여 가필이나 수정여부를 결정하여야 합니다.

둘째, 의료사고이후에 환자나 그 가족과 면담을 할 때 상황에 따라 공감하거나 부정하는 태도가 필요합니다. 환자나 가족이 정상적으로 이루어진 의료행위에 대하여 결과가 좋지 않다는 이유로 항의하는 경우가 있는데 이를 의료진이 공감한다면 의료진이 의료과실을 시인하였다고 주장할 수 있기 때문에 단호하게 의료과실의 가능성을 부정하는 것이 좋습니다. 하지만 환자 보호자들이 의료진이 최선을 다했지만 나쁜 결과가 발생하였다는 것을 이해하고 있는 상태에서 의사 측이 무조건 고자세나 사소한 과실까지 모두 단호히 부인하는 경우에는 감정싸움으로 번질 수도 있으므로 법적인 과실을 시인하는 것이 아니라 도의적인 공감을 표시하거나 유감의사를 나타내는 것이 좋습니다.

셋째, 환자 측이 면담을 요청하는 경우 환자 측과 의료진과의 대화는 녹음될 가능성이 매우 높습니다. 따라서 만약 환자 측에서 면담요청에 응하는 경우 환자 측의 유도질문에 넘어가지 않도록 주의해야 합니다. 만약 의사 스스로 의료과실의 가능성이 높다고 판단하는 경우 환자 측과의 직접적인 대화는 피하는 것이 좋습니다. 의료과실판단여부는 법원이나 대체적 분쟁해결제도에서 이루어지기 때문에 의사가 미리 자신의 의료과실을 시인할 필요는 없기 때문입니다. 단, 면담을 피할 수 없다면 필요에 따라 도의적인 공감이나 유감정도는 가능한데 반드시 도의적이라는 표시를 사용하여 유감표시를 하는 것이 좋겠습니다.

넷째, 과거에 비하여 많이 줄기는 했지만 의료사고가 발생한 경우 환자 측에서 병원시설을 점거하고 농성을 하거나 담당의사를 폭행하거나 협박하는 경우가 종종 있습니다. 이런 경우 경찰서에 신고하더라도 환자 측의 폭력행위가 심각한 경우를 제외하고는 제지하지 않고 돌아가는 경우가 많습니다. 의료진을 폭행하거나 기물파손이 심한 경우에는 경찰에 신고만 할 것이 아니라 상해진단서를 끊고 사진을 찍어 증거를 확보한 후에 폭행 및 진료방해에 대한 업무방해로 고소하는 동시에 민사상 접근금지가처분이나 업무방해가처분 및 손해배상과 같이 적극적으로 대응을 하는 것이 좋습니다. 이러한 조치들은 앞으로 발생할 수 있는 추가적인 피해를 막고 경찰은 피고소인인 환자 측을 소환하게 되어 환자 측도 농성을 자제하고 합의를 서두르게 될 수 있기 때문입니다.

참고) 초빙의사의 책임과 권한

개업 중인 A가 다른 동료의사인 B를 불러 수술 또는 시술을 시행하고 나서 당시에는 문제가 없었는데 다음날 발견되지 않았던 문제로 갑자기 사망한 경우 이 책임은 누구에게 돌아갈까요?

대법원의 판례에 따르면 초빙의사인 B의 수술 후 특이한 문제가 없었다면 이후 환자관리에 대한 책임은 A에게 있다고 하였습니다. 그렇다면 간호사과실에 대한 의사책임은 어떨까요? 민사책임에 있어서 병원의 피고용자인 고용의사, 간호사, 또는 간호보조원 등의 과실로 인하여 의료사고가 발생한 이는 의료기관의 개설자 또는 병원의 대표이사가 민법상의 사용자로서 민사책임을 지게 됩니다. 하지만 형사책임은 개별책임이 원칙으로 과실행위를 한 당사자가 책임지게 됩니다. 만약 간호사 과실로 인하여 환자에게 상해 또는 사망의 결과가 나온다면 간호사에게 형법상의 업무상 과실치사상의 책임이 있습니다. 예를 들어 담당간호사가 실습간호사에게 뇌수술을 받은 환자에게 주사를 놓도록 지시하였는데 실습간호사가 주사를 팔이 아닌 머리에 잘못 놓아 환자가 숨진 사건에 대하여 주사를 처방한 전공의에 대하여 무죄판결을 내린 바 있습니다.

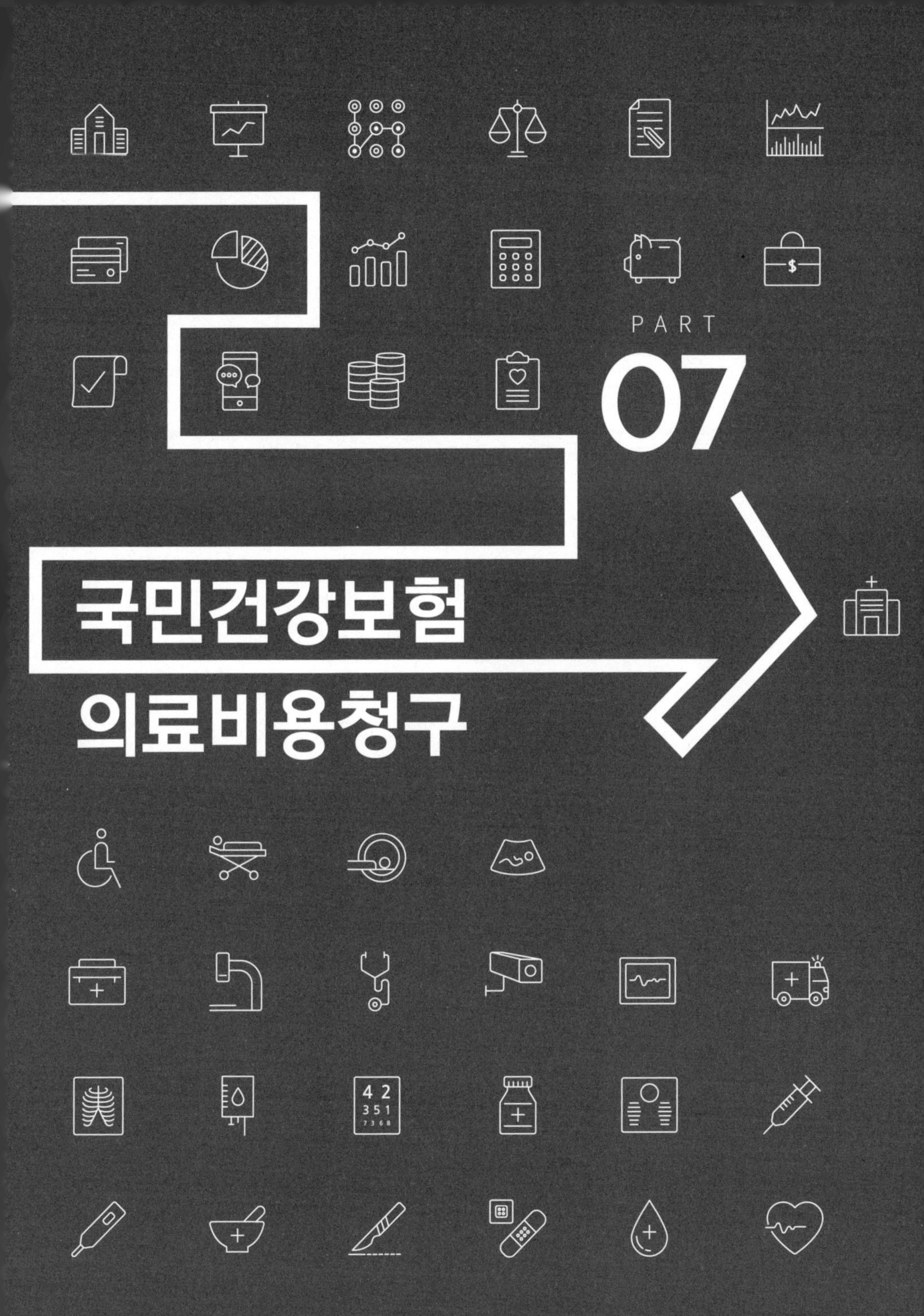
PART
07
국민건강보험
의료비용청구
42
351
7368

국민건강보험
의료비용청구

우리가 진료를 보고 의료기관에 지불하는 의료비는 크게 본인부담금과 공단부담금으로 구성되어 있습니다. 비급여비용은 본인부담금에 포함됩니다. 건강보험 대상 환자가 진료를 보면 의료기관은 국민건강보험에 진료비를 청구하고 국민건강보험은 의료기관의 진료비 청구가 적정하였는지를 건강보험심사평가원(이하 심평원)의 심사를 거쳐 진료비를 지급합니다(그림 7-1).

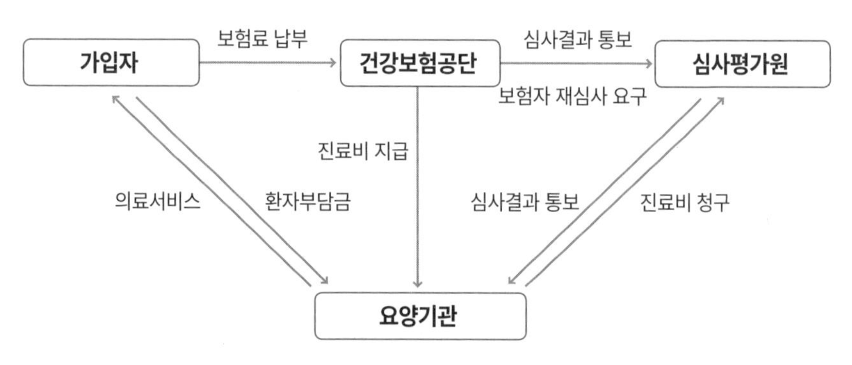

그림 7-1. 진료비 청구, 심사, 지급 체계

심평원은 의료기관의 의료비청구가 적정하였는지를 크게 전산점검과 전문심사로 나누어서 평가하고 있습니다. 전문심사는 전산점검결과 전문심사가 필요한 경우에 이루어지게 됩니다(표 7-1).

표 7-1. 심평원 요양급여비용 심사처리절차

1단계(기재점검)	2단계(자동점검)	3단계(전문가점검)
필수기재사항점검 -청구서반송 -명세서 심사불능 -심사불능 30% 이상시 반송	코드, 단가, 계산착오 등 점검 -A(단가착오), F(자료미제출) -K(코드누락, 코드착오) 등	심사기준(고시 등) 점검 -인력, 장비 비교 -정형화 가능심사기준 -저함량배수처방 등

4단계(DUR점검)	5단계(상병전산심사)
의약품 허가상 중 금기 점검 -약물병용금기 -특정연령금기 -임부금기	단순, 다빈도 상병 전산심사 -의약품 허가사항 -심사기준(고시, 지침) 등

심평원 전산심사

전산심사란 단순하거나 다빈도로 발생하는 상병을 중심으로 진료비 청구내역과 심사기준, 의약품 허가사항 등 적합성여부를 전산으로 심사하는 방법으로 심평원은 2002년부터 단순 및 다빈도 상병을 중심으로 전산심사를 하고 있습니다. 2014년 10월 총 35개 상병분야 240개의 상병이 전산심사로 개발되어 있으며 약제는 총 4,378품목이 전산심사를 하고 있습니다. 최근에는 정신과 약제들도 전산심사를 적용하고 있습니다. 전산심사를 하는 대표적인 상병으로 급성호흡기감염증(감기), 고혈압, 당뇨, 위염 및 십이지장염, 역류성식도염, 소화성궤양, 피부염 등이 있습니다.

현재 의사랑이나 전자차트, 비트 등과 같은 전자차트들은 기본적으로 전자차트 기능과 함께 요양급여 청구서작성 및 청구하는 전자청구프로그램을 함께 가지고 있어 비교적 편리하게 요양급여비용청구를 할 수 있습니다. 만약 이런 전자차트를 사용하지 않는 경우에는 본인이 직접 심평원 홈페이지의 진료비청구 포탈 서비스에 접속하여 요양급여비용을 청구하여야 합니다. 즉, 본인이 직접 요양기관업무 포탈홈페이지(http://biz.hira.or.kr)에 접속하여 전산청구화면을 통하여 진료비청구프로그램을 다운로드하고 공인인증서를 등록한 후에 요양비용신청 및 자료를 제출하게 됩니다(그림 7-2). 여기에 사용되는 공인인증서는 일반적으로 은행이나 증권회사에서 사용하는 공인인증서가 아니라 보건복지분야용 또는 법인인증서를 말합니다. 최근에는 청구명세서 접수과정에서 확인되는 청구오류건을 심사전에 요양기관이 스스로 수정, 보완할 수 있도록 하는 단순청구 오류서비스도 제공하고 있어 금액착오, 증빙자류 미제출, 코드착오, 수탁기관기호 또는 검사일 누락 및 착오, 의약분업 예외구분코드, 야간가산시간 미기재 등의 단순청구오류가 발생된 조정 건에 대하여 통보일 다음날부터 2일 이내 수정, 자료

■ 그림 7-2. 요양기관업무포탈 홈페이지

를 보완하여 제출신고하면 심사에 반영된다고 합니다.

만약 의료기관과 관련하여 변경사항이 있다면 위 사이트에서 변경신고를 하여야 합니다. 신고해야 할 대표적인 항목으로는 요양기관명칭, 기본/진료과목 신고, 허가병실 혹은 병상 등의 시설신고, 의사/간호사/의료기사 등의 인력신고[127], 검사장비, 특수장비 등의 의료장비신고 등이 있습니다. 만약 새로이 인력을 충원한 경우 입사자의 면허증이나 자격증에 요양기호 및 명칭을 기재한 후 심평원에 팩스로 송부하여야 합니다. 특히 휴가나 학회 등으로 대진의사를 고용하는 경우 반드시 관할 보건소와 심평원에 신고를 하여야 합니다. 참고로 수련 중인 전공의나 공중보건의, 군의관은 대진의로서 지정할 수 없습니다. 새로이 구입한 의료장비도 반드시 신고하여야 합니다. 신고하지 않으면 의료장비 사용으로 발생한 요양급여청구를 할 수 없습니다. 의료장비를 신고할 때에는 요양기관현황변경통보서, 의료장비 별 세부내역표를 제출하여야 하며 이외에도 일반장비의 경우 품목허가(신고)증, 구입증빙자료(세금계산서 또는 매매계약서), 방사선장비는 일반장비에 진단용 방사선 발생장치의 설치 및 사용신고필증, 특수의료장비의 경우 일반장비 외에 특수의료장비 등록필증, 한국의료영상 품질관리원 검사필증의 서류를 첨부하여야 합니다. 장비를 폐기할 때에도 그냥 폐기해서는 안되고 장비명, 모델명, 폐기유형, 폐기일을 통보하여야 합니다.

의료장비는 원칙적으로 약사법상 제조업허가나 판매업신고가 된 업체와 해야 합니다. 만약 싸다는 이유로 허가되지 않은 업체로부터 무자료 의료기기를 매수하여 사용하고 이 비용을 건강보험에 청구하는 경우 환수조치를 당할 수 있습니다. 또한 의료기기를 새로 구입하는 경우 기기의 품질보증기간 및 유지보수비에 대하여 꼼꼼히 살펴보아야 하고 의료기기로 인하여 의료사고의 원인에 대한 책임소재를 명확히 하는 것도 매우 중요합니다. 소규모 의료용구 제조업체나 판매업체는 향후 폐업하거나 다른 회사로 전환하거나 합병되는 경우가 흔하므로 이런 경우에 판매업체나 제조업체의 법적의무를 어떻게 이전할지에 관하여 확인하거나 계약할 때 정하는 것이 좋습니다.

만약 요양급여를 수령하는 계좌번호를 변경된 경우에는 반드시 요양기관 변경사항통보서를 우편 또는 직접 제출해야 하며(인터넷 또는 팩스접수 불가), 위 통보서 개설자 날인란에 반드시 인감날인 및 개설자 인감증명서 및 변경계좌 통장사본을 첨부해야 합니다.

청구명세서 작성

요양급여비용 심사청구서 및 명세서는 반드시 해당 요양기관종사자가 직접 작성해야 하며, 2인 이상 공동으로 작성한 경우 작성책임자만 기재하면 됩니다. 대행사를 통해 요양급여비용을 청구하는 경우 대행청구단체의 작성자를 기재하여야 하며, 전자서명이 필요한 전자문서의 경우 요양기관 대표자(청구인)가 청구내용 및 금액을 확인한 후 지정된 전송항목에 전자서명을 하여야 합니다.

전산심사에서 청구비용삭감을 예방하기 위하여는 첫째, 상병명과 약제허가기준 등을 꼼꼼히 확인하여야 합니다. 둘째, 심평원이 보내는 심사조정알림 문자메시지를 잘 확인하는 것이 중요합니다. 셋째, 심평원의 심사결과통보서를 꼼꼼히 확인하는 것도 중요합니다. 심평원은 상병전산심사를 적용하기 3개월 전 미리 공지를 하고, 청구가 들어오면 조정이 일어날 부분에 대해서는 심사결과 통보서를 사전통보하고 있기 때문입니다. 넷째, 약제의 식약처 허가사항 및 급여인정기준을 잘 숙지해서 상세히 상병명을 기재해야 합니다. 다섯째, 고시관련 검사결과 또는 진료내역은 각각의 특정내역 기재형식을 따르거나 줄번호 특정내역(JX999)에 기재(치매 약제 청구, 퀴놀론 항생제 청구 시)하여야 합니다. 마지막으로 전산심사관련 안내사항, 특히 요양급여비용 심사결과통보서(삭감 통보서), 상병분야별 심사기준 초과사례를 수시로 확인하여야 합니다. 특히 심평원에 요양급여비용을 청구하였는데 삭감이 된 경우에 가슴이 아프더라도 반드시 삭감원인을 분석하여야 합니다. 만약 허가사항이나 급여기준 이외의 처방으로 삭감을 당하였다면 다음 진료할 때 동일한 삭감이 발생하지 않도록 주의하시면서 처방하는 것이 좋겠습니다. 만약 삭감된 이유가 상병명이 누락되거나, 검사결과지를 첨부하지 않았거나, 특정내역 기재누락 등 기재방법의 착오로 삭감된 경우는 90일 이내에 재심청구나 이의신청을 청구해야 합니다.

요양급여 청구삭감은 병원의 금전적 손실과 함께 공단의 본인부담 환급과정에서 병원이미지에도 영향을 미칠 수 있기 때문에 정확하게 청구를 하시기 바랍니다.

이의신청

이의신청이란 요양급여비용 및 요양급여 적정성평가 등 심사평가원처분에 불복하여 처분취소나 변경을 신청하는 것으로 심사결정통보 후 90일 이내 심사평가원장에게 제기해야 합니다. 만약 이의신청에도 불구하고 삭감이 결정된 경우 심판청구를 제기하거나 법원에 행정소송을 할 수 있습니다. 이의신청이나 심판청구는 요양기관업무 포탈홈페이지(요양기관종합업무-WEB이의신청, 재심자 조정청구, 심판청구)에서 신청이 가능하며(서식은 홈페이지 서식자료실에 있습니다), 행정소송은 법원에 직접 제기하여야 합니다. 이의신청을 할 때 의사소견서는 반드시 필요한 것은 아니나 다른 자료의 이해를 돕기 위해 필요한 경우가 많기 때문에 가능한 의사소견서를 함께 제출하시는 것이 좋습니다. 제출하는 의사소견서는 급여기준이 있는 경우 급여기준을 중심으로 기술하고, 기준이 없는 경우 의학적 관점과 조정사유를 중심으로 기술하여야 합니다. 만약 급여기준에 검사결과를 요구하고 있다면 반드시 검사결과지를 첨부하여야 합니다. 첨부자료는 많다고 좋은 것은 아니며 급여인정에 충분한 자료만 있으면 충분합니다.

참고1) 다른 사람 명의로 진료 볼 경우 의사의 책임

만약 중국교포 A가 다른 사람의 건강보험증을 무단으로 사용하여 진료를 보았고 의사 B는 이러한 사실을 알았으나 눈감아 주었습니다. 나중에 보건당국에서 이러한 사실이 밝혀진다면 의사 B에게 어떤 조치가 내려질까요?

의사 B에 대한 처벌은 크게 형사처벌과 행정처분으로 나누어 생각할 수 있습니다. 형사처벌과 관련하여 의사 B의 행위는 사기와 허위 진료기록부 작성에 해당할 여지가 있습니다. 이에 따라 벌금 등의 약식명령이 내려지거나 만약 기소되는 경우는 형사재판을 받을 수 있습니다. 보건복지부는 의사 B에 대하여 자격정지나 업무정지 등의 행정처분을 내릴 수 있습니다. 만약 행정처분으로 자격정지 3회를 받게 되면 면허가 취소되며 자격정지 2회면 요양기관지정이 취소됩니다.

참고2) 개원의가 개원을 준비하는 이에게 하고 싶은 이야기

이건내과 이건원장

풍운의 꿈을 안고 개원을 합니다.

개원하기 전까지는 훌륭한 의사으로서의 능력만 있으면 먹고 사는데 아무런 문제가 없지만 개원을 하면 어쩔 수 없이 돈을 벌어야 합니다. 직원들의 월급도 주어야 하고, 관리비, 임대료 등 환자를 보는 일 외의 일들이 추가적으로 발생하는데, 이것은 익숙하지 않은 일들이기에 더욱 힘들고 버거운 일처럼 다가옵니다.

기본적으로 개인 병원 혹은 의원을 개원한 후 돈을 버는 방법은 환자를 진료하고 받는 진료비와 부가적인 검사료 및 처치료, 입원환자를 본다면 입원료 등의 비용을 통해서입니다. 익히 알고 있겠지만 보험진료와 비보험 진료가 있으며, 비보험 진료는 현재 전액을 환자에게 청구하여 받는 구조이므로 이 논의에서는 제외하기로 하고 보험진료를 통한 과정이 어떤지에 대해 간단하게 정리해보도록 하겠습니다.

우리나라의 진료비지불체계는 기본적으로 행위별 수가제도입니다, 즉 몇 가지 질병군(분만, 제왕절개술, 충수돌기염수술, 백내장수술 등)에 적용되는 포괄수가제를 제외하면 모든 시행된 행위별로 청구를 하여 비용을 지급받는 제도입니다. 즉, 행위를 하고 청구를 안 하면 돈을 주지 않습니다. 그리고 제3자 지불제도를 택하고 있습니다. 이 제도는 환자가 진료를 받고 그에 해당되는 비용은 국민건강보험관리공단(이하 공단이라 칭합니다, 보험급여환자의 경우) 또는 정부(의료급여환자의 경우)에서 의료기관으로 지불하는 방식입니다. 물론 환자는 그 일부를 의료기관에 직접 납부합니다. 그 중간에 청구내역을 심사하는 국민건강보험 심사평가원(이하 심평원이라 칭합니다)에서 청구내역의 적절성 등을 심사하여 진료비를 줄 것인지 조정(내지는 삭감)을 결정합니다. 이러한 제도에 기인하여 공단에 진료비를 청구하는 과정이 필요합니다.

진료 후에 진료한 기록 등을 토대로 청구를 하는 과정을 크게 보면 몇 단계로 요약해 볼 수 있습니다. 첫째, 의료기관에서 자료를 정리하여 청구서를 작성합니다. 둘째, 청구서를 심사평가원에 제출하여 심사를 받습니다. 여기에서 이상한 생각이 듭니다. 내가 진료한 내용을 왜 그들이 심사를 할까? 시험을 보는 것도 아니고. 그들이 그런 자격이나 능력을 가진 것일까? 이런 의문을 품게 되지만 개원할 때 작성한 여러 가지 서식들 중에 건강보험급여 당연지정을 신청하게 되어있으며, 여러 법령 및 시행령에 그 절차를 정해 놓았고, 그에 따라 심평원에서 국민건강보험법 및 식약청 허가사항 등에 기초하고 보험재정관리의 적절성(이것이 항상 문제의 시초이기는 합니다. 경제적 비용대비 효과성을 따져보는 근거가 되기 때문입니다) 등을 평가하여 진료가 적절한지를 평가합니다. 이것을 근거로 진료비의 지급여부가 결정이 됩니다. 셋째, 이 결정은 의료 기관에서 청구를 한 날로부터 15일 이내에 종결이 되고, 이 결정사항이 의료 기관과 보험공단으로 전달이 되면, 통상 2주 이내에 지급되는 것으로 되어있습니다. 물론 이때에 조정(보험공단과 심사평가원에서 사용하는 용어이고 의료기관입장에서는 삭감이라는 표현을 주로 사용합니다)된 액수는 제하고 지급을 합니다. 향후 조정된 진료비에 관하여는 재청구, 이의신청, 심판청구 등의 권리구제 절차가 있으며, 향후 언급할 것입니다.

병원 등 규모가 큰 의료기관을 운영하는 경우는 인력이 충분하고 규모가 크고 복잡하며, 인력이 보강되는 경우가 있기에 원무과 또는 심사과 등을 두고 보험관계 업무 및 청구업무를 대행시키는 경우가 많지만 단독 개원 혹은 소수의 의사들이 모여 개원하는 경우 의사가 직접 혹은 담당자 한두 명을 두고 함께 보험청구 업무를 해야 합니다. 다행스럽게도 최근에는 전자청구프로그램(전자차트, 의사랑, 비트 등)을 이용하여 비교적 간단히 청구서를 작성할 수 있습니다. 여담이지만, 이전 20년 전에 개원하신 선배들이 수기청구하는 전설적인 이야기를 들어보면 한숨부터 나옵니다. 환자의 인적사항, 병명, 진찰료, 약제까지 모든 것을 직접 입력하여 출력하여 보험공단에 청구하였다는 이야기에 기가 질릴 만도 하고, 개인병원의 경우 전담인력 혹은 외주인력을 두어 청구 업무를 하였다고 합니다. 현재는 거의 100%의 개인의원 및 병원에서 전자청구시스템을 이용한 EDI 전자청구를 시행하는 것으로 알고 있습니다.

실제적인 방법으로 들어가 봅시다.

본인의 경우 '의사랑'이라는 전자청구프로그램을 사용합니다. 이는 종이차트를 사용치 않고 모든 기록을 연동하여 보관할 수 있도록 되어있어 편리합니다. 현재 몇 개의 청구프로그램 회사가 있으며, 개개의 장단점은 조금씩 다를 수는 있으나 기본적인 방식은 같다고 판단됩니다. 모든 진료기록이 저장됨은 물론이거니와 보험청구를 위한 청구서를 작성하는데 필요한 서식을 포함하고 있으며, 각각의 사용법은 사용하는 프로그램마다 차이가 있지만 기본적으로 기간을 정한 후 청구서를 작성하여, 오류여부를 점검하는 기능, 예를 들어 인적사항, 병명코드, 약품 및 처치료 등의 코드이상을 점검하여 청구서를 작성합니다.

이후 여러 단계의 점검, 기계적으로 점검을 할 수도 있고, 사람이 일일이 재점검을 할 수도 있습니다. 또한 청구서의 오류여부를 검색하여 조정내지는 삭감을 줄여주는 검토프로그램도 있어 이를 사용할 경우 단순 오류나 착오에 의한 조정 및 삭감을 줄일 수 있을 것으로 판단됩니다. 청구를 할 때 주의해야 할 것은 첫째, 시행한 모든 처치 및 치료는 모두 청구를 해야 함은 물론 동시에 그 행위가 필요한 상병명을 기재해야 한다는 것입니다. 이것은 청구서에 작성하는 것이 아니고 진료기록부(흔히 차트)에 기록한 후 전자청구프로그램의 청구서작성프로그램을 실행하면 진료기록부상의 상병명, 검사 및 처치, 약제 등을 처리하여 작성하게 되므로 진료 시 번거롭더라도 일일이 상병명을 기입하는 것이 제일 확실한 방법입니다. 검사나 처치에 관하여는 개별고시가 있는 사항을 제외한다면 상병명만 빠짐없이 기입하면 청구에는 문제가 없으나 약제는 상병명과 식약청에서 허가된 약제의 효능효과와 허가사항에 맞는지 확인할 필요가 있으며 이에 더하여 보건복지부 고시와 심사평가원의 고시 등을 참조하여 용법, 용량 및 검사결과, 예를 들면 치매관련약제(아리셉트, 메만틴등)나 골다공증 치료제(포사맥스 등), 고지혈증 치료제 등은 검사결과를 별도의 정하는 방법으로 기재를 해야만 조정이나 삭감을 피할 수 있습니다. 십여 년이 지난 지금까지도 억울하고 이해할 수 없는 사항은 약제 관련하여 보험적용이 되지 않을 경우 약값의 전부를 처방한 의사에게서 환수를 한다는 것이 이해가 되지 않습니다. 약을 복용하거나 이용한 사람에게서 되돌려 받는 것이 아니라 처방한 의사에게서 환수하는 것은 상식적으로 어긋나는 방식으로 생각됩니다. 합리적인 개선책을 찾아야 하나 쉽지는 않은가 봅니다. 가장 손쉬운 방법으로 처방한 의사에게서 그것도 사후 징수가 아닌 거부를 못하는 방법으로 (전산상계방식; 향후 지급할 진료비에서 전산상에서 상계를 하고 지급을 하는 방식) 환수를 하고 있습니다. 수술이나 시술 또한 보험적용을 받을 수 있는 증상 및 징후가 있고 그를 뒷받침할 수 있는 검사결과(예를 들면 내시경검사소견, 엑스레이나 CT, MRI소견 등)가 기재가 되어야 인정을 받을 수 있습니다. 시술이나 약제 등을 보면 보험적용이 되는 약제가 있고, 경우에 따라서는 비급여나 환자의 본인부담으로 비용을 청구해야 하는 경우도 있습니다. 각각의 시술이나 처치, 약제에 대하여는 일일이 알 수는 없어 그때마다 찾아보고 숙지할 수밖에 없는 어려움이 있고, 시간이 지남에 따라 고시내용이나 보험적용여부가 바뀌는 사례가 있어 자주 검토를 해보아야 실수 없이 청구를 진행할 수 있습니다.

어쨌든 여러 과정을 거처 청구를 완료하고 청구서를 심사평가원에 보내고 나면 하루 정도 지나서 접수가 되었다는 문자를 보내줍니다. 혹은 심사평가원에서 운영하는 포털사이트(www.hira.org)에 들어가면 여러 가지 정보와 청구의 진행사항을 알 수 있으니 한번쯤은 숙지를 해놓는 것도 좋을 것으로 생각됩니다. 심사평가원 포털사이트에 심사기준이나 고시내용이 정리되어 있고 검색기능도 있으니 평소에 참고할 수 있습니다.

시간이 지나 심사평가원에서 웹 EDI상으로 평가결과를 보내줍니다. 제일 좋은 경우는 본인이 청구한 내용대로 모두 지급을 해준다는 내용이겠지만 일반적으로는 여러 가지 사항에 대한 조정결정을 통보를 받게 됩니다. 경험이 쌓이다 보면 잘 대처하겠지만 처음에는 화도 나고 답답하기도 합니다. 화를 낮추고 우선 조정사유 등을 꼼꼼히 확인하여 향후 번거로운 일이 덜하도록 노력하는 것이 현실적인 것 같습니다.

흔히 조정되는 내용들을 보면 초진 재진료 문제입니다, 기본적으로 만성질환은 치료종결이 없으니 지속적인 재진이라고 생각하지만 이것은 의학적인 관점이고 건강보험 상에서는 내원 혹은 약제 복용 후 3개월 이상이면 초진이며, 일반 상병은 종결 후 1개월 이후에 초진료를 산정하여 청구할 수 있습니다. 이런 사항은 전자차트 상에 기술적으로 구현할 수 있으니 조정을 미리 해 놓으면 편리합니다.

위에서 언급한 사항들 외에도 다양한 사례가 있는데 이것은 사실 혼자서 고민한다고 해결되는 문제는 아닐 것이고, 통보서에 표시된 심평원의 담당자와 전화로 통화하여 소통하는 것이 가장 빠르고 수월한 방법이라고 생각합니다. 이때 조정된 사유에 따라 재신청을 할지, 이의청구를 할지에 대해 상의 후, 조정된 진료 건에 대해 구제신청을 하며, 그 절차는 청구하는 방법과 크게 다르지 않습니다. 예전과 달리 심평원 직원들도 친절하게 알려줍니다. 또 한 가지 팁은 전자청구프로그램을 사용하는 경우 이 프로그램 직원들이 대부분 청구와 관련된 프로그램 사용법에 정통해 있는 경우가 많으며, 고시 내용의 변화 등도 비교적 잘 알고 있어 초기에는 그들의 도움을 받는 것도 좋은 방법이라고 생각됩니다.

진료를 잘 보는 것이 제일 중요하지만 못지않게 청구를 꼼꼼히 해야 돈을 줍니다. 진료 후 청구를 하지 않으면 절대로 돈을 주지 않는다는 점을 숙지하면 될 것 같습니다.

열악한 상황이지만 개원을 선택한 여러분의 건승을 빕니다.

이제까지 개원과 관련된 경영학적, 심리학적, 법적지식을 살펴보았습니다. 여기에서 다룬 내용이 의과대학 커리큘럼에 있는 것도 있지만 없는 것이 더 많고 내용도 상세하여 어렵다고 느꼈을 것으로 생각됩니다. 하지만 너무 걱정하지 마시기 바랍니다. 필자도 이러한 지식을 얻는데 상당한 시간이 들었고 이러한 지식을 몸으로 익히는 것은 아직도 어렵다고 생각합니다.

여기부터는 개원의로서 아니 환자를 진료하는 의사로서 마음가짐에 대하여 이야기하도록 하겠습니다. 그 내용은 어렵지 않으니 너무 걱정하지 않아도 될 것 같습니다. 다만 환자의 생명과 건강을 다루는 의사로서 그리고 사회인으로서 어떤 삶의 태도를 가지면서 살아가야 하는지에 대한 필자의 개인적인 의견을 들려드리려고 합니다.

내용이 의사에게 너무 도덕군자를 요구하는 것이 아니냐는 불만도 있을 수 있습니다. 그렇게 느낄 수도 있다고 생각합니다. 하지만 존경을 받는 의사이자 교양을 가진 사회인으로서 한번쯤 생각해볼 가치가 있다고 생각합니다.

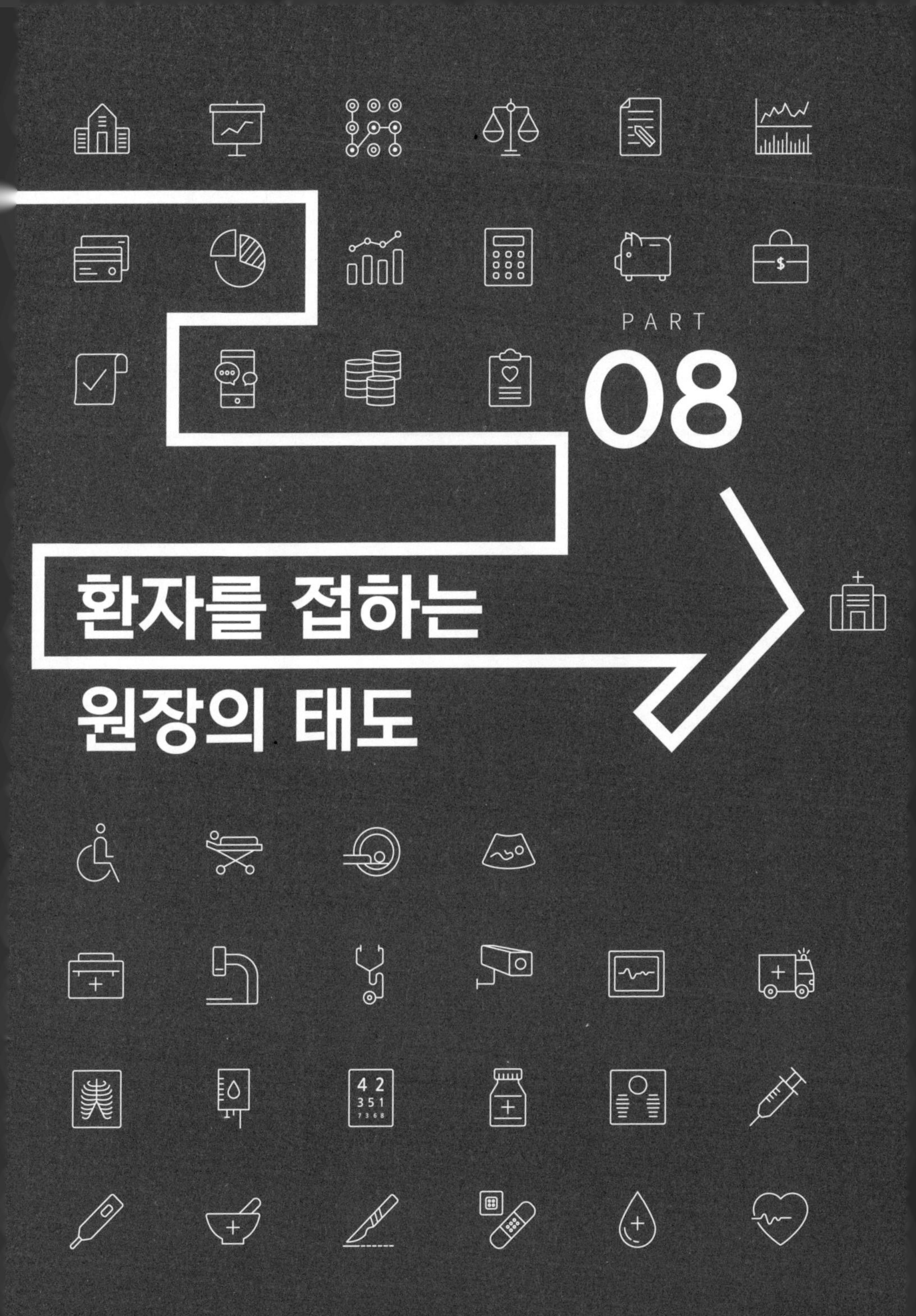

PART

08

환자를 접하는 원장의 태도

환자를 접하는 **원장의 태도**

의료는 미용실이나 호텔과 같은 대표적인 서비스산업이라고 할 수 있습니다. 하지만 다른 서비스산업과 달리 국민건강보험에서 가격을 일괄적으로 정하기 때문에 가격경쟁은 불가능합니다. 따라서 의료기관은 의료서비스의 질을 높여 경쟁할 수밖에 없습니다. 그렇다면 어떻게 해야 의료서비스의 질을 높일 수 있을까요? 많은 의사선생님들은 의료서비스의 질을 높인다는 것에 환자의 질병을 잘 진단하거나 치료를 잘 하는 것만 생각하는 경향이 있습니다. 하지만 이뿐만이 아닙니다. 좋은 입지나 훌륭한 병원건물과 시설, 값비싼 의료기기도 높은 의료서비스에 해당합니다. 이 외에도 양심적이고 친절한 의료진도 좋은 의료서비스에 포함됩니다.

이러한 의료서비스 중에서 어떤 것이 가장 중요할까요? 필자의 생각으로는 의원의 경우 의사의 진료능력이 다른 무엇보다 중요하다고 생각합니다. 이러한 진료능력에는 문제해결능력과 환자를 대하는 태도가 포함됩니다. 문제는 거의 대다수의 의사들이 자신의 진료능력을 의심하지 않으며 이를 객관적으로 평가받기를 원하지는 않는다는 것입니다. 즉 병원경영에 어려움을 겪고 있는 의사들 상당 수가 자신이 제공하는 문제해결능력과 환자를 대하는 태도가 다른 동료의사들과 비교하여 떨어질 수 있다는 것에 대하여 생각하지 않습니다. 이들은 단지 개업입지가 좋지 않고 마케팅이나 자금력이 떨어져 어려울 뿐이라고 생각하는 경우가 많습니다. 만약 마케팅이나 컨설팅회사에 경영자문을 의뢰하는 경우에도 정말로 원장자신의 진료능력이 문제가 없는지를 체크하거나 확인하는 경우는 거의 없고 단지 어떤 마케팅을 하여야 돈벌이가 되는지 혹은 직원들의 서비스에 문제가 없는지 여부만을 판단하려고 하는 경우가 매우 흔합니다.

따라서 경영이 잘 되지 않는 경우 외부에 컨설팅을 맡기기 전에 우선적으로 고민하여야 하는 것은 바로 원장 바로 자신의 진료능력과 환자를 대하는 태도가 정말로 만족스러운지를 객관적으로 확인해야 합니다. 솔직히 원장의 문제해결능력을 객관적으로 평가하기는 매우 어렵습니다. 하지만 환자를 대하는 태도는 상대적으로 쉽게 평가가 가능합니다. 예를 들어 자신이 외래에서 환자를 진료할 때 환자의 동의 하에 비디오를 찍거나 녹음하여 나중에 간호사나 병원직원과 함께 보시기 바랍니다. 이렇게 자신이 환자를 진료하는 것을 녹화하는 방식을 통해 자신이 느끼지 못하고 있던 환자에 대한 태도나 말투를 객관적으로 평가할 수 있기 때문입니다. 만약 이렇게 하는 것이 어렵다면 진료실에 함께 근무하는 간호사에게 원장이 환자들을 대하는 태도나 말투에 대하여 물어보는 방법도 있습니다. 또한 진료를 마치고 난 환자들에게 진료서비스 및 치료결과에 대한 만족도를 전화나 설문지를 통해 평가하는 것도 원장의 진료능력을 객관적으로 평가하는데 도움을 줄 것으로 생각합니다. 특히 설문지나 전화면접은 의사의 문제해결능력과 환자에 대한 태도와 함께 진료 전후 서비스가 어땠는지도 함께 평가할 수 있다는 장점이 있습니다. 예를 들어 예약이 어려웠는지, 간호사가 친절하였는지, 대기시간이 길었는지 등의 진료 전후 외에도 약물치료 후 증상이 호전되었는지, 호전되지 않아 타병원으로 다시 갔는지, 처방을 받은 약물이 너무 비싼 것은 아닌지, 약의 개수가 많은 지, 전체적인 의료서비스에 만족하는 지 등에 대한 전반적인 평가를 할 수 있기 때문입니다.

성공하는 원장이 되기 위해서는 자신부터 바꿀 수 있다는 마음가짐이 중요합니다. 원장이 문제가 있다는 것이 중요한 것이 아닙니다. 바꾸면 되기 때문입니다. 하지만 문제를 인식하지 못하거나 인식하더라도 바꾸지 못하는 것 그 자체가 문제가 될 수 있습니다.

PART

09

성공하는 개업의의 일곱 가지 습관

성공하는 개업의의 **일곱 가지 습관**

성공적인 개업을 하기 위하여 무엇이 필요한 것일까요? '병원이 경영을 만나다'의 저자인 최명기씨는 성공적인 개원의가 되기 위한 7가지 습관을 제시하였습니다.

첫째, 체면을 버려야 합니다. 좋은 비즈니스 모델을 가지고 있는 의사들도 막상 개업할 때 주위 동료의사들의 눈치를 보거나 남들의 시선을 생각하는 사람이 많습니다. 예를 들어 개업할 자리는 무조건 서울 그것도 강남 한복판의 멋진 건물에서 해야 한다고 생각하거나 그렇지 않으면 적어도 서울시내에는 개업을 해야 소위 '뽀대가 나지 않냐'는 등 개업입지로 자신의 신분을 나타낸다는 의식이 이에 해당합니다. 또한 대학시절 자기보다 성적이 낮았던 친구가 개업해서 많은 돈을 벌고 있는 것에 배아파하는 경우도 많이 보았습니다. 이와 같이 자신을 남과 비교하는 이유는 무엇일까요? 바로 체면 때문입니다. 하지만 성공하기 위해서 가장 먼저 버려야 할 것은 체면입니다. 남과 비교하지 말고 자신의 능력을 스스로 평가하고 자신이 하고 싶은 일에 집중하여야 성공할 수 있습니다.

둘째, 아집을 버려야 합니다. 현재 의료시장에 맞지 않는 자신의 진료스타일이나 아이템을 고집하는 것은 개업의는 생존할 수 없습니다. 또한 환자를 대할 때 특별히 문제되지 않는다면 환자의 의견을 존중해주는 것이 좋습니다. 큰 문제가 아님에도 불구하고 환자의 의견을 무시하면서 무조건 나를 따르라고 하는 것은 아집일 뿐입니다. 의사는 환자들에게 겸손해야 하며 아집을 버리고 시장에 순응해야 합니다.

셋째, 조급함을 버려야 합니다. 예전에는 개원하고 6개월 안에 충분한 수익을 내는 경우가 많았지만 지금은 경쟁이 치열하기 때문에 쉽지 않습니다. 따라서 조급한 마음으로 얼렁뚱땅 개원준비를 하기 보다는 충분한 여유자금을 준비하고 자신이 생각하기에 괜찮은 입지와 시기에 맞추어 개원을 준비하는 것이 좋습니다. 괜찮은 입지를 잡을 기회는 절대로 원할 때 나타나지 않습니다. 충분한 시간을 가지고 준비하고 기다릴 때 나타날 것입니다. 자금도 충분히 준비하고 있어야 개업하고 수익이 나지 않는 기간동안 버틸 수 있습니다. 조급함을 버리고 기다린다면 나에게도 기회가 올 것입니다.

넷째, 걱정과 불안을 버려야 합니다. 걱정하고 불안해한다고 상황이 바뀌지 않습니다. 오히려 역설적으로 상황을 악화시킬 수 있습니다. 걱정과 불안은 올바른 결정과 결단을 방해하고 지체하게 만들 뿐입니다.

다섯째, 필요한 경우 환자를 버려야 합니다. 역설적으로 좋은 의원을 만드는 가장 중요한 요소는 좋은 환자입니다. 나와 맞지 않는 환자들을 억지로 끌고 가다보면 좋지 않은 소문만 나는 경우가 많습니다. 내가 자신이 없는 환자를 억지로 치료하는 경우도 마찬가지입니다. 또한 무리하게 진료영역을 넓히지 말아야 합니다. 의사가 자신의 진료에 자신이 없으면 이러한 사실이 무의식적으로 드러나게 되며 환자도 금방 눈치채게 됩니다. 진료는 내가 평생에 걸쳐 해야 할 일입니다. 나와 서로 즐거움을 나눌 수 있는 환자들과 함께 내가 할 수 있는 일에 집중하면서 나아갈 때 인생도 즐거워지게 됩니다.

여섯째, 돈을 버려야 합니다. 사람들이 가장 감동을 받는 경우는 회사가 일시적으로 손해를 보더라도 고객을 배려하는 모습입니다. 일시적으로 손해를 보더라도 고객을 배려하는 모습을 통해 의사는 환자와의 신뢰를 쌓을 수 있다는 사실을 잊지 않으셨으면 좋겠습니다. 잘되는 의원과 그렇지 않은 의원의 차이는 시설이 아닙니다. 좋은 시설에 의한 환자 끌림은 일시적인 것일 뿐입니다. 장기적으로 가장 중요한 투자는 눈에 잘 안 보이는 환자에 대한 관심과 배려에 있습니다. 단기적 수익성은 불분명하지만 고객을 위해 장기적인 관점으로 환자들에게 관심을 가지고 배려하는 마음이 결국은 큰 이익으로 돌아오게 됩니다.

일곱째, 나를 버려야 합니다. 나를 비우고 나의 의원을 아끼고 키워 나가야 합니다. 의료는 사람으로 시작해 사람으로 끝난다고 해도 과언이 아닙니다. 환자들이나 직원을 대할 때 내 마음을 비우고 항상 존중하고 공평하게 대하여야 합니다. 병원성공을 위해서는 원장은 많은 것을 비우고 희생하여야 합니다. 진정한 성공은 희생을 통해서만 얻게 됩니다.

개업의란 내가 훌륭한 의사가 아니라는 것을, 내가 완벽한 의사가 아니라는 것을 확인시켜주는 시간의 과정이라고 합니다. 내가 현재 처한 위치에서 조금 더 완벽해지기 위하여 열정을 가지고 노력하는 모습이 성공하는 개업의가 되는 지름길일 것입니다.

PART

10

사회인으로서 의사의 역할과 책임

사회인으로서 **의사의 역할과 책임**

사례 1)

나는 40대 초반의 의사입니다. 현재 모 대학병원에서 조교수로 근무하고 있습니다. 오늘 과장님이 참석하였던 긴급 과장회의의 내용을 알려주셨습니다. 우리 과의 매출이 6위에서 10위로 떨어졌고 총매출액도 목표매출액보다 7퍼센트 낮아서 좀 더 분발이 필요하다고 하였습니다. 그날 오후 외래에 환자가 가슴이 아프다고 처음 내원하였습니다. 아침에 과장님의 말씀이 떠올랐습니다. 졸업식에서 복창했던 히포크라테스 선서내용도 함께 떠올랐습니다. 나는 어떻게 하여야 할까요?

사례 2)

나는 40대 초반의 내과 의사입니다. 현재 서울시 ○○구에서 개업하고 있습니다. 봉직의로 3년 근무하다가 개업한 지 4년째입니다. 환자수가 점차적으로 늘고 있다가 코로나 탓인지 작년보다도 환자가 더 줄어 걱정입니다. 개업하고 나니 설날과

추석이 가장 싫습니다. 설날과 추석으로 영업일수가 줄어 수입은 적은데 상여금이 나 선물로 나가는 돈은 더 많으니 무조건 마이너스입니다. 낼 모래가 설날인데 직원들 월급을 주려고 하니 통장잔고가 약간 모자랍니다. "원장님 환자분 들어가십니다"하고 상냥한 간호사의 목소리가 들렸습니다. 환자는 "증상은 없는데 걱정이 되어 심장 및 혈관검사를 하기 원한다"고 합니다. 나는 어떻게 해야 할까요?

개업의는 한 가족의 아버지이자 의원의 경영을 책임지고 있는 작은 기업의 사장이라고 할 수 있습니다. 따라서 환자를 진료하면서 경제적인 것을 생각을 안 한다면 거짓말입니다. 이러한 상황에서 원장은 심평원에서 시비를 걸지 않을 정도면서 환자가 의료비가 너무 비싸다고 거부감을 가지지 않을 정도로의 검사와 치료를 통해 나의 경제적 필요를 메우고 싶은 욕구를 가지는 것은 당연합니다. 하지만 이러한 태도는 학생시절 의사로서의 도덕관 및 윤리관과 갈등을 일으키고 있는 것 또한 사실입니다. 의사윤리는 히포크라테스 선서로 대변되며 이 윤리선언에 따르면 의사는 항상 환자 편에 서서 환자를 위해 일하여야 한다고 말하고 있기 때문입니다. 이러한 딜레마에서 의사들은 항상 고민하고 있습니다. 만약 환자를 진료하는데 적절한 경제적인 보상이 주어지지 않으면서 단지 열정의식 또는 의사라는 당위만 가지고 환자를 진료하라고 하면 이는 너무 비현실적이며 극단적이기 때문입니다. 하지만 언론, 정부, 시민단체는 의사들이 과다하게 불필요한 검사를 많이 한다고 일방적으로 매도하는 경우가 많습니다. 실제로 의사들이 수입을 위해서 일을 하는 건 사실이지만 그것이 환자를 대하는 모든 이유는 아니기 때문입니다. 하지만 사회생활을 하며 점차적으로 사회의 때가 묻어가면서 점차적으로 경제적인 편익위주로 생각과 행동이 고정되는 경우가 많은 것도 사실입니다.

의사들은 대학졸업 후에도 오랜 수련기간을 갖습니다. 이 시기는 육체적으로 매우 힘들고 고달프며 월급도 적습니다. 하지만 전문의가 되면 이보다 나은 생활과 대접을 받을 것으로 생각하며 힘든 수련시간을 견디어 나가게 됩니다. 전문의가 되어 개업을 하면 이미 기반을 잡은 개업선배들이 부러울 뿐입니다. 개업하거나 봉직의인 친구들과 만나 술잔을 기울이며 이야기하다 보면 과거에 힘들었던 전공의생활과 의사생활하기 힘들다는 이야기만 하게 됩니다. 보험과 친구들은 직원들의 월급이나 임대료는 계속 오르는데 보험수가는 오르지 않고 삭감은 더 많아진다고 불평 일색입니다. 그렇다고 비보험과가 좋은 것도 아닙니다. 건강보험공단의 눈치는 보지 않지만 환자들의 요구는 갈수록 높아져 따라가기 힘들고 정기적인 세무조사에서 상당 정도의 추징은 어느정도 각오해야 합니다. 봉직의도 사정은 크게 다르지 않습니다. 매주 월요일 아침마다 지난주 매출실적이 이메일로 전송됩니다. 만약 매출이 오르지 않으면 때론 원장실로 불려가 경고성 멘트를 듣기도 합니다. 휴가는 일년에 고작 3일, 많아도 5일인 경우가 다반사고 이 마저도 휴가를 가려면 대진의사를 구해야 갈 수 있습니다. 대학병원 교수는 명예직이면서 비교적 안정적이지만 매출실적을 평가받는 것은 마찬가지입니다. 이와 함께 정기적으로 병원의 경영사정 및 추진방향에 대한 병원장의 담화를 들어야 합니다. 거의 주입식 교육입니다. 이러면서 의과대학생 교육 및 진급을 위한 논문에도 신경을 써야 하니 삶이 말이 아닙니다.

현재 사립병원이나 대학병원은 물론 지방의료원과 같은 공공의료기관조차도 실적이 우수한 의료진에게 일정한 비율의 금전적 인센티브(성과급)를 주고 있습니다. 여기서 말하는 실적이란 얼마나 환자를 성공적으로 치료하고 관리하였는지가 아니라 진료비 총매출액을 의미하는 것으로 의료진이 환자들을 대상으로 고가검사를 진단초기부터 처방을 하려는 마음이 생기는 것은 우연이 아닙니다. 이렇게 고가의 검사나 치료를 받는 환자들의 입장에서는 자신에게 이렇게 고가의 검사나 치료가 필요한 것인지 잘 알지 못할 뿐 아니라 거절하기도 쉽지 않기 때문에 결국 고스란히 환자의 부담으로 돌아가게 됩니다.

이해상충(conflict of interest)이란 개인의 사적인 이해관계가 자신이 맡고 있는 업무 또는 공공이나 타인의 이익과 서로 상충되는 상황을 말합니다. 이해상충은 여러 종류가 있으나 경제적 이익과 관련된 이해상충이 공정한 의사결정을 방해하고 해악을 끼칠 가능성이 가장 높은 것으로 알려져 있습니다. 또한 과학적 건전성이 보호되지 않을 수 있고 환자권익을 보호하여야 하는 의사가 오히려 환자에게 불이익을 입힐 수도 있습니다.

최근에 의사수가 부족하다고 정치권에서 생각하는 이유는 소도시나 지방에 절대적인 의사수가 부족하기 때문입니다. 하지만 많은 의사들은 현재 의사수도 많다고 생각하는데 그 이유는 서울이나 대도시에서는 의사가 너무 흔하고 경쟁도 치열하기 때문입니다. 특히 서울이나 광역시의 경우 대학병원들이 무한경쟁에 휩쓸리면서 의원에서 볼 수 있는 경증환자들도 모두 흡수하고 있습니다. 이에 따라 개원의사들은 대학병원과도 경쟁을 해야만 하는 상황까지 몰리고 있습니다. 개원의들은 생존하기 위하여 야간진료, 심야진료, 일요일 및 공휴일 등의 휴일진료까지 하고 있지만 파산하는 경우가 일상이 되어버렸습니다. 이런 상황에서 의료전달체계가 어떻고 하는 것은 남의 이야기입니다. 특히 이와 같은 무한경쟁의 효과는 이미 어느정도 자리를 잡은 기존의 의사들보다는 최근에 배출된 젊은 의사들에게 더 많은 영향을 주고 있습니다.

대한민국에서 수험생이 의과대학에 입학하는 것은 수험생과 가족에게는 영광이지만 국민들의 의사에 대한 불신과 비난은 시간이 갈수록 더 악화되고 있습니다. 가끔씩은 의사들 중에서도 금전적인 보상이 주어지지 않아도 열정만으로 환자를 진료하는 경우가 있습니다. 안타깝게도 상당수의 많은 의사들은 사람들이 생각하는 그렇게 훌륭한 의사가 되지는 못합니다. 하지만 그렇게 완벽한 의사가 우리 곁에 없다고 부끄러워하거나 아쉬워할 필요는 없다고 생각합니다. 현재 위치에서 조금이라도 더 열정을 가지고 진료를 하고 있는 의사는 찾아보면 곁에 많기 때문입니다. 의사도 직장인이며, 한 가족의 가장이며 아픈 환자들을 돌보는 직업을 가진 사회의 한 구성원일 뿐입니다. 단지 의사이기 때문에 희생을 강요하는 시기는 지났다고 생각합니다.

참고) 가습기 살균제 사건[128)]

가습기 살균제 사건은 미생물이나 해충을 죽이려고 사용한 제품이 예상치 못하게 인간의 생명을 앗아간 사건으로 우리나라에서 세계 처음으로 발병하였고 진단한 사건으로 의미가 있습니다. 더불어 원인을 규명하는데 있어서 여러 제한점과 제조사에 의한 소송위험을 무릅쓰고 원인을 밝혀낸 질병관리본부와 임상의들의 노력이 빛나는 사건으로 생각되어 그 자세한 사실관계와 그 의미를 살펴보고자 합니다.

가습기 살균제의 성분은 주로 폴리헥사메틸렌 구아니딘(polyhexamethylene guanidine, PHMG)과 염화올리고에톡시에틸 구아니딘(Oligethoxy ethoethyl chloride, PGH), 메틸클로로이오치아졸리논(Methylchloroisothiazolinone, MCI/MCIT)입니다. 가습기 살균제는 한국의 SK케미칼과 같은 대기업한테서 원료를 공급받거나 외국에서 원료를 수입해 옥시레킷벤키저와 같은 외국계기업과 롯데마트 등 주요 대형할인점들이 주문자상표부착(OEM)으로 만들어 판매했습니다. 가습기 살균제는 1994년 첫 제품이 나온 뒤 2011년까지 20여 종이 시장에서 판매되었습니다. 특히 2000년대 이후 많은 가정에서 가습기 살균제가 생활필수품처럼 인기를 끌며 널리 사용되었습니다.

가습기 살균제와 관련된 폐질환 환자들은 이미 2000년대 초반부터 나오기 시작하다가 2006년 이후 특히 초봄을 전후해 거의 동시에 4-5명씩 대학병원 중환자실에 입원하는 등 심각한 상황이 벌어졌으나 의료진들은 그 원인이 무엇인지 모르는 상황이었습니다. 그 사이 피해자의 규모는 점점 더 커져 나갔습니다. 하지만 2011년에 중환자실에 비슷한 증상을 가진 산모들이 갑자기 여러 명 입원하게 되었을 때 ◌◌대학병원 호흡기내과/감염내과 교수들은 심각성을 인지하고 질병관리본부에 의뢰를 하였습니다. 물론 이들도 처음에는 가습기 살균제를 의심하지는 않았고 새로운 감염병인지 하여 신고하였다고 합니다. 하지만 여러 번 집담회를 통해 산모들의 폐질환 원인으로 바이러스 또는 화학물질이라고 추정하였습니다. 질병관리본부에서 실시한 가검물 검사결과 바이러스에 의한 질환은 아닌 것으로 밝혀졌고 환자들의 공통적인 요인 조사결과 초기 증상이 모두 3월 중에 발생하였고, 발생지역이나 흡연력, 여행력에 특이사항은 없었으며, 단지 가정내 가습기 사용자가 3명, 한약 복용자가 3명으로 병원차트에 적혀 있었습니다. 특히 환자들의 폐양상이 농약 등 화학물질에 의한 폐섬유화 소견과 유사하였고 해당환자의 가정을 방문하였을 때 다수의 생활화학제품 등이 확인되어 화학물질 노출로 인한 폐질환가능성을 집중적으로 조사하였습니다.

역학조사결과 가습기 살균제를 사용한 집단에서 폐질환 발생 확률이 74.3배 높음이 밝혀졌고 관련 제품은 시장에서 판매회수 및 퇴출되게 되었습니다.[129),130)] 환경단체가 국회에 보고된 집계내용과 정부 모니터링 대상에서 제외된 사망자들의 현황을 종합한 결과 가습기 살균제로 인한 전체 피해자가 5,000여 명에 달하고, 사망자만 1,000명을 넘어선 것으로 나타났습니다.[131)] 이에 가습기 살균제 피해자에 대한 보상 및 판매를 담당한 자들에 대한 형사소송이 진행되고 있습니다.

가습기 살균제 사건에서 가장 문제가 되었던 것은 가습기 살균제가 사회문제화 되자 ○○회사는 ○○대학교와 ○○대학교에 가습기 살균제의 독성에 대하여 거액의 연구를 발주한 사실과 이 과정에서 연구자와 관련회사와 대형로펌(law firm)이 살균제 유해성 관련 연구결과를 기업측에 유리하도록 왜곡 및 조작했다는 것입니다. 이윤을 추구하는 기업들은 자사가 판매하고 있는 제품이 해롭거나 위험하다는 증거들이 나오면 증거를 받아들이는 대신 다른 연구자를 고용해서 이전 결과에서 해롭거나 위험이 불확실하다는 결론을 만들곤 하는데 이러한 연구를 청부연구 또는 청부과학이라 합니다. 청부연구 또는 청부과학은 기업이 자본의 힘을 이용하여 과학자들과 컨설턴트를 고용하여 기업에게 유리한 결과를 도출하여 발표하는 것이라고 할 수 있습니다. 위의 사례의 경우 제조사는 가습기 살균제 독성 실험연구를 하는 연구팀에 2억 5천만 원이라는 과도한 연구비 및 별도의 자문료 1,200만 원을 지급하였습니다. 물론 위 연구결과에서는 가습기 살균제의 위험성이 과도하게 평가되었다는 연구결과가 나왔습니다. 하지만 나중에 위 연구결과를 분석한 결과 회사에 유리한 결론을 내기 위하여 연구방법에 많은 문제가 있었다는 것이 밝혀졌습니다. 결국 해당 연구를 진행한 2016년 ◌◌수의과대학 모 교수가 가습기 살균제의 노출평가 및 흡입독성시험 보고서를 회사에 유리하게 한 혐의와 함께 부정한 청탁에 대한 대가를 받은 것으로 인정되어 징역 1년 4개월을 선고를 받았습니다.[132),133)]

가습기 살균제 사건은 우리나라의 대학 연구자들은 연구비를 제공하면서 기업이 원하는 연구결과를 요구하는 기업의 압력에 무방비로 노출되어 있는 작금의 현실을 그대로 보여주고 있습니다. 정부는 대학에 기업과 산학협력 정책을 주도하고 있지만 이윤을 생각하는 기업의 요구로부터 대학의 공공성과 신뢰성을 지켜낼 정책은 전혀 없기 때문입니다. 그럼에도 불구하고 산학협력연구를 강조하고 있는 대학의 현실에서 이런 연구를 거부하는 것은 쉽지 않은 것입니다. 이 사건의 가습기 살균제 독성연구는 우리 사회에서 드러나지 않은 많은 의학관련 연구에서 나타날 수 있는 이해관계충돌 문제 가운데 드러난 빙산의 일각에 불과하며 현재의 문제를 해결하지 않는다면 앞으로도 언제든 일어날 수 있는 것이라고 생각합니다.[134)]

하지만 그럼에도 불구하고 우리가 주목할 필요가 있는 것은 원인을 모르는 괴질환이 발생하였을 때 원인을 찾기 위한 의료진의 관심과 노력입니다. 앞서 말한 대로 유사한 질환을 호소하는 환자들은 2005년부터 시작되어 그 수가 점차적으로 늘고 있었지만 다수의 병원들은 그 원인을 찾으려는 시도를 하지 않고 그냥 비전형적인 폐렴으로만 생각하였습니다. 하지만 ◌◌병원 중환자실 의료진은 그러지 않았습니다. 의무기록을 면밀히 검토하고 해당환자의 폐조직검사를 통해 원인을 추정하고 대규모 역학조사를 통해 결국 원인을 찾아내어 더이상의 유사한 환자가 발생하지 않게 한 것이기 때문입니다.

의사들은 매의 눈과 사자의 심장을 가지도록 교육받았지만 매일 반복되는 진료와 환자에 시달리는 현실에서 이런 눈과 심장을 가지기가 쉽지 않은 것이 사실입니다. 또한 이렇게 원인이 모르게 갑자기 환자들이 증가하는 경우가 종종 있고 대부분 바이러스 질환이 많으므로 이를 간과하는 경우가 많기 때문이기도 합니다. 만약 위 의료진이 위와 같이 생각하고 질환에 관심을 가지지 않았더라면 원인을 찾기까지 수년이 더 지나갔을 것이고, 이 기간동안 가습기 살균제로 인하여 더 많은 사람들이 고통받고 사망에 이르게 되었을 것입니다. 더불어 만약 가습기 살균제와 폐질환과 관련성이 없다고 결론이 났다면 관련 제품회사로부터 어마어마한 소송에 직면하게 될 가능성도 배제할 수 없습니다. 하지만 이러한 어려움을 극복하고 가습기 살균제의 문제점을 세상에 알린 의료진들과 질병관리본부에 대하여 찬사를 보냅니다. 아직까지 우리나라의 의사들은 살아있다는 생각이 듭니다.

PART

11

기업에게 윤리경영이란?

기업에게 윤리경영이란?

기업의 잘나가던 회사가 비윤리적 사건이나 행위로 기업의 위상이 급전직하한 사건은 수없이 많습니다. 가장 대표적으로 배출가스 조작 프로그램으로 문제가 되었던 폭스바겐이나 가습기 살균제로 문제가 된 옥시 등이 있습니다. 미국의 경우 가장 대표적인 에너지 기업으로 잘 나가던 엔론사가 회계부정사건으로 파산하였습니다.

교과서에서 기업의 목적은 이윤을 남기는데 있다고 배웠지만 이것만을 가지고는 기업이 존재하여야 하는 이유를 설명하기 어렵습니다. 그렇습니다. 기업은 이윤을 남기는 것 이외에 사회에도 공헌을 하여야 합니다. 이러한 사회공헌활동에 윤리경영도 포함됩니다.

윤리경영이란 회사의 경영 및 기업활동에 있어서 최우선적인 가치를 윤리로 정하고 투명하고 공정하며 합리적인 업무수행을 추구하는 경영정신 혹은 경영체계라고 정의할 수 있습니다. 그렇다면 기업은 왜 윤리경영을 하여야 할까요? 첫째, 윤리경영은 기업의 브랜드파워를 높일 수 있습니다. 윤리경영을 하는 기업은 소비자로 하여금 좋은 이미지를 가지게 하기 때문입니다. 소비자는 착하면서 사회발전에 기여하는 회사의 제품과 서비스를 선호합니다. 하지만 부정부패나 갑질에 연루되거나 세금탈루한 것이 알려진 회사의 제품과 서비스는 외면합니다. 실제로 윤리경영이 기업에 수익률 증대로 나타난 사례를 흔히 볼 수 있습니다. 미국의 경영컨설턴트 업체인 타워스 패린이 기업들의 15년간 실적을 비교한 결과 S&P 500에 들어간 주식회사의 평균수익률은 19%이었지만 윤리경영을 성실하게 수행한 기업의 수익률은 43%이었습니다. 우리나라도 예외는 아닙니다. 오뚜기란 식품회사는 상속세와 증여세를 성실히 냈고 높은 정규직 비율과 함께 협력업체와 상생하는 것으로 알려져 청와대로 초대되었고 이후 기업이미지가 좋아져 '갓뚜기'라는 이름이 붙기까지 하였습니다. 이후에 기업실적이 올라간 것은 당연하다고 하겠습니다. 둘째, 기업이 윤리경영을 하면 직원들의 자부심과 만족도가 올라가고 결국 직원들의 충성도를 높일 수 있습니다. 한 조사에 따르면 사원들은 자신의 회사가 윤리경영을 하고 있다고 생각되면 회사를 떠나지 않겠다고 한 경우가 그렇지 않은 경우보다 6배 높았습니다. 하지만 회사의 기업활동에 수치심을 느끼는 경우 5명 중 4명은 곧 직장을 떠날 수 있다고 하였습니다. 특히 회사에 대한 애착심이나 자긍심이 낮아 이직률이 높은 중소기업의 경우 윤리경영을 한다면 이직률을 크게 낮출 수 있다는 사실은 어떠한 기업이 되어야 하는지를 잘 보여준다고 할 수 있습니다.

윤리경영은 선택이 아니라 필수라고 할 수 있습니다. 시대가 요구하고 있기 때문입니다. 윤리경영을 해야 고객은 물론이고 국민들로부터 사랑을 받고 존경받을 수 있습니다. 그렇지 않으면 기업의 영속적인 발전은 불가능하다고 해도 과언이 아닙니다. 중요한 것은 진정성이 있게 윤리경영을 일희일비하고 꾸준히 실천하는 것입니다.

PART 12
성실과 정직, 그리고 전문가 정신

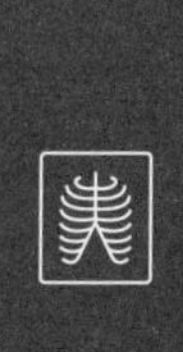

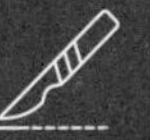

성실과 정직, 그리고 전문가 정신

성실과 정직, 그리고 전문가 정신

경영학 분야의 대가인 피터 드러커는 '능력을 가진 사람은 3년 혹은 5년은 탁월하게 일을 할 수 있다. 그러나 그 사람이 성실하거나 정직하지 못한다면 10년 혹은 20년 동안 그런 탁월성을 유지하기 어렵다. 장기적인 관점에서 성실과 정직성을 바탕으로 능력을 키우는 사람들이 자기 분야에서 인정받고 조직에서 중요한 자리에 오를 가능성이 높다'라고 말하였습니다. 다시 말하면 성공하려면 일에 대한 능력과 함께 정직하고 성실하면서 전문가 정신을 가져야 한다는 말입니다.

성실

성실의 사전적인 의미는 단순한 부지런함을 넘어 정성스럽고 참됨을 말합니다. 기업이나 학교에서 성실성은 매우 중요한 덕목입니다. 이러한 성실은 직장에서 좋은 평가를 받기 위한 가장 중요한 요소로 뽑히기도 합니다. 성실성은 자신이 맡은 일의 시작과 과정, 결과에 대하여 책임감을 잃지 않는 것이라고도 할 수 있습니다. 흑인 인권운동가 마틴 루터 킹 목사는 '어디서 무엇을 하든 최고 경지의 걸작을 만들어라. 어떤 사람에게 청소부라는 이름이 주어진다면 미켈란젤로가 그림을 그리는 것처럼 거리를 쓸어야 한다. 자기가 담당하는 거리를 열심히 그리고 깨끗이 청소해서 하늘과 땅을 지나는 천사들이 그 길에 모여 훌륭하게 자기 일을 하던 청소부가 여기에 살았다고 칭찬할 정도가 되어야 한다'고 하였습니다. 모든 직장인이라면 그리고 개원의라면 가슴에 새길 좋은 말이라고 생각합니다. 무슨 일을 하는지 상관없이 자신의 일에 대한 열정을 가지고 성실하게 일하는 것은 매우 중요한 것입니다.

물론 성실한 사람이 꼭 성공하는 것은 아닙니다. 때로는 성실함이 주변머리가 없고 요령이 없어 보이기도 합니다. 또한 완벽주의 혹은 강박적인 경향을 보일 수도 있습니다. 실제 성격연구에 의하면 성실성과 성공과의 상관관계가 높지 않다고 합니다. 성공을 하는 데는 성실성 외에도 많은 요소들이 작동하기 때문입니다. 하지만 성실한 사람과 맡은 직무성공의 상관관계는 매우 높다는 사실은 변함이 없습니다.

일반적으로 성실성은 나이가 들면서 나아지는 경향이 있습니다. 하지만 지금 더 성실하게 하기 위해서는 어떻게 하면 좋을까요? 출근시간 10분 전에 도착하여 하루에 할 일을 준비하는 것도 도움이 될 수 있습니다. 또한 항상 실수가 있었던 작은 일부터 하나씩 완벽하게 하는 연습을 하는 것도 성실성을 기르는데 도움이 된다고 합니다.

정직

미국의 제임스 쿠제스와 베리 포스너 교수는 전세계 사람들을 대상으로 존경받는 리더가 가지고 있어야 할 특징과 성품을 조사하였는데 결론은 정직이었습니다. 미국 백만장자들을 대상으로 조사한 연구에서도 성공의 가장 큰 요인은 정직으로 나타났습니다. 임마누엘 칸트도 정직이 최선의 정책이라고 말했습니다. 이러한 연구결과들은 정직이 사회적으로 성공하는데 얼마나 중요한 것인지를 잘 보여주고 있습니다.

정직이 이토록 중요함에도 불구하고 현실에서는 불성실하고 부정직한 사람들이 더 많이 성공하는 것처럼 보입니다. 오히려 성실하고 정직하면 바보가 되고 피해를 입고 왕따가 되는 경우를 더 많이 볼 수 있습니다. 하지만 정직하지 않은 사람은 일시적으로 성공하고 각광을 받을 수는 있으나 길게 보면 그렇지 않습니다. 지금과 같이 인터넷이 발달된 세상에서 부정직한 것은 곧 드러나게 마련이기 때문입니다.

전문가 정신

전문가란 어떤 한가지 일을 전문적으로 하거나 한가지 분야에서 전문적인 기술이나 지식을 가진 사람을 이야기합니다. 사람들은 전문가가 되기 위해서는 의사나 변호사, 판사와 같이 남이 접할 수 없는 지식이나 기술을 가지고 있어야 한다고 생각합니다. 하지만 바느질로도 전문가가 될 수 있고, 애견 미용사도 전문가가 될 수 있습니다. 호텔의 청소원이나 마트의 캐셔도 전문가가 될 수 있습니다.

예를 들어 보겠습니다. 우리들은 마트에 가면 많은 캐셔들이 있습니다. 이들은 손님이 몰릴 때에는 물건값을 정리하고 계산하는데 정신이 없습니다. 하지만 손님이 없어 한가할 때도 있습니다. 이렇게 한가한 시간에도 많은 캐셔들은 자신의 일 외에 특별한 일을 하지 않는 경우가 많습니다. 만약 손님이 물건을 찾아 달라고 부탁하면 움직이기보다는 '저기에 있어요'라고 대답하는 경우가 더 흔합니다. 물론 이들 대부분이 비정규직으로 월급도 최저임금이거나 이보다 약간 더 높은 정도인 것을 감안한다면 이들에게 많은 요구를 하기도 그렇습니다. 하지만 모 시골농협의 캐셔 A는 달랐습니다. 그녀는 비록 작은 시골농협의 비정규직 사원이었지만 시간이 있으면 마트에 무질서하게 진열된 상품을 기준에 따라 정리하고 가격표도 보기 쉽게 붙였습니다. 형광등이 고장이 나서 깜박이거나 쇼핑바구니가 망가지면 관리실에 연락하여 바로 교체하였습니다. 또한 손님들을 '아버지', '어머니'라고 부르면서 친근하고 생글생글 웃는 모습으로 마주하였습니다. 한 캐셔가 일으킨 작은 변화로 인하여 작은 시골농협의 매출이 두 달 동안 거의 두배로 증가하였다고 합니다.

다른 예를 들어볼까요? 지방의 중소도시에 있는 모 쇼핑몰의 정육코너가 매출부진으로 고민을 하다가 B를 고용하였습니다. B는 모 쇼핑몰의 정육코너를 보고 경악하였습니다. 너무 허술하게 운영되었기 때문입니다. 하지만 그는 포기하지 않았습니다. 대도시의 정육코너에서 일한 자신의 경험을 바탕으로 정육코너를 바꾸어 나갔습니다. 우선 진열대 안의 고기를 맛깔스럽고 보기 좋게 멋을 내어 진열하였고, 시식코너를 만들어 지나가던 손님들이 고기를 맛볼 수 있도록 하였습니다. 또한 고기를 종류와 부위에 따라 맛있게 요리할 수 있는 방법을 작은 카드에 적어 방문하는 주부들에게 나누어 주었습니다. 깔끔한 위생복을 입고 진열대 앞에 서서 고객이 다가오면 "오늘 삼겹살이 참 좋습니다. 오늘은 맛있는 돼지고기로 영양보충 하세요"라는 등 친근한 말로 지나가던 손님들의 관심을 끌었습니다. 물론 이 사람이 추천한 고기는 정말로 품질이 좋은 고기였습니다. 결국 지방쇼핑몰의 이 정육코너 매출이 4개월 동안 2배 증가하였습니다.[135]

한 가지 예를 더 들어 보겠습니다. 고속도로 휴게실 화장실은 매우 지저분하고 냄새나는 장소로 악명이 높습니다. 특히 남자화장실은 더욱 심각합니다. 큰 일을 보고 물을 내리지 않거나 담배를 피우고는 담배꽁초나 이상한 쓰레기를 대변기에 버리기도 합니다. 이로 인하여 변기가 막히면 꼭 뚜껑을 닫은 채로 나가버려 다음 사람이 사용하면 물이 넘치게 됩니다. 화장실 바닥에 침을 뱉거나 토를 하는 사람도 있습니다. 이러한 문제로 많은 사람들이 고속도로 화장실에서 청소하는 것을 꺼렸습니다. 하지만 화장실 청소를 자신의 업으로 삼고 열심히 일하는 청소부 C의 이야기는 마음에 와닿습니다. C는 고속도로 화장실을 자신의 집에 있는 화장실처럼 깨끗하게 청소하고 관리하는 것은 물론이고 화장실 이용객에게 '어서 오세요', '안녕히 가세요', '불편한 것은 없으셨는지요'와 같은 인사를 하는 등 다른 청소부와 차별적인 전문가 정신을 보였습니다. 결국 C는 전국 우수 화장실 관리인 시상식에서 최우수 관리인으로 선정되었습니다. C는 시상식에서 '일하면서 고객들과 인사를 나누고 일을 하는 것이 힘이 들지 않고 흥이 난다'고 하였습니다. 그리고 '이렇게 일을 할 수 있는 것에 감사한다'고 말하였습니다.

위의 사례는 전문가처럼 보이지 않은 직군에서 전문가가 된 사람들의 이야기입니다. 이 사람들은 어떻게 자신의 분야에서 전문가가 되었을까요? 첫째, 이들은 자신의 직업에 대한 긍지가 높았습니다. 남들이 보기에 높은 사회적인 지위나 소득을 가진 직업이 아니었지만 자신은 자신이 하고 있는 직업에 높은 자부심과 긍지를 가지고 있었습니다. 둘째, 이들은 인생에 긍정적이며 어렵고 힘든 일이라고 하더라도 그 일에서 보람을 찾고 스스로 재미를 만들어 냈으며 밝은 표정과 긍정적인 태도를 가지고 있었습니다. 셋째, 이들은 남들이 보기에 사소한 일임에도 최선을 다하고 열정을 가지고 남들과 다르게 하였습니다. 단순한 일로 보여도 반복을 통해 고수의 경지에 도달하도록 노력하였던 것입니다. 넷째, 이들은 항상 연구하고 공부하며 창의적으로 일하는 경향이 있습니다. 이들은 자신이 하고 있는 일에 주목하면서 어떻게 개선할지를 고민하고 노력과 인내, 끈기를 통해 최고의 경지에 올랐습니다. 여기서 중요한 것은 끈기입니다. 끈기란 쉽게 단념하지 않고 끈질기게 견디어 나가는 기운으로 목표를 이룰 때까지 집념을 가지고 끈질기게 버티는 기운입니다. 아무리 타고난 재능이 뛰어나더라도 끈기가 없으면 그 재능을 발휘하지 못하고 꿈꾸던 목표를 달성하기 어렵습니다. 다섯째, 이들은 남을 해치거나 비방하는 대신 자신의 노력을 통해 최고의 경지에 올랐습니다.

당신은 개원의가 되었다고 남들과 비교하면서 좌절하고 자신을 하대하고 있지는 않으신지요? 그렇지 않습니다. 각자 사회에서 맡은 일이 다를 뿐입니다. 자신이 어떤 일을 하던 중요한 것은 자신의 분야에서 최고가 될 수 있도록 끈기를 가지고 노력하시면 최고의 전문가가 될 것입니다.

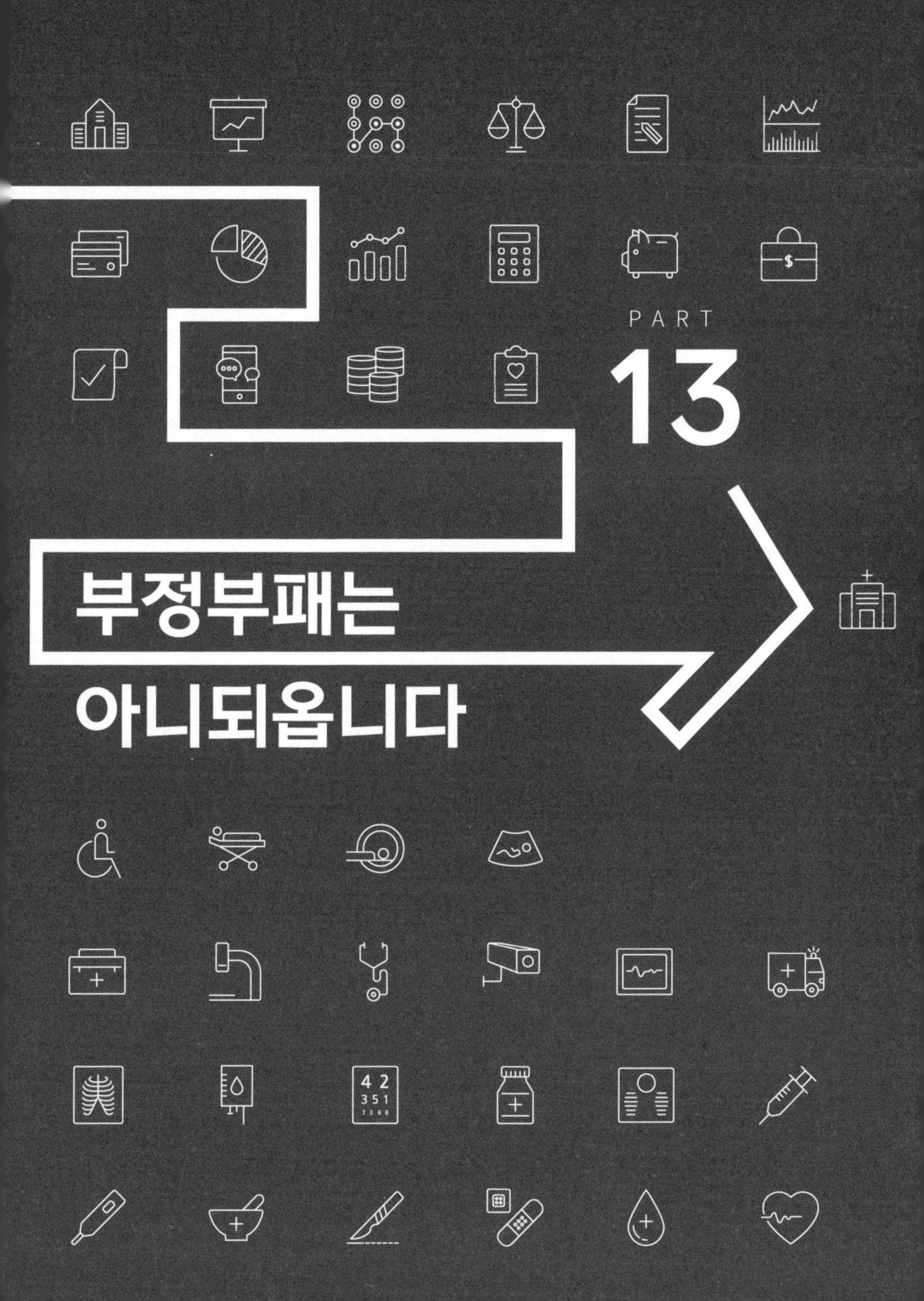

PART 13

부정부패는 아니되옵니다

부정부패는 아니되옵니다

'인생의 뒷모습을 망쳤다. 악마의 덫에 걸려 빠져나가기 힘들 듯하다. 모두 내가 소중하게 여겨온 만남에서 비롯되었다' 수년 전 검찰 수사를 받던 고위 공직자가 안타깝게도 스스로 목숨을 끊으면서 남긴 말입니다.

많은 비리의 시작은 만남에서 시작합니다. 처음에는 차 한잔으로 시작하여 점심 식사가 되고, 나중에는 술자리에 이은 향응으로 발전하게 됩니다. 처음에는 좋게 시작되지만 점점 늪으로 빠지게 됩니다. 오랜 기간 비리사건을 수사해온 검사나 변호사들이 하는 말이 있습니다. '사건은 한 번의 식사자리에서부터 시작된다'는 것입니다.

우리나라의 부패인식지수에 따른 국가청렴도를 보면 언제나 하위권을 벗어나고 있지 못하고 있습니다. 이런 뉴스를 접하면 당신은 부정부패를 청산하고 있지 못한 공공부분을 보면서 혀를 차며 비난하고 있을지도 모릅니다. 하지만 이런 질문을 본인에게 하면 사정이 달라집니다. 당신은 부정과 비리로부터 자유로운지요?

이 질문에 '예스'라고 대답할 수 있는 사람은 많지 않을 것입니다. 일반적으로 부정부패는 힘을 가진 권력층이 하는 것입이다. 의사들은 약물과 의료기구를 처방하거나 선택할 힘을 가지고 있기 때문에 여러 파리떼들이 몰려들게 되는 것입니다. 하지만 많은 의사들이 '내가 직접 뇌물을 받은 것도 아니고 횡령을 한 것도 아닌데 일을 하다 보면 그럴 수도 있는 것이 아니냐'고 항변할 수도 있습니다. 하지만 이러한 청렴도는 사소한 것에서 시작됩니다. 이러한 부정부패의 사슬을 끊기 위해서는 나부터 시작해야 합니다. 공공이던 민간이던 부패하면 끝장이라는 마음으로 미래를 위하여 지금부터 시작해야 합니다.

이렇게 유혹에 흔들리지 않으려면 어떻게 해야 할까요? 가장 중요한 것은 자기 통제입니다. 많은 사람들이 겸손, 정직, 성실, 정의, 도덕과 윤리를 학교에서 배우지만 제대로 실행에 옮기지 못하는 것은 바로 자기 통제력이 부족하기 때문이라고 생각합니다. 학교에서 배운 의료윤리나 도덕은 말하기는 쉽지만 행동하기가 쉽지 않습니다. 하지만 남들이 뭐라고 하든 자기의 신념에 따라 세상의 원칙을 지키며 실행하는 사람이야 말로 진정으로 강한 사람이라고 할 수 있습니다. 부정한 유혹에 마음이 흔들리는 것은 당연합니다. 세상에서 공짜보다 맛있는 것은 없으니까요. 하지만 이러한 잘못된 생각이 마음에 머무르지 않도록 쫓아 버려야 합니다. 순간의 그릇된 판단으로 인해 당신의 미래는 엉망이 될 수 있기 때문입니다. 그 다음은 미래에 대한 꿈을 가지는 것입니다. 미래학자 리처드 위젤은 '사람들이 어려운 상황을 뚫고 나가는 동기부여는 미래에 대한 꿈과 두려움으로 이루어진다'고 하였습니다. 마찬가지로 세상의 유혹의 늪에 빠지지 않고 살아가는 힘도 꿈과 두려움입니다. 만약 당신에게 옳고 큰 꿈이 있다면 결코 나쁜 짓을 할 수 없을 것입니다. 추락에 대한 두려움이 크면 클수록 정도를 걸을 것이기 때문입니다.

이전에 비하여 세상은 빠르게 변화하고 있습니다. 특히 직업모럴이나 윤리도덕에 대한 기준이 점점 더 엄격해지고 있습니다. 이전에는 관행이라고 그럭저럭 넘어가던 사안도 요즘은 쉽게 문제되고 증폭되어 개인의 직업은 물론 삶 자체도 망가지는 경우를 신문이나 방송에서 흔히 볼 수 있습니다. 우리는 이전에 비하여 매우 깐깐하고 투명한 세상에 살아가는 것입니다.

필자의 동기들이 개업할 때에는 제약회사 직원이나 근처 약사로부터 여러 후원을 받는 경우가 많았습니다. 물론 이런 행동이 불법적인 것이라는 것은 잘 알고 있었지만 개원을 하려던 많은 사람들이 받았고 사회도 이런 관행에 대하여 크게 문제를 삼지 않는 분위기였습니다. 하지만 지금은 다릅니다. 이렇게 후원을 하는 제약사도 거의 없고 만약 이러한 사실이 행정당국에 적발되면 면허정지는 물론 취소될 수도 있습니다. 또한 이전에는 불법적인 행태가 적발되어도 약간의 비난과 손해면 끝났지만 지금은 대중에게 쉽게 전파되기 때문에 걸리면 크게 손해보는 시대가 되었습니다. 이런 세상에서는 윤리가 경쟁력이고 가장 안전한 수단이 될 수 있습니다.

예전에는 한번의 실수는 용서해 주는 경우가 많았습니다. 하지만 지금의 세상은 한번도 용서해주지 않습니다. 아무리 인성이 좋다고 해도 부정부패로 걸리면 끝장입니다.

그렇다면 이렇게 변화된 사회에서 어떻게 행동하는 것이 좋을까요? 필자의 생각으로는 수시로 자신을 돌아보면서 반성하고 행동을 통제하고 수정하려는 노력을 해야 한다고 생각합니다. 사람은 원칙을 벗어나 일탈하기 쉬운 속성을 가지고 있기 때문에 스스로 반성하고 행동을 통제하지 않으면 부정부패에 휘둘리고 갑질을 하며 본분을 망각하는 행동을 자신도 모르게 할 수 있기 때문입니다.

혹시 오늘 제약회사로부터 식사대접이 예정되어 있지는 않은지요? 저녁에 친한 제약회사직원과 소주한잔 하기로 약속을 하지 않으셨는지요? 의료기기직원에게 이번 주말에 골프한게임 하자는 제의를 받지는 않았는지요? 그 정도는 접대나 부정이 아니라 인간관계나 관행으로 여기는 않았는지요? 이런 정도는 TV나 신문에 나오는 고위공직자들의 위장전입이나 논문표절, 뇌물과는 차원이 다르다고 믿는지요? 정말로 하늘을 우러러 부끄러움이 없는지요?

이제는 예전의 기준으로는 살아남을 수 없습니다. 관행이라는 이름으로 변명할 수 없습니다. 자신을 지키기 위해서는 기준을 명확하게 해 두고 부정과 비리의 유혹을 떨쳐내야 한다는 사실을 다시 한번 강조드립니다.

참고) 윤리와 도덕은 어떻게 차이가 나는가?

우리는 사람으로서 마땅히 행하거나 지켜야할 도리를 윤리나 도덕이라는 말로 혼용해서 많이 사용하고 있습니다. 하지만 그 뜻은 약간의 차이가 있습니다. 도덕은 라틴어 mores에 어원을 둔 단어인 morality의 번역어로서 사회적 여론, 관습에 비추어 스스로 마땅히 지겨야 할 행동준칙으로 착하게 살고 다른 사람을 이롭게 하는 이타적인 행동을 말합니다. 이와 달리 윤리는 라틴어인 ethos에 어원을 둔 ethics의 번역어로서 개인적인 양심과 관계없는 일종의 사회적인 규범을 말합니다. 즉, 도덕은 전제가 없는 옳은 것을 지향하는 생각을 말하지만 윤리란 옳고 그름을 판단하거나 전제를 가지고 행동하는 것을 말합니다. 예를 들어 적군과 마주쳤을 때 윤리적인 사람은 그 적군을 사살할 수 있지만 도덕적인 사람은 사살할 수 없게 됩니다. 의료와 관련된 옳은 행동규범을 의료도덕이라고 하지 않고 의료윤리라고 하는 이유도 여기에 있습니다. 참고로 직업모럴이란 그 직업이 가지는 특유의 도덕적 규범 혹은 의식을 말합니다.

PART 14

긴 호흡으로 세상을 보라

긴 호흡으로 세상을 보라

인생은 깁니다. 의과대학을 졸업하고 전문의가 되면 대략 30대 중반이 됩니다. 다른 친구들은 이미 회사생활을 5년 이상 했을 때 겨우 사회에 첫발을 내딛게 되는 것입니다. 하지만 그럼에도 인생은 아직 50년이나 남아 있습니다. 겨우 한 발 아니 열 발 정도 늦은 것 가지고 조바심을 가질 필요는 없습니다. 빨리 회사에 취직해서 돈을 벌기 시작한 친구들이 지금은 부럽겠지만 이 친구들은 50세가 넘으면 회사를 떠나야 합니다. 하지만 당신들은 그렇지 않습니다. 의사면허증이 당신에게 정년없이 일할 것을 보장하기 때문입니다. 당신은 좋은 차와 비싼 아파트에서 살고 있는 친구나 동료가 부러울 수도 있습니다. 하지만 인생은 길기 때문에 단지 그 순간만을 볼 필요는 없습니다. 일시적으로 친구들이 돈을 더 잘 벌고 승진을 빨리할 수도 있습니다. 하지만 이런 것은 젊어서는 중요할 수 있지만 나이가 들면 이런 것들의 의미는 퇴색하게 됩니다. 내가 소유한 회사가 아닌 이상 퇴직은 당연한 것이고 현직에서 화려한 생활도 일시적이고 순간적이기 때문입니다. 하지만 내가 남에게 잘못했던 것과 잘해주는 것은 영원히 나의 기억에 남게 됩니다.

회사라는 곳은 그 지위고하를 막론하고 사람들이 함께 어울리는 장소입니다. 이로 인하여 이해관계가 서로 얽혀 충돌도 일어나게 됩니다. 때로는 오랫동안 일을 했던 종업원을 해고하여야 할 때도 있고, 거래처와 관계를 끊어야 할 때도 있습니다. 그렇다면 개원의로서 당신은 어떤 행동을 하는 것이 좋을까요?

우선 많이 베풀어야 합니다. 사회생활을 하다 보면 어려 사람과 여러 관계를 맺게 됩니다. 이러한 관계는 조직내부 사람일 수도 있고 회사 밖 관계일 수도 있습니다. 당신이 가진 권한을 가지고 있다면 가능한 많이 베풀도록 노력해야 합니다. 그 힘이 크면 큰 대로, 작으면 작은 대로 어디서 무엇을 하던 많이 도와주는 것이 좋습니다. 남을 도와줄 수 있는 힘이 있음에 감사하며 겸손한 자세로 도와주어야 합니다. 넬슨 만델라는 '인간의 최고가치는 타인에 대한 배려'라고 말했습니다. 이렇게 당신이 가진 모든 권한과 힘을 남을 돕는데 사용한다면 당신의 삶은 품위있고 가치가 있을 것입니다.

나이가 들면서 함께 일하는 직원과 가족으로부터 존중받고, 지역사회에서 존경받는 것은 매우 중요한 가치가 있는 일입니다. 이러한 존중과 존경은 돈으로 살수 없기 때문입니다. 무엇보다도 환자들에게서 의사로서 존경받으면서 살아간다는 것보다 좋은 것은 없습니다. 아픈 환자들을 치료하는 행위는 하나의 기쁨입니다. 죽어가던 사람을 내 손으로 살렸을 때의 성취감은 어떤 직업도 느낄 수 없습니다. 시간이 가면서 환자와 의사가 함께 늙어간다는 것은 축복입니다. 상대방에 대하여 감사하는 마음을 가지는 것도 중요합니다. 필자의 아버님은 항상 저에게 말하였습니다. '돈을 받으면서 인사를 받는 사람은 의사밖에 없다'라구요. 그렇습니다. 우리가 백화점에서 옷을 살 때 우리가 카드로 옷값을 지불하면 옷을 파는 점원은 고객에게 '감사합니다'라는 말을 합니다. 하지만 병원에서는 의료비를 받는 의사가 환자에게 '감사합니다'라는 말은 하지 않습니다. 오히려 돈을 지불하는 고객인 환자가 의사에게 '감사합니다'라는 말을 씁니다. 우리 의사들은 이러한 환경에 감사해야 할 수도 있습니다.

인생을 길게 보고 긴 호흡으로 돌아보면 세상이 다르게 보일 수 있습니다.

PART

15

가치와 보람이 있는 삶을 살아라

가치와 **보람**이 있는 삶을 살아라

전공의 시절 몸과 마음이 힘들 때 흔히 듣는 말 중의 하나가 '전문의가 되면 나아지니 지금은 힘들어도 참아'라는 말입니다. 이 말에는 전문의가 되면 전공의 때에 일하는 양보다 적게 일하면서도 급여는 훨씬 높아진다는 말로 해석됩니다. 하지만 전문의과정을 마치고 봉직의로 취업하면 잘나가는 개원의들이 부럽습니다. 개업하면 기반을 잡은 개업한 동료나 선배들이 부럽습니다. 하지만 막상 자리를 잡으면 환자를 보는 일이 힘들고 어떻게 하면 사업을 좀 더 확장할 수 있을까 하는 고민이 듭니다.

우리나라에서는 남의 눈치를 많이 보고 따라하는 경향이 있습니다. 이렇게 남을 따라하는 데에는 많은 돈이 필요합니다. 벤츠나 BMW와 같은 외제차를 몰고, 주말에는 골프도 치고, 그 비싼 강남에 아파트 한 채라도 사려면 제법 많은 돈을 빌려야 합니다. 하지만 이렇게 많은 대출을 받으면 대출금과 이자를 갚는데 허덕이게 됩니다. 또한 이러한 삶을 살기 시작하면 다시 이전의 삶으로 돌아가기 매우 어렵습니다.

하지만 나이가 들면 들수록 돈보다 소중한 것이 보이기 시작합니다. 은퇴한 많은 사람들이 공통적으로 하는 말은 '살았던 세월을 뒤돌아보면 소위 출세했다는 사람이나 그렇지 못한 사람이나 결국 오십보백보'라는 것입니다. 지금 개업을 준비하고 있는 독자들에게 은퇴라는 것이 먼 훗날의 이야기처럼 들릴 수 있지만 눈 깜짝할 사이에 다가올 것입니다.

개인적으로 삶에서 가장 중요한 것은 자신이 생각하는 가치가 있는 일을 하여 보람을 느끼는 것입니다. 자신의 삶을 남들과 비교하기보다는 자신만의 확고한 신념을 가지고 자기의 가치를 최대한 발휘하면서 멋진 생을 살아 가기 바랍니다. 자신의 신념에 따라 굵고 짧게 사는 것도 나쁘지 않습니다. 자기다운 보람만 일궈낼 수 있다면 가늘고 길게 사는 것도 나쁘지 않습니다.

이러한 생각을 가지고 살아간다면 승진이나 출세라는 것에 크게 목을 매이지 않을 것입니다. 우리들은 자신에게 없는 것과 갖고 싶은 것을 생각하느라 이미 가지고 있는 것을 간과하는 경향이 있습니다. 우리들은 다른 사람이 가지고 있는 것을 부러워합니다. 하지만 이러한 생각에서 벗어날 필요가 있습니다. 현재 내가 무엇을 가지고 있는지 생각해 보시기 바랍니다. 없는 것을 좇아 헤매지 말고 자신이 생각하기에 가치가 있는 일에 온 정성을 쏟고 실현하는 보람된 인생을 택하기 바랍니다. 출세나 성공을 위해서 현재를 희생하기보다는 오늘에 충실하고 지금 그 자리에서 열심히 일하여 스스로의 가치와 의미를 만들어 살아가는 삶을 살아가기 바랍니다. 목표를 향해 숨가쁘게 달리기 보다 과정을 즐기고 현재의 일을 즐길 수 있기 바랍니다. 자신이 추구하는 가치는 누가 알아주든 알아주지 않든 상관이 없습니다. 자신만 만족하면 되는 것입니다.

의사로서 아픈 환자들을 진료한다는 것이 쉬운 것은 아닙니다. 의사는 별별 환자들을 다 만나게 됩니다. 학벌이 좋지 않다고 해서 의사를 무시하거나 이것저것 트집을 잡고 불평이 많은 사람까지 여러 사람을 만나게 됩니다. 인간으로서 기본조차 갖추지 못한 사람에게서 장사꾼 취급을 받을 때에는 당장 때려치우고 싶을 때도 있습니다. 또한 급여과 의사들은 그다지 힘들게 환자들을 보지 않아도 쉽게 돈을 버는 비급여과 의사들을 부러워합니다. 하지만 현재 하는 일을 즐기고 사랑한다면 이런 사소한 일에 동요하지 않는 것입니다. 이렇게 일이 힘들 때에는 오히려 즐거운 일을 생각해 보시기 바랍니다. 당신에게서 진료를 받아 완치가 되었던 환자 중에서는 크게 인사를 하면서 감사의 인사를 전하거나 작은 선물을 주는 고마운 분들도 계십니다. 개원의로서 자신의 울타리를 일구면서 내 나름대로의 보람을 만끽하고 사는 삶은 남들로부터 인정을 받는 성공만을 생각하는 삶과는 다를 수 있다는 것을 느끼는 것이 중요하다고 생각합니다.

PART

16

어떻게 조직개혁을 성공적으로 이끌 수 있을까?

어떻게 **조직개혁**을 **성공적**으로 이끌 수 있을까?

우리 모두는 사소한 것 같지만 좋지 않은 버릇이나 매너들을 가지고 있습니다. 문제는 대다수의 사람들은 그것이 무엇인지 의식을 하지 못하고 지내고 있거나 알고 있다고 하더라도 고치려고 하지 않습니다. 이는 조직도 마찬가지입니다. 거의 대부분의 조직들은 여러 문제점들을 가지고 있고 구성원들도 그러한 문제점을 이미 인식하고 있지만 고치려고 하지 않습니다.

여러분들은 종합병원이나 대학병원에서 수련과정을 거칠 때 병원의 교육과정과 운영방식에 대하여 많은 문제점을 발견하였을 것입니다. 이러한 문제들은 워크숍이나 아니면 간담회 등에서 발표가 되었을 것입니다. 하지만 이러한 프로그램들이 실제로 의료진들의 행동이나 마음가짐에 변화를 가져온 기억은 거의 없을 것입니다. 또한 반발에 부딪치는 경우도 많이 보았을 것입니다.

왜 사람들은 조직의 문제점을 인식하더라도 바꾸려고 하지 않을까요? 이러한 변화는 현재의 제도와 시스템에서 혜택을 보는 사람들의 혜택을 줄이기 때문입니다. 따라서 현재 제도와 시스템에서 혜택을 보는 사람들은 시스템을 개혁하는데 엄청난 저항을 하게 됩니다. 이에 비하여 이러한 변화를 통해 이익을 보는 사람들은 이러한 새로운 질서가 실제로 자신에게 가져올 이익이나 혜택이 불확실해하고 모호하다고 느끼기 때문에 이러한 변화와 혁신에 적극적인 참여를 주저합니다.

그렇다면 조직의 변화를 주도하려면 어떻게 해야 할까요? 많은 경영계의 석학들에 따르면 변화는 작은 것부터 시작하여야 한다고 합니다. 작은 변화는 실제로 변화를 이끌 수 있는 성공확률이 더 높고 구성원들의 공감을 얻기도 쉽기 때문입니다. 따라서 원장은 작은 변화야 말로 참개혁에 이르는 지름길임을 깨닫고 작은 변화라도 꾸준히 실천하는 지혜가 필요합니다. 얀 칼슨은 '한가지 일을 100퍼센트 개선시키려 하지 말고 100가지 일을 1퍼센트씩 개선해 나가라'고 충고하였습니다.

이와 같은 변화를 위해서는 원장의 언행도 매우 중요합니다. 우리들은 남을 쉽게 비난하고 깐깐하게 따지며 실수를 용납하지 않는 경향이 있습니다. 하지만 비난을 받은 사람은 비난하는 사람이 말하는 내용에는 관심을 두지 않고 비난하는 사람의 태도나 말투에 집중하는 경향이 있습니다. 따라서 변화를 주도하는 원장은 직원들의 기분을 존중하여 무시하는 말투나 퉁명스러운 태도로 윽박질러서는 안 됩니다. 또한 '확실히'와 같은 단정적인 말을 삼가는 것이 좋습니다. 만약 직원이 잘못된 엉터리 주장을 하더라도 바로 반박하기보다는 '그의 생각이 옳을 수도 있지만 현재의 내 생각은 조금 다릅니다'와 같은 배려하는 행동이 결국 직원들의 행동변화를 이끌 수 있다는 것을 알아 두었으면 좋겠습니다.

PART

17

좋은 의사란?

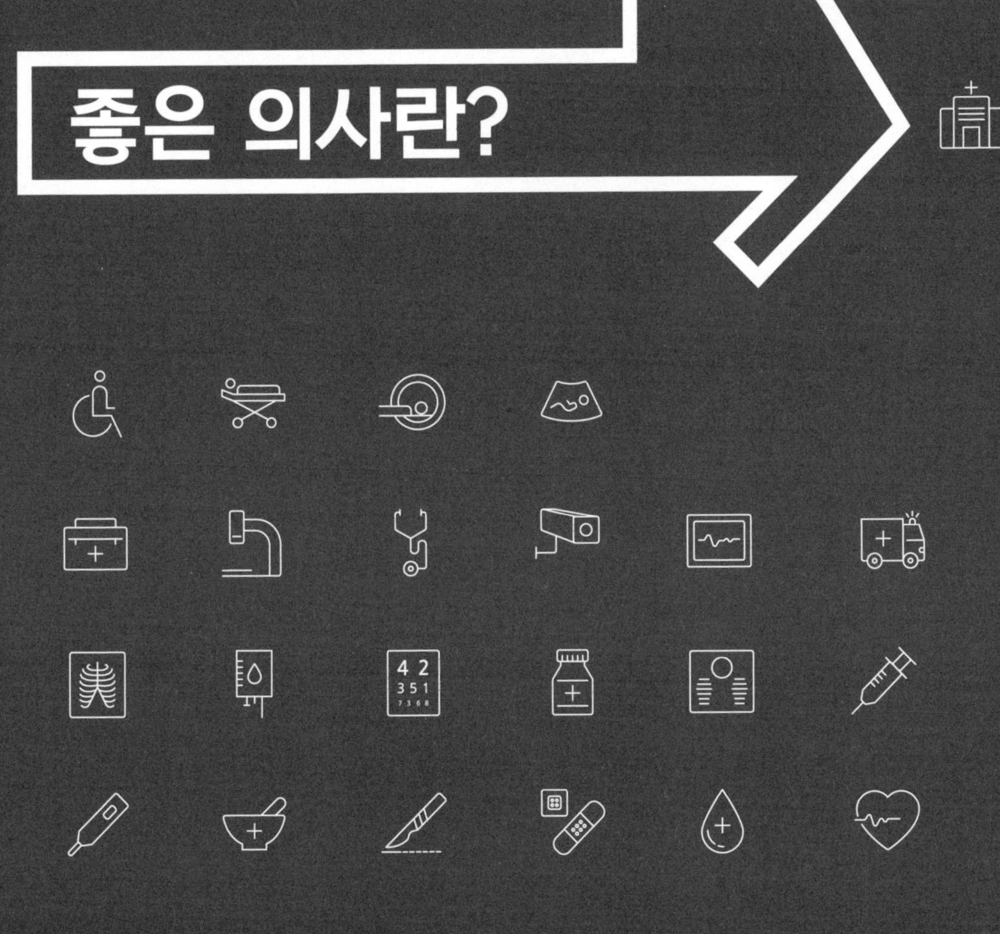

좋은 의사란?

세상이 급격하게 변화하고 있지만 좋은 의사에 대한 정의를 한두 마디로 표현하기는 쉽지 않습니다. 좋은 의사는 의과대학생이나 의과대학 교수, 현장에서 직접 환자진료를 담당하고 있는 의사들에게 공통된 희망이고 바람입니다. 하지만 좋은 의사란 단어만큼 다양한 의미를 갖는 단어도 찾기 쉽지 않을 것 같습니다. 의과대학생에게 좋은 의사란 내원한 환자들을 정확하게 진단하고 치료할 수 있으며 최신의 의학지식과 시술을 습득하고 적용할 수 있는 의사입니다. 교수에게 좋은 의사는 아마도 논문을 잘 쓰고 학회에서 발표를 많이 하는 권위 있는 의사가 최고일 것입니다. 대학들은 논문의 가치가 절대적이며 대부분의 경우 논문을 통해 교수의 능력을 평가하고 임용 및 승진여부를 결정하고 있기 때문입니다. 이런 사정으로 인하여 많은 대학교수들은 세상에 진정으로 도움이 되는 가치가 있는 논문을 고민하기보다는 논문을 위한 논문, 쥐어짜듯 대량생산되는 논문을 가지고 고민하고 있습니다. 최근에는 논문을 쓰는 사람보다 많은 연구비를 따오는 교수가 더 능력 있는 교수로 인정받는 경우도 있습니다. 병원에서의 좋은 의사란 많은 환자를 보고 많은 검사를 시행하여 재정적으로 많은 이익을 주는 의사일 것입니다. 그래서인지 많은 병원들이 진료실적을 정량적으로 평가하여 금전적인 인센티브를 주고 있습니다.

이와 달리 환자에게 좋은 의사란 지식보다는 환자를 존중하며 쉬운 말로 친절하게 설명을 잘 해주는 의사를 말하는 것 같습니다. 즉 환자와 공감하고, 환자들의 이야기를 잘 들어주고, 자세히 쉽게 현재의 상황과 앞으로 해야 할 것에 대하여 설명을 해주는 능력과 같은 의사소통 능력을 가진 의사를 말합니다.

필자가 의사친구들을 만나면 가장 흔한 이야기가 환자보기 힘들고 재미없어 그만두고 싶다는 이야기입니다. 하지만 정말로 의사를 그만두고 다른 직업을 찾는 이는 거의 손에 꼽을 정도입니다. 이는 아마도 의사라는 직업이 다른 직업에 비하여 높은 보수가 보장되기 때문이기도 하지만 환자를 치료하는 행위자체가 매우 힘들지만 그래도 재미있고 보람을 주는 일이기 때문일 것입니다. 개인적으로 의사라는 직업이 타인의 고통을 줄여 사회 전체의 행복을 증가시키기 때문에 자긍심을 가질 수 있는 직업이라고 생각합니다.

하지만 질병의 고통과 괴로움으로 예민해진 환자들을 계속 진료하다 보면 어느새 환자들이 아파서 병원에 온다는 사실을 잊는 경우가 많습니다. 환자들이 호소하는 통증을 환자가 주관적으로 느끼는 정도의 그 자체로 인정하고 환자의 상태를 이해하고 동감하기보다는 객관화하며 환자들의 호소를 그저 일상의 한 부분으로 지나치게 되거나 때로는 엄살핀다고 핀잔을 주기도 합니다. 의사들은 사회가 소신진료를 하기 위한 환경을 만들어야 한다고 주장하면서도, 의사끼리 만나서 이야기하는 소재는 병원수익을 올려줄 수 있는 비급여 의료기기나 치료방법, 또는 어떻게 해야 심평원의 보험료삭감을 피할 수 있을지 등의 경제적인 이슈가 적지 않은 것도 사실입니다. 환자를 성의껏 열심히 진료하고 의학적으로도 적절하고 합당한 치료를 위해 고민하고 공부하기보다는 주로 개업하여 성공한 친구나 신문이나 방송에 이름이 오르내리는 선후배들이 소위 '잘 나간다'는 이유로 관심의 대상이 됩니다.

2000년에 벌어졌던 전국적인 의사파업과 2020년 코로나19 대유행시기에 발생하였던 전공의파업은 의료인이 가져야 할 가치와 기준에 대하여 다시 생각해 볼 기회를 주었습니다. 이때 의사들이 뭉치면 사회에 얼마나 큰 영향을 미치는지를 온몸으로 실감하였지만 결국은 미완의 혁명으로 남아있는 것도 사실입니다. 의사나 전공의파업으로 가족을 잃었던 환자가족들은 아직도 그 상황의 참담함과 분개를 잊지 못하고 있으며 일반 국민들은 이러한 의사들의 집단행위에 대하여 심각한 우려를 가지고 있는 것도 사실입니다. 아마도 지금은 의사에 대한 새로운 윤리와 사상이 절실히 필요한 과도기인지도 모릅니다.

4 2
3 5 1
24

에필로그

혹시 '핫도그 먹기대회'라는 이색대회를 아시나요? 미국에서 독립기념일이 되면 해마다 열리는 대회로 미 전역에 방송되는 ESPN에서도 방송될 정도로 유명하다고 합니다. 이 대회의 규칙은 간단합니다. 참가자는 12분 안에 길쭉한 빵을 반으로 갈라 소시지를 넣은 핫도그를 누가 가장 많이 먹는지를 다투는 대회입니다. 소스를 뿌려 먹어도 되지만 우승을 노리는 참가자는 그럴 여유가 없습니다. 하지만 음료는 종류와 상관없이 원하는대로 마실 수 있습니다.

이 대회 우승자는 무지막지한 덩치로 핫도그를 한입에 먹을 수 있는 덩치맨들이라고 생각할 가능성이 높습니다. 사실 이제까지는 그래왔습니다. 하지만 2001년 우승자인 일본인 고바야시는 대식가도 아니고 마른 체구에 키도 170센티미터를 조금 넘는 정도였습니다. 대회에 참가한 한 참가자는 고바야시의 다리를 보면서 자신의 팔보다 얇다고 조롱하기 했습니다. 하지만 고바야시는 핫도그 먹기대회에서 우승하였습니다. 또한 그의 기록은 놀라웠습니다. 이전까지 덩치맨들이 만든 핫도그 먹기 최고기록은 25개 정도였지만 고바야시는 53개까지 성공하였습니다.

이런 결과를 보고 어떤 사람은 핫도그를 먹지 않고 다른 곳에 버리는 속임수를 쓴다고 생각하였습니다. 다른 사람은 그가 많이 먹어도 미식거림나 구토를 억제하는 약을 남몰래 복용한다고 말하는 경우도 있었습니다. 심지어 일본정부가 미국인들에게 굴욕감을 주기 위하여 그를 보냈다는 음모론도 있었습니다.

그렇다면 그는 어떻게 핫도그 먹기 세계신기록을 놀라운 기록으로 경신할 수 있었을까요? 고바야시는 한 인터뷰를 통해 그의 성공비결을 핫도그 먹기라는 경기를 다른 사람과 다르게 생각했기 때문이라고 결론을 지었습니다. 많은 대회 참가자들은 핫도그 먹기 대회를 단순히 핫도그를 먹는 대회로 생각했기 때문에 핫도그를 먹는 방법이 차이가 없었습니다. 이들은 우리가 평소에 핫도그를 먹는 방법과 동일하게 소시지와 빵이 섞인 핫도그를 입에 넣고 씹은 다음 물을 마시는 방법을 사용했습니다. 이러한 상황에서는 덩치가 크고 위가 크며 가능한 물이나 음료수를 적게 마시는 사람이 유리합니다. 하지만 고바야시는 맛있게 먹는 방법이 아닌 더 많이 먹을 수 있는 다른 방법이 없는지를 고민했습니다. 그러면서 핫도그를 먹는 전통적인 관행에 대하여 의문을 제기했습니다.

핫도그의 소시지와 빵을 함께 먹어야 하는 이유는 무엇일까요? 빵과 소시지를 함께 먹는 이유는 이렇게 먹는 것이 담백한 빵과 짭짤한 소시지가 맛의 조화를 이루어 맛있기 때문입니다. 하지만 핫도그 먹기대회는 핫도그를 맛있게 많이 먹는 대회가 아니기 때문에 이렇게 먹을 필요가 없습니다. 실제로 먹어보니 소시지와 빵은 서로 밀도가 달라 함께 먹는 경우 삼키기 어려웠습니다. 이에 고바야시는 핫도그에서 빵과 소시지를 따로 먹기는 방법을 개발하였습니다. 따로 먹으니 소시지는 양념된 고기로 표면이 미끈하기 때문에 삼키기 쉬웠습니다. 하지만 빵은 부피가 크고 부풀어 있어 제대로 씹지 않으면 잘 삼켜지지 않았습니다. 그는 지속적인 실험을 통해 좀 더 쉽게 빵을 넘길 수 있는 방법을 고안했습니다. 그리고는 고바야시는 빵을 물컵에 담아 적시는 방법을 생각해 냈습니다. 빵을 물에 적시면 빵을 삼키기 쉽고 삼켜도 목이 덜 말랐기 때문입니다. 또한 많은 연습을 통해 물의 온도도 중요하다는 것을 알게 되었습니다. 따뜻한 물에 빵을 적시면 빵을 보다 쉽게 넘길 수 있었기 때문입니다. 핫도그를 먹는 방법과 함께 먹는 속도도 고민했습니다. 처음에 속도를 내고 먹는 것이 효과적인지 아니면 일정한 속도로 먹는 것이 좀 더 효과적일 것인지를 연습을 통해 초반에 빨리 먹는 것이 효과적이라는 것을 확인할 수 있었습니다.

또한 근력운동을 하는 것이 먹는데 도움이 될 뿐 아니라 과식으로 인한 미식거림이나 구토를 참는 데 효과적이라는 것을 확인한 후에는 근력운동도 시작하였습니다. 물론 이렇게 요령있게 먹어도 마지막 2분은 힘들다는 것을 알게 된 고바야시는 힘들고 괴로운 고통을 이겨내는 정신력을 키우는 훈련도 함께 했습니다. 마지막으로 경기를 전략적으로 운영했습니다. 대회는 여러 라운드에 걸쳐 핫도그 먹기를 진행하였기 때문에 예선 라운드에서는 턱걸이로 통과할 정도로만 핫도그를 먹고 최종라운드에서만 먹고 죽을 것처럼 먹었습니다.

이러한 방식을 통해 고바야시는 6년간 연속으로 우승을 할 수 있었습니다.

우리는 고바야시의 핫도그 먹기 대회사례를 통해 많은 것을 배울 수 있습니다. 우선 우리가 해결해야 하는 문제를 정확히 인식하고 재규정을 하는 것이 필요합니다. 많은 참가자들은 기존의 핫도그 먹는 방식을 유지하면서 어떻게 하면 더 많이 먹을 수 있을지를 고민하고 있을 때 고바야시는 핫도그를 더 많이 먹는 다른 방법이 있는지를 고민했습니다. 이렇게 문제를 재규정하였기 때문에 기존에 핫도그를 먹는 방법에 문제점이 있다는 것을 인식하고 다른 해결책을 고민할 수 있었습니다. 둘째, 다른 해결책을 고민만 한 것이 아니라 이를 위한 세부전략을 꼼꼼히 평가하고 실제로 확인하고 체득하여야 성공할 수 있다는 것입니다.

경영도 마찬가지라고 생각합니다. 의사들은 의원을 경영하면서 해결해야 할 많은 문제들을 만날 수 있을 것입니다. 하지만 이를 이전의 시각이나 잣대로 평가한다면 문제는 영원히 해결될 수 없을지도 모릅니다. 하지만 고바야시와 같이 문제를 재규정하고 다르게 보는 실력을 늘리면 해결책이 보일 수도 있습니다. 또한 이러한 해결책을 고민만 하는 것이 아니라 이를 실제로 적용하기 위하여 세부전략을 꼼꼼히 평가하고 많은 연습을 통해서만 문제를 해결할 수 있을 것입니다.

새로운 길을 시작하는 새내기 원장 여러분, 앞으로 가는 길에 영광이 함께 하기를 빕니다.

참고문헌

1 의료기관의 내부배치나 설계계획 및 인테리어 시공은 소방법 등에서 정한 규정을 준수하여야 합니다. 따라서 업자에게 의료기관의 인테리어 시공을 맡기는 경우 소방법 등 관련 규정 위반으로 손해가 발생하였을 때 이에 대한 책임을 업자에게 돌리는 내용이 계약서를 작성할 때 반드시 기재하도록 하여야 합니다. 이를 이유로 인테리어 시공대금을 지급할 때 가능한 시기를 분납하여 최대한 완성 이후에 지급하는 금액을 많게 하는 것이 유리합니다. 또한 시공한 인테리어에 대한 하자보수도 계약을 해 놓는 것이 좋습니다. 인테리어의 하자보수 A/S는 일반적으로 1년이지만 그 이상을 계약할 수도 있고, 하자보수를 대비한 보증금을 계약액의 몇 %로 미리 받아 두고 보수기간이 종료되었을 때 지급하는 방식도 생각해 볼 수 있습니다.

2 구비서류 접수, 개설신고서 작성 및 의사회 가입신청(접수 시 입회비, 정기회비, 구회비). 진료수가 및 약수가 책자 등록, 의사 보험카드 발급용 주민등록등본 제출, 의료보험관리공단, 의료보험연합회 지정 신청서 작성.

3 보건소 담당자 현장확인(신고 후 방문), 개설신고필증 수령(수령 시 면허세 납부: 법정수수료), 구비서류: 의료기관 개설 신고서, 진료과목, 시설 및 정원 등의 개요서, 개설 가옥대장 등본 1통(1종 근린시설이어야 함), 병원약도, 건물 평면도 및 구조설명서, 의료인 면허증사본, 전문의 자격증사본, 주민등록등본 1통, 반명함판 사진 3장, 도장.

4 개설신고필증 사본 1통, 건물 임대계약서 사본 1통, 주민등록 2통의 구비서류가 필요하며 관할 세무서 민원실에서 신고서 작성 후 접수하며 신고접수

후 7일 이내 발급되는데 도장을 지참하여야 하며 민원실에서 수령할 수 있습니다.

5 개설허가필증 사본 2통, 요양기관 지정신청서 2통, 현황신고서 2통, 도장, 금융기관 구좌계설의 구비서류가 필요하고 의보공단 관리부 및 의보연합회 급여부로 접수하며 약 10일 경과 후 지정이 우편으로 통보된다고 합니다.

6 기호부여서류: 요양기관현황통보서 작성, 개설신고필증사본(앞, 뒤 모두), 사업자등록증 사본, 의사면허증사본, 전문의면허증 사본, 의료인력자격증(임상병리사, 방사선사, 물리치료사, 간호사 등)의 첨부서류, 통장사본, 의료장비(의료장비별 세부내역-서식을 다운 받음), 장비 중 방사선비일 경우 의료장비 서류 및 방사선발생장치 신고필증(보건소발행) 등이 필요하며 이 서류를 작성하여 세무사무소 직원에게 일임할 수 있다고 합니다.

7 병원 직원, 가족 진료비 할인은 '위법'아냐, 의학신문, 2020.11.26.

8 경험재란 소비자가 구매한 뒤에야 품질을 확인할 수 있는 제품을 말합니다. 거의 대부분의 서비스상품이 이에 해당합니다. 참고로 탐색재란 소비자가 구매하기 전에 품질을 평가할 수 있는 상품으로 공산품들이 이에 속합니다. 신용재란 소비자가 자신이 구매한 상품에 대하여 결코 완전하게 알지 못하거나 오랫동안 알지 못하는 상품으로 연금이나 보험이 이에 해당합니다.

9 필자가 전임의일 때 병원에서 심초음파 기사에게 검사건수에 대한 성과급을 시행한 적이 있습니다. 이렇게 성과급을 시행하였더니 심초음파 기사는 상대적으로 쉬운 검사만 시행하려고 경쟁하는 촌극이 발생하였고 결국은 성과급이 폐지되었습니다. 이와 같이 성과급은 잘 운영하지 않으면 많은 부작용이 발생할 수 있습니다.

10 Wrzesniewski A, Dutton JE. Crafting a job: revisioning employees as active crafters of their work. Academy of Management Review 2001;26:179-201.

11 일을 재미있게 만드는 비결 '잡 크래프팅', 아시아경제, 2013.4.30.

12 Jo JY, Kim MS. Development and validation of the job crafting scale. Journal of Life-span Studies 2015;5:29-46.

13 Seo AL., Jung YS, Sohn YW. The influence of job crafting and task identity on meaningful work: The moderated mediating effect of perceived organizational support. Korean Journal of Industrial and Organizational Psychology 2018;31:149-73.

14 다니엘 핑크, 드라이브, 청림출판. pp. 50-2.

15 처음에 사서 들어가는 것이 좋지 않느냐는 의견을 가진 사람들도 있는데 상가를 임대하는 경우 임대료에 대하여 세금혜택을 받을 수 있고, 만약 잘 된다고 생각되면 이때 프리미엄을 주고 인수하는 것이 좀더 안전하기 때문입니다. 또한 사업이 잘 되지 않는 경우에도 임대의 경우 쉽게 털고 나올 수 있습니다. 하지만 직접 상가를 인수하는 경우 인수비용에 대한 세금혜택을 받을 수 없고 사업이 잘 되지 않더라도 상가를 매매할 때까지 지속적으로 영업을 유지해야 하므로 이중삼중의 고통이 따를 수 있습니다.

16 이러한 인테리어의 영향은 다른 사업에서는 흔히 관찰할 수 있습니다. 예를 들어 이랜드 그룹의 2001 아웃렛의 식료품 매장의 수산물 코너의 매출이 부진해서 고민하다가 참치그림이 있는 기존의 간판을 내리고 대신 물고기, 수초, 배 등 입체조형물을 설치한 후 매출을 비교하였더니 전년과 전월에 비하여 매출이 57%, 21% 증가하였다고 합니다. 또한 인지도가 낮은 브랜드를 가진 아동용 신발매장을 각각 다른 개별매장으로 운영하였을 때에 비하여 매장을 하나로 통합하여 넓고 고급스러운 분위기로 꾸미고 아이들이 좋아하는 따뜻하고 부드러운 색상으로 치장하였더니 매출이 78% 증가하였다고 합니다(참고문헌: 조관일. 1인 혁명가가 되라. 위즈덤하우스. 2011. p. 65).

17 경기 어려워지자 네트워크 병원 '주목', 헬스코리아뉴스, 2018.3.19.

18 네트워크 병원, 가입할까 말까? 청년의사, 2003.11.10.

19 J L Freedman, S C Fraser. Compliance without pressure: the foot-in-the-door technique. J Pers Soc Psychol 1966;4:195-202.

20 Cialdini RB, et al. Reciprocal concession procedure for inducing compliance: The Door-in-the-face technique. Journal of Personality and Social Psychology 1975;2:206-15.

21 Homik J. Tactile stimulation and consumer response. Journal of consumer research. Marketing letters 1992;3:49-55.

22 Smith D, et al. Interpersonal touch and compliance with a marketing request. Basic and applied social psychology 1982;3:35-8.

23 Kaufman D, Mahoney J. The effect of waitress's touch on alcohol consumption in dyads. The journal of social psychology 1999;139:261-7.

24 신의성실의 원칙이란, 매일경제, 2017.9.7.

25 교회에서 일하는 직원을 뽑을 때 지원자격을 신자로 제한하는 것은 합리적인 차별이라고 할 수 있습니다. 하지만 종교재단에서 설립한 학교에서 교원과 교직원을 선발할 때 자격을 해당 종교인으로 제한하는 것은 합리적인 차별이라고 할 수 있을까요? 이에 대하여 국가인권위원회는 합리적인 차별이 아니라고 결정하였습니다.

26 비정규직 근로자를 2년 이상 고용하는 경우 정규직으로 바꿔야 한다는 것으로 4인 이하의 사업장의 경우 이에 해당되지 않아 비정규직 근로자를 2년 이상 고용할 수 있습니다.

27 사용자의 책임으로 휴업을 하는 경우 사용자는 휴업기간 동안 근로자에게 평균임금의 70% 이상의 수당을 지급해야 합니다. 하지만 4인 이하의 사업장의 경우 이러한 의무가 면제됩니다.

28 근로기준법에서는 근로시간을 일주일 40시간, 최대근로시간(연장근로, 휴일근로 포함) 52시간으로 제한하고 있습니다. 하지만 4인 이하 사업장은 규정이 적용되지 않습니다.

29 사업장의 근로자에게 야간이나 휴일, 혹은 정규시간 이후 연장근무를 시키는 경우 통상임금보다 50%의 가산된 임금을 지급하여야 하는데 4인 이하의 사업장의 경우 반드시 주지 않아도 됩니다.

30 1년간 80% 이상의 출근을 한 근로자에게 주어지는 유급휴가를 연차라고 합니다. 이전에는 연차휴가는 1년 이상 근로한 근로자에게 주어진다는 규정이 있어 1년 이하로 근무한 근로자의 경우 따로 연차휴가가 없었습니다. 하지만 2017년 국회는 '최초 1년간 근로에 대하여 유급휴가를 주는 경우에는 1개월 개근 시 발생하는 유급휴가를 포함해 15일로 한다'는 조항을 삭제하여 1년 이하로 근무한 근로자도 연차휴가를 받을 수 있게 되었습니다. 고용노동부는 2018년 5월 '1년 미만 노동자 등에 대한 연차휴가 보장확대관련 개정 근로기준법 설명자료'를 통해 1년 기간제 노동자 계약기간이 끝나면 최대 26일치의 미사용 휴가수당을 지급해야 한다고 하였습니다. 하지만 최근 대법원에서 1년 미만 근로자의 연차휴가는 26일이 아닌 11일이라고 판결하였습니다. 주의할 것은 4인 이하 근로자가 근무하는 사업장의 경우 법적으로는 사업자는 근로자들에게 연차를 주지 않아도 됩니다.

31 사용자는 근로시간이 4시간인 경우 30분 이상, 8시간인 경우 1시간 이상의 휴게시간을 근로시간에 주어야 합니다. 이 휴게시간은 근로자가 자유롭게 이용할 수 있어야 합니다. 이러한 휴게시간은 원칙적으로는 한꺼번에 부여하는 것

이 타당하지만 본래의 취지에 어긋나지 않으면 분할하여 주어도 무방합니다.

32 취업장소와 종사업무, 취업규칙의 필요적 기재사항, 사업장 기숙사에 근로자를 기숙하게 하는 경우에는 기숙사 규칙에 관한 사항 등.

33 성실의무란 사용자의 이익을 현저히 침해하는 행위를 하지 않고 그 이익을 보호해야 하는 것으로 경영상 비밀유지의무(근로자가 재직 중 알게 된 영업비밀을 누설하지 않을 의무), 경업금지의무(근로자가 퇴직 후 동종 업체에 취업하거나 동종 업종으로 창업할 수 없다는 것으로 이를 위반하는 경우 위약조항에 따라 연봉의 2배에서 10배까지 정한다고 합니다), 사고대처의무 등이 있으며 만약 근로자가 이를 위반하는 경우 취업규칙으로 정한 바에 따라 징계할 수 있습니다.

34 배려의무란 근로자의 안전 및 건강 등을 보호해야 할 의무로 대표적으로 안전배려의무가 있습니다. 안전배려의무란 사용자가 사업시설 및 기계의 위험에서 근로자의 생명 및 신체의 안전과 건강을 배려하는 의무입니다.

35 가장 대표적인 것으로 장학금 수령을 조건으로 일정기간 근무하지 않으면 장학금 상당액을 임금이나 퇴직금에서 상쇄한다는 약정이나 근로자가 일정기간 해외연수 후 일정기간 동안 의무재직기간을 부과하는 것 등이 있습니다. 하지만 손해배상의 개념이 아니라 단지 의무재직기간을 이행하지 않은 경우 여기에 들어간 교육훈련비용상환만을 약정하는 것은 허용됩니다.

36 매년도 표준취업규칙은 정부에서 인터넷에 게시하고 있습니다. 구글에서 '표준취업규칙'이라고 서치하면 쉽게 찾을 수 있습니다.

37 예외적으로 법령이나 단체협약에서 별도의 규정이 있는 경우 다른 것으로 지급될 수 있습니다.

38 이와 같은 이유로 월급통장은 근로자의 명의로 된 통장이어야 합니다. 하지만 선원의 경우 예외적으로 가족에게 지급되는 것이 허용됩니다.

39 법적으로 임금은 크게 평균임금과 통상임금으로 나눌 수 있습니다. 이렇게 임금을 나누는 이유는 사용되는 곳이 다르기 때문입니다. 평균임금은 사유가 발생한 날 이전 3개월동안 실제로 지급을 받은 모든 임금의 총액을 그 기간의 총일수로 나눈 것으로 주로 퇴직금이나 산재보상액을 산정하는데 사용됩니다. 여기에는 특별상여금 및 가족수당이 전부 포함이 됩니다. 이에 비하여 통상임금이란 근로의 대가로 정기적, 일률적으로 지급하기로 약정한 고정급 임금을 말하는데 이러한 통상임금은 연장근로, 야간근로, 휴일근로에 대한 추가임금을 산출하는 표준이 됩니다. 이러한 통상임금을 산정하는 방식은 평균임금보

다 복잡한데 일률적이고 정기적으로 지급하는 임금만이 해당되기 때문에 월 단위를 초과하여 지급하는 상여금이나 일시적으로 지급하는 축의금, 시간외 수당, 연월차수당 등은 포함되지 않는 것이 보통입니다.

40 근로자 부담의 보험료나 근로소득세는 임금에 포함됩니다.

41 이런 것들이 명시되는 이유는 이들이 임금으로 인정받는 경우 퇴직금산정 및 추가근로시간 임금계산에 포함되기 때문입니다.

42 3번의 연체기준이 연속으로 차임을 연체해야 하는지, 1년에 3번 불연속적으로 연체하는 것인지에 대한 의문이 있을 수 있습니다. 현재 판례에 따르면 매월 차임을 지급하기로 약정한 경우 세 달 연속으로 차임을 연체한 것은 물론 각각 불연속적으로 세 달의 차임을 연체한 경우도 임대차 계약을 해지할 수 있습니다. 참고로 주택임대차의 경우 차임을 2번 연체한 경우 임대차계약이 해지될 수 있습니다.

43 사업자는 사업자의 인적사항과 그 밖의 필요한 사항(사업개시 연월일 또는 사업장설치 착수 연월일, 사업자등록신청사유, 기타 참고사항 등)을 사업자등록신청서에 기재하고 이와 함께 필요한 서류[사업허가증 사본(필요시), 사업등록증 사본 또는 신고필증 사본, 임대차계약서 사본(임차한 경우, 사업자금 내역 또는 자금출처명세서 등)]를 첨부하여 관할 세무서장에게 제출하면 신청일로부터 3일이내 사업자등록증을 받을 수 있습니다.

사업자는 사업장마다 사업 개시일로부터 20일 이내 사업장 관할 세무서장에게 사업자등록을 신청해야 하지만 신규로 사업을 시작하려는 자는 사업개시일 이전이라도 사업자등록을 신청할 수 있습니다.

44 점유 이전을 말하는 것으로 건물에 대한 사실상의 지배가 임대인으로부터 임차인으로 이전하는 것을 의미합니다.

45 저당권이란 은행에서 돈을 빌려줄 때 거래의 안전을 위하여 건물이나 토지를 담보로 지정하는 것으로 돈을 갚지 못하면 담보로 잡힌 것을 경매로 신청해서 돈을 받을 수 있는 권리를 말합니다.

46 가등기란 매매의 예약, 대물변제로 부동산을 취득할 것을 약속했을 때 등 아직 소유권을 확보하지는 못했지만 그 권리를 주장할 필요가 있는 경우 하는 것으로 가등기한 후 본등기를 하면 가등기를 한 때로 등기의 순위가 소급됩니다.

47 가처분 등기란 남에게 빌려준 부동산을 되돌려 받아야 하거나 부동산을 사서 인수하기 전에 판 사람이 다른 사람에게 다시 처분하지 못하도록 등기부에 금지사항을 써넣는 것을 말합니다.

48 저당권은 이미 확정된 채권을 담보하는 것으로 집을 담보로 저당권을 설정한 경우 대출받은 채무를 상환하면 저당권은 소멸하기 때문에 다음에 대출을 다시 받는 경우 별도의 저당권을 설정하여야 합니다. 이에 비하여 근저당권은 채권최고액 범위내에서 계속적 거래로 증감을 할 수 있기 때문에 채무를 상환하여도 근저당권 말소행위가 없다면 근저당권이 소멸하는 것이 아니고 다시 대출을 받을 때 활용할 수 있습니다. 따라서 은행과 같은 금융기관은 편의상 근저당권을 선호한다고 합니다.

49 여기서 제한적이라는 제한이 붙는 이유는 권리금 회수기회 보호에 예외조항이 있기 때문입니다. 대표적으로 임차건물이 철거할 정도로 노후되어 재건축을 하거나 상가가 재개발지역에 포함된 경우 임대인이 권리금회수를 보장해줄 필요가 없습니다. 이 외에 계약을 체결할 때 재건축에 대한 사항을 미리 고지하거나, 건물이 노후 및 훼손되어 안전사고의 우려가 있거나, 다른 법령에 따라 철거나 재건축이 이루어지는 경우가 있습니다. 또한 대형마트, 백화점, 복합쇼핑몰과 같이 전체면적 3,000 m^2 이상인 대규모 점포의 경우도 권리금 회수기회를 보호하지 않습니다. 마찬가지로 전통시장에서도 권리금회수를 보장받을 수 없습니다.

50 대법원 2018다252441, 252458 판결: 건물주가 자신이 직접 장사를 할 것이라고 권리금을 내고 들어올 사람과 계약을 거절한 사례에서 대법원은 건물주가 자신이 영업한다는 이유로 권리금을 내고 들어올 사람과 계약을 거절하면 불법이라고 판시하였습니다.

51 상가임대차보호법 제10조의 4 제2항제4호에서 임대차 목적물인 상가건물을 1년 6개월 이상 영리목적으로 사용하지 않는 경우를 정당한 사유로 임차인이 주선한 신규임차인이 되려는 자와 임대차계약의 체결을 거절할 수 있다고 지정하였습니다.

52 참고로 신의료기술평가를 받아야 환자에게 기술비용을 청구할 수 있습니다. 요양급여목록에 등재되지 아니한 의료기술은 연구목적 등으로 환자의 동의를 받아 시술은 가능하지만 비용을 청구하는 것은 금지되어 있습니다. 만약 비용을 청구하는 경우 부당의료행위로 인정되어 법적제재를 받을 수 있습니다. 다만 예외적으로 주근깨나 성형수술과 같이 치료목적이 아닌 미용시술이나 치과 보철 등 안전성과 유효성을 검증하기 어려운 일부시술의 경우 신의료기술평가와 같이 시술과 비용청구가 가능합니다.

53 신의료기술 보류된 IMS 광고한 병의원 고발, 중앙일보, 2013.5.22.

54 환자 치료경험담 등 치료효과 광고… 위반사례는, 뉴스더보이스, 2020.7.13.

55 의료법에서 금지하고 있는 의료광고는? 한의신문, 2020.9.22.

56 의료법에서 금지하고 있는 의료광고는? 한의신문, 2020.9.22.

57 https://m.blog.naver.com/39954/222038054187.

58 의료법에서 금지하고 있는 의료광고는? 한의신문, 2020.10.22.

59 헌재 2015.12.23. 2015헌바75 판결.

60 이에 대하여 온라인 광고의 경우 정확한 이용자수 집계가 어렵고 10만 이하의 사용자라고 하더라도 광고파급력이 크며 신설매체는 적용하기 곤란하다는 문제가 지적을 받고 있습니다.

61 이동필. 건강보험판례의 최근경향. J Korean Med Assc 2013;56:676–85.

62 복지부 “비도덕적 진료=자격정지 1년은 오해”, 의협신문, 2016.9.30.

63 비만약 비급여 처방 후 급여청구 ‘업무정지’ 정당. 데일리메디, 2022.1.24.

64 현지확인, 현지조사, 허위청구, 부당청구 차이만 분명히 알아도 다른 결과, 경기메디뉴스, 2021.9.1.

65 대법원 2001.3.23. 선고 99두4204판결, 대법원 2012.6.18. 선고, 대법원 2010두27639, 2010두27646(병합) 판결.

66 대법원 2011.9.8. 선고 2009두15005판결 참조.

67 건강보험심사평가원 상담문의: 실수나 착오 청구에 대한 행정처분여부, 2017.4.20.

68 대법원 2017.9.12.선고 2017도 10476판결.

69 리베이트 급지 조항의 해석 및 제재정도, 메디칼 이코노미, 2020.4.14.

70 견본품이란 최소한의 포장단위로 ‘견본품’이라고 표기되어야 하며 재판매가 금지됩니다.

71 학술대회 주최자로부터 지원을 받은 국내외 학술대회의 발표자, 좌장, 토론자가 지원받는 교통비, 식비, 숙박비, 등록비 등의 실비는 허용됩니다.

72 임상시험에 필요한 의약품, 의료기기, 연구비는 허용이 됩니다. 시판 후 조사(PMS)의 경우 식약처의 승인을 받은 시판 후 조사는 가능하지만 증례보고서는 건당 5만 원 이하(만약 희귀질환이나 장기추적 등의 추적조사가 필요한 경우 경우 30만 원 이하)의 사례비가 가능합니다.

73 규정된 방식의 제품설명회에서의 교통비, 숙박비, 5만 원 이하의 기념품, 10만 원 이하의 식사는 허용됩니다.

74 요양기관이 의약품이나 의료기기에 대한 대금을 결제할 때 의약품이나 의료기기를 실제 수령한 날로부터 3개월 이내 대금을 결제하면 0.6%, 2개월 이내 결제 시 1.2%, 1개월 이내 결제 시 1.8%의 비용 할인이 가능합니다.

75 신용카드를 사용하는 경우 결제금액 1% 이하로 포인트 적립이 가능합니다.

76 의료인의 정보누설금지, 헬스포커스뉴스, 2018.8.28.

77 대법원 1996.2.23. 선고 95누16318판결.

78 A정형외과에 근무하는 B의사는 원장 C가 해외에 있을 때 원장 A의 명의로 진단서를 작성하였습니다. 대법원에서는 이렇게 작성명의를 허위로 기재하는 경우도 직접진찰 위반으로 해석하였습니다(대법원 2012.7.26.선고 2011두4794판결).

79 진료기록부 불성실하게 작성하거나 작성하지 않은 경우 300만 원 이하의 벌금이지만 진료기록부를 허위로 작성하거나 고의로 사실과 다르게 추가기재 및 수정한 경우 3년 이하의 징역이나 1천만 원 이하의 벌금의 형벌이 주어지게 됩니다. 또한 진료기록부를 기록하지 않은 경우 자격정지 15일의 행정처분이, 진료기록부를 거짓으로 작성하거나 고의로 사실과 다르게 작성한 경우 자격정지 1개월의 행정처분이 내려지게 됩니다.

80 2018년 추가기재나 수정한 내용을 검증할 수 있기 위한 소위 진료기록 블랙박스제도가 도입되었습니다. 이에 따라 진료기록을 추가적으로 기재하거나 수정한 경우 추가기재나 수정하기 전과 후의 원본을 보존하도록 하였습니다. 이와 함께 전자의무기록을 추가적으로 기재하거나 수정하는 경우 접속기록을 보관하도록 하였습니다.

81 진료기록부를 보존하지 아니한 경우 자격정지 1개월의 행정처분이 내려진다.

82 '음주 진료' 악의적 민원에 자격정지된 의사…. 법 "비도덕적 의료행위 아냐". 조선비즈, 2021.6.7.

83 헌재 2013. 12. 26. 2012헌마551, 2012헌마561(병합).

84 대법원 2014. 2. 13. 선고 2010도10352 판결, 대법원 2014. 1. 16. 선고 2011도16649.

85 헌재 2013. 2. 28. 2011헌바398.

86 대법원 2014.9.4. 선고 2013도7572판결.

87 대법원 2016.7.21. 선고 2013도850판결.

88 4분의 1 인력으로 요양병원… 사무장 병원들 2조 챙겼다. 중앙일보, 2021.1.29.

89 마약법 위반자도 3년이면… 가운 다시 입는다고? 헬스경향, 2021.7.22.

90 취소된 의사면허도 신청만 하면 재교부?..."종신면허" 비판, 청년의사, 2019.10.2.

91 하지만 양수인이 내용증명 등의 절차를 통해 이전 병의원이 업무정지처분을 받았거나 절차가 진행중이라는 사실통보를 받지 못하였을 경우에는 승계되지 않습니다. 하지만 양수인이 이를 증명하여야 하는데 실제로 이를 증명하기 매우 어렵습니다.

92 업무정지 기간중 일부 의료행위 가능, 한국보험청구심사협회. [출처: http://www.hicra.or.kr/sub_asp/06_board04.html?mode=read&read_no=1909&now_page= 47&menu=]

93 업무정리처분, 메디로. [출처: http://www.godolaw.co.kr/pages/page_96.php]

94 재결서란 청구인이 행정청으로부터 받은 처분에 대하여 이를 변경 또는 취소해달라는 행정심판을 청구하고 이에 따른 행정심판위원회가 행하는 판단의 결과물을 말합니다.

95 집행정지신청이란 예정된 행정처분이 시작된 경우나 시작하기 전부터 행정소송이 끝나 법원의 최종결정을 받을 때까지 행정처분이 집행되는 것을 일시적으로 정지시켜달라는 신청입니다.

96 거짓청구? 부당청구? 주의가 필요합니다. 치의신보, 2019.8.17.

97 기소유예는 죄는 인정되지만 피의자의 여러 면을 참작하여 기소하여 전과자를 만드는 것보다는 다시 한번 성실한 삶의 기회를 주기 위하여 검사가 기소를 하지 않고 용서해주는 것입니다.

98 무혐의처분이란 검사가 수사한 결과 범죄를 인정할 만한 증거가 없는 경우 피의자의 무고함을 최종적으로 판단하는 처분을 말합니다.

99 약식기소란 검사가 사건조사를 하여 피고의 죄가 징역에 처할 정도로 무거운 죄가 아니라는 판단을 내렸을 때 벌금형에 처할 것을 취지로 법원에 약식명령

을 해 달라고 청구하는 것으로 법원은 사건기록을 검토하여 유죄로 인정되는 경우 피고인을 벌금형에 처하는 약식명령을 발령하게 됩니다. 약식절차는 법원에 출석할 의무 없이 모두 서면으로 처리되어 간편하지만 약식기소에 따른 벌금형도 형벌에 해당하므로 일단 확정되면 전과자가 됩니다.

100 보건복지부는 의료기관이나 의사가 의료법을 위반하는 경우 업무정지나 면허정지 처분을 할 수 있도록 되어 있습니다. 하지만 이 제재를 통상적인 범위가 아닌 과도하게 처분하는 경우 재량권남용이라고 할 수 있습니다.

101 '시효기간 5년' 넘은 리베이트 의사… "자격정지 적법", 데일리메디, 2021.6.11

102 대법원 2012.6.18. 선고 2010두27639, 27646판결.

103 헌법재판소 2012.3.29. 선고 2010헌바83결정.

104 대법원 2013.4.11. 선고 2010도1388판결.

105 대법원 2020.5.14. 선고 2014도9607판결.

106 대법원 2013.4.26. 선고 2011도10797판결.

107 일반적으로 진료보조는 의사의 지시, 지도 감독에 따라 행하는 행위를 말합니다.

108 최근 피부과 의원 의사가 간호조무사에게 큐렛을 이용하여 물사마귀를 제거하는 간단한 시술을 하도록 지시하였고 이를 간호조무사가 시행하였습니다. 이에 대하여 대법원은 물사마귀 제거시술은 비교적 간단한 의료행위로 시술의 위험성이 낮고 당시 간호조무사가 숙련되었기 때문에 의사가 직접해야 하는 의료행위가 아니고 반드시 현장에 입회할 필요가 없다고 판단하였습니다(대법원 2019.8.14. 선고 2019도7082판결).

108 복지부 "1인 1개소법, 서울대병원은 해당 안 돼", 연합뉴스, 2016.8.30.

110 "의약품 리베이트 의사의 면허취소는 정당", 의학신문, 2019.4.15.

111 간호조무사에 전화로 처방전 발생 지시 의사, 데일리메디, 2020.1.14.

112 일반적으로 진료보조는 의사의 지시, 지도 감독에 따라 행하는 행위를 말한다.

113 최근 피부과 의원 의사가 간호조무사에게 큐렛을 이용하여 물사마귀를 제거하는 간단한 시술을 하도록 지시하였고 이를 간호조무사가 시행하였습니다. 이에 대하여 대법원은 물사마귀 제거시술은 비교적 간단한 의료행위로 시술의 위험성이 낮고 당시 간호조무사가 숙련되었기 때문에 의사가 직접해야 하

는 의료행위가 아니고 반드시 현장에 입회할 필요가 없다고 판단하였습니다. (대법원 2019.8.14. 선고 2019도7082판결)

114 의료사고 늘어나는데… 의료배상공제 가입률 30% 그쳐. 한국공제보험신문, 2021.9.27.

115 당사자 쌍방이 양보한 끝에 일치된 결과를 법원에 진술하는 것.

116 원고의 청구가 실체상의 이유가 있음을 피고가 변론 또는 준비절차에서 인정하는 진술을 말합니다.

117 의료과오소송의 경우 가장 쟁점이 되는 문제는 의사의 과실 및 그 과실과 손해와의 인과관계에 대한 증명입니다. 즉 원고(환자 측)는 의료과실이 존재하는지, 그로 인하여 손해가 발생하였는지, 그 의료과실과 발생한 손해사이의 인과관계가 있는지를 입증하여야 합니다. 일반적으로 이러한 입증책임은 원칙상 원고(환자 측)에게 있습니다. 하지만 의료행위가 전문적인 분야이기 때문에 의료에 대하여 잘 알지 못하는 환자 측은 의사와 정면으로 대결하여 자신의 주장을 조리있게 전개하고 증거를 제시하기 어려운 면이 있어 최근에는 원고측(환자 측)의 입증책임의 문제를 경감시키거나 피고측(의사측)에 과오가 없음을 증명할 것을 요구하기도 하는데 이를 입증책임의 전환이라고 합니다.

118 민사소송을 위해 서류접수 시 붙여야 하는 인지금액.

119 감정이란 법관이 재판을 할 때 법관이 잘 모르는 분야에 대하여 해당분야의 전문가에게 의견을 구하는 것으로 해당사건과 관련이 없는 제3자로서 특별한 지식이나 경험을 가진 전문가가 해당분야에 대한 전문적인 평가나 의견을 제공하는 절차입니다. 하지만 의료소송의 주된 자료인 의료기록을 감정하는 감정인은 의사(대부분 현직 대학교수)이기 때문에 이로 인하여 평등하지 않다고 주장하는 사람도 있습니다.

120 증인이 법원에 출석을 위해 실제로 이용한 비용(일당, 교통비, 숙박비)으로 증인을 신청한 신청인이 비용에 대한 책임을 지지만 이러한 비용은 신청인이 직접 증인에게 제공하는 대신 법원에서 지불하게 됩니다.

121 의료소송, 큰 돈 들여 지는 싸움, 경향신문, 2019.8.3.

122 재판상 화해란 쌍방의 합의가 성립하여 이를 조서화하면 소송이 종결되며, 이 조서에 기재한 당사자간의 합의는 확정판결과 동일한 효력이 있다는 뜻입니다.

123 남을 대신하여 빚을 갚아준 사람이 다른 연대채무자나 주된 채무자에게 그 만큼의 재산 보상을 요구할 수 있는 권리.

124 모든 의료사고 시 분쟁조정 '강제 개시' 뭐가 문제일까? 의협신문, 2022.1.24.

125 대한의사협회배상공제조합 홈페이지를 보면 많은 도움이 됩니다. 참고로 배상공제의 경우 1청구당 보상한도는 3천만 원에서 5천만 원이며 진료영역 및 적용범위에 따라 가입체계를 분류하여 공제료를 차등부과하고 있습니다. 예를 들어 보상한도액 3억 원 자기부담금 1천만 원을 하는 경우 내과/소아과/영상의학과/이비인후과/가정의학과의 경우 최저 528,000원부터 산부인과의 경우 9,588,000원까지 차이가 있습니다. 좀 더 자세한 내용은 홈페이지를 참조바랍니다. https://www.kmama.org/main/sub02_02_03.asp

126 현재 법원의 판례를 보면 의료진의 설명의무는 동의서에 서명날인을 받는 것만으로는 설명의무를 다한 것으로 인정되지 않습니다. 따라서 동의서에 수기로 후유증이나 다른 치료법에 대한 설명근거를 남겨야 합니다. 이와 같이 환자에게 충분한 설명을 한다는 것은 의사가 하려고 하는 치료행위의 내용과 효과 및 그에 따른 위험이나 부작용을 환자가 분명히 인식할 수 있도록 해주어야 한다는 것을 의미하는 동시에 이러한 사실에 대한 인식을 바탕으로 환자에게 절대적인 판단의 자유를 보장하고 존중해야 한다는 것을 의미하기 때문입니다.

이와 함께 치료방법이 여러 가지인 경우에 각각의 치료방법에 대하여 환자에게 설명을 하여야 하고, 치료 후 발생할 수 있는 후유증이나 부작용이 중대한 것인 경우 그 가능성이 희박하다 하더라도 설명하여야 합니다. 참고로 설명의무에 대한 입증책임은 환자가 아닌 의료인에게 있습니다.

127 의료법상 의료기관에 종사하는 직원 중에 면허범위 외 업무를 하게 되면 무면허 의료행위로 형사처벌과 고용주인 의사도 행정처분으로 면허정지를 받을 수 있기 때문에 인력신고는 매우 중요합니다. 만약 방사선기사가 사직하였지만 X선 촬영을 지속하고 있다면 무면허 의료행위로 적발될 수 있기 때문입니다. 마찬가지로 물리치료사가 사직한 후에 물리치료를 계속하고 있다면 문제가 발생할 수 있습니다.

128 가습기 살균제 건강피해 사건 백서, 보건복지부 질병관리본부 폐손상조사위원회, 2014.12.

129 가습기 살균제 원인 규명, 누가 한 것인가? 환경운동연합. [출처: http://kfem.or.kr/?p= 160327]

130 이것이 문제가 된 까닭은 가습기의 특징과 관련이 있는데 가습기의 특성상 시중에 유통되는 것은 초음파 진동식으로 물을 초음파로 진동시켜 매우 작은 물방울 입자로 날려보내는 방식으로 저렴하지만 만약 불순물이 들어간 경우 불순물과 함께 확산된다는 문제가 있다. 그리고 공기 중의 가습기 수분은 인간이 호흡하면 공기와 함께 폐로 들어가는데 수분에 포함된 불순물이 폐에 문제를 일으키게 되는 것이다. 사건 이전 원인물질들은 다른 살균제에 비하여 피부나 경구에 대한 독성이 적고 살균력이 뛰어나고 물에 잘 녹는다고 하는 등 독성 연구에서 위해성이 낮다고 평가하였지만 해당 물질들이 호흡기에 어떤 영향을 미치는지 조사된 바는 없었다. 이는 이 물질들이 바닥 청소제 등으로 사용된다는 가정하에 연구가 진행되었기 때문이라고 한다.

131 '가습기 살균제' 사망자 1,000명 넘어, 경향신문, 2016.10.17.

132 '가습기 살균제 실험조작' 호서대 교수 '징역 1년4개월' 확정, 중앙일보, 2017.9.26.

133 호서대 교수만이 징역형을 받은 것은 이 교수의 경우 옥시 직원 10명을 동원해서 직원들 30평형 아파트 큰방과 작은방에서 가습기 살균제를 6시간 틀어놓고 PHMG 농도를 재는 실험을 하였고 이후 방안 공기의 위험농도를 측정한 결과 위험한 수준에 이르지 않았다는 결론을 내놓았다. 하지만 연구당시 농도를 낮추기 위해 창문을 열어놓은 채 흡입독성실험을 시행하였으며 옥시 측으로부터 자문료 명목으로 2,400만 원을 받은 것이 확인되었다.

134 공혜정 외. 가습기 살균제 연구의 배후에 있는 재정적 이해상충에 대한 비판적 검토. 생명윤리정책연구 2016;9:1-43.

135 조관일, 1인 혁명가가 되라. 위즈덤하우스. 2011. pp. 54-64.